무용개론

신숙경

지은이 신숙경은
이화여자대학교 학사,석사
그리고 박사과정을 무용으로
졸업하고 <거미의 길은
젖어있다>, <아직도 끝>,
<진아원비아>,
<MOVE UP>, <BALANCE>,
<그 순간 그리고 문득>,
<끝…그리고>,
<보이지 않는, 존재하지 않는>
등의 안무를 하였고
저서로는 <#무용키워드>,
<작은 예술론>,
<THE A MOVEMENT>가 있다.

Table of Contents

Table of Contents

Table of Contents

Table of Contents

Table of Contents

Table of Contents

Anne Teresa De Keersmaeker

"On the one hand, there is the attachment to minimalism, the conceptual, at times distanced. On the other hand, one also senses a rather pronounced feminine physicality not ′exhibitionist′ but claiming its right to existence. *Rosas danst Rosas* celebrates femininity without ignoring it by making it more masculine, whilst also not simply exploiting it."

ROSAS DANST ROSAS

Marianela Nunez

"수업 준비를 위해 참고할 만한 영상을 찾다가 그녀 작품을 반복해서 보았다. 그녀의 실력도 실력이지만 끌어들이는 매력을 인정 안 할 수 없다. 그래서 그녀는 요즘 많고 젊은 무용수들 중에서 사이에서 내가 가장 애정하는 발레리나이다. 마리아넬라 누네즈와 발레를 분리시킬 수 최고의 작품은 돈키호테라고 생각한다. 그 중 저 파드되 장면을 잊을 수 없다. 누네즈의 춤은 그 자체로 예술 작품이며, 보는 것만으로 행복이다.

무용이란 무엇인가?

무용이란 무엇인가?

무용은 신체 움직임을 통해 감정, 이야기, 아이디어를 예술적으로 표현하는 활동이다. 이는 음악이나 무대와 결합하여 시각적이고 체험적인 예술 작품을 만들어낸다. 공간, 시간, 에너지의 조화를 통해 동작이 구성되며, 무용은 단순한 신체 활동을 넘어 인간 경험의 근본적인 측면을 탐구하고 표현한다. 이를 통해 무용은 개인의 감정 표현, 사회적 상호작용, 문화적 정체성의 교육적 및 치료적 도구로서 역할을 한다. 무용은 신체를 이용해 비언어적으로 복잡한 감정, 생각, 이야기를 전달하고, 관객과의 깊은 정서적, 지적 교류를 이끌어내는 예술 형태다.

★무용의 사전적의미

'종교적 혹은 집단적 환희와 같은, 어떤 강렬한 정서에 의해 발생하는 근육의 자연스러운 활동, 무용수와 관객 모두에게 즐거움을 주는 우아하고 아름다운 움직임의 다양한 구성체, 안무된 동작과 그 정열을 재현하기 위해 숙련된 무용수가 표현한 결과로 나타나는 움직임의 결정체'

<대영백과사전>

• 철학적 관점에서 무용의 본질과 의미

철학적으로 무용은 인간의 본성과 실존을 탐구하는 매체로서 기능하며 무용은 신체를 통해 내면의 세계를 외부로 표현하는 수단이며, 이러한 표현은 우리가 세상을 이해하고 경험하는 방식에 대한 근본적인 질문을 제기한다. 헤겔과 같은 철학자들은 예술이 감각적인 것과 이상적인 것의 합일을 나타낸다고 주장했으며, 무용은 이러한 철학적 개념을 신체를 통해 구현하는 예술이다. 무용은 신체의 움직임을 통해 인간의 감정과 정신을 형상화하고, 그 과정에서 새로운 의미와 아름다움을 창조한다. 철학적 관점에서 무용의 본질과 의미는 다양한 철학적 전통과 사상에 따라 다르게 해석될 수 있다. 무용은 신체의 움직임을 통해 표현되는 예술로서, 그 본질과 의미를 이해하기 위해 몇 가지 주요 철학적 관점을 살펴보자.

1. 현상학적 관점

현상학은 경험과 의식의 구조를 탐구하는 철학적 접근이다. 이 관점에서 무용은 신체적 경험과 그 경험의 의미를 탐구하는 과정으로 이해될 수 있다. 무용은 무용가와 관객 모두에게 직관적이고 즉각적인 신체 경험을 제공하며, 이 경험은 감정, 의도, 감각 등의 복합적인 상호작용을 통해 이루어진다. 무용을 통해 표현되는 움직임은 신체와 의식의 관계를 드러내며, 이를 통해 무용의 본질을 탐구할 수 있다.

2. 미학적 관점

미학은 예술의 아름다움과 그 본질을 탐구하는 철학의 한 분야이다. 이 관점에서 무용은 예술적 표현의 한 형태로서, 아름다움과 감동을 전달하는 역할을 한다. 무용은 신체의 움직임을 통해 시각적, 감정적, 그리고 심미적 경험을 제공하며, 이는 무용이 관객에게 감동과 영감을 주는 중요한 이유이다.

3. 존재론적 관점

존재론은 존재의 본질을 탐구하는 철학이다. 이 관점에서 무용은 존재의 표현 방식 중 하나로 볼 수 있다. 무용은 신체의 움직임을 통해 인간 존재의 다양한 측면을 표현하고 탐구하며, 이는 무용이 단순한 신체 활동을 넘어,
인간의 존재 자체를 탐구하는 중요한 예술적 행위임을 의미한다.

4. 사회적 관점

무용은 사회적, 문화적 맥락에서 그 의미를 가진다. 이 관점에서 무용은 특정 문화나 사회의 전통, 가치, 정체성을 표현하고 강화하는 역할을 한다. 무용은 종교적 의식, 사회적 행사, 공동체의식을 통해 그 사회의 일원들에게 중요한 의미를 전달하며, 사회적 유대감을 형성하고 공동체의 일체감을 강화하는 역할을 한다.

5. 심리적 관점

심리적 관점에서 무용은 개인의 정신 건강과 감정 표현에 깊이 관여하는 예술 형태이다. 무용은 신체적 움직임을 통해 감정을 해방시키고, 스트레스를 완화하는 효과적인 수단으로 작용한다. 무용은 자신의 감정을 탐색하고 표현할 수 있는 공간을 제공하며, 이 과정에서 자아 인식을 향상시키고 정서적 균형을 찾는 데 도움을 준다. 무용은 정서적 표현, 스트레스 감소, 자신감 향상, 사회적 상호작용, 치료적 이용 등 다양한 심리적 이점을 제공한다. 이러한 효과는 개인의 정신 건강과 전반적인 웰빙에 긍정적인 영향을 미치며, 창의적이고 표현적인 능력을 향상시키는 데 기여한다.

6. 예술적 관점

예술적으로 무용은 창조적 자유와 표현의 독특한 형태를 제공한다. 무용은 안무가의 창의적 비전과 무용수의 개별적 해석이 결합되어 고유한 예술 작품을 만들어낸다. 이

러한 작품은 시적이고 상징적인 요소를 포함할 수 있으며, 때로는 추상적이거나 서사적인 형태를 취하기도 한다. 무용은 관객에게 시각적이고 체험적인 경험을 제공하며, 이는 감정적 반응이나 사고의 전환을 이끌어낼 수 있다.

이와 같은 철학적 관점들을 통해 무용을 이해하면, 무용이 단순한 신체 활동을 넘어 예술적, 사회적, 심리적, 존재론적 의미를 지닌 깊이 있는 행위임을 깨닫게 된다. 이를 통해 무용의 다양한 측면을 보다 풍부하게 경험하고 이해할 수 있다.무용은 신체의 움직임을 통해 문화적, 사회적, 심리적, 예술적, 철학적 의미를 전달하는 복합적이고 다차원적인 예술 형태이다. 이는 특정 문화와 사회의 정체성을 반영하고, 개인과 공동체의 정서적 교감을 형성하며, 창의적이고 아름다운 표현을 통해 관객과의 소통을 가능하게 한다. 무용의 이러한 다차원적 의미는 학문적 연구의 중요한 주제이며, 다양한 학문적 접근을 통해 깊이 있는 이해가 가능하다.

"Today, our bodies are as private as they are political.
They are the site and space of cultural awareness, resistance and political action."

무용의 정의

“무용이란 인간의 신체 운동으로 공간형식에 의해서 우리들의 사상이나 감정을 표현하고 또한 미적가치판단을 나타내는 예술이다.”

쉽게 말해 무용은 신체의 의도적이고 다양한 기술과 스타일을 계획된 움직임을 통해서 감정, 이야기, 주제 등을 표현하고, 이를 통해 예술적, 문화적, 사회적, 개인적 의미를 전달하는 예술 형태이다. 여기서 가장 중요한 것은 **‘미적가치판단’**이다. 이는 무용의 기술적 숙련도, 표현력, 창의성과 독창성, 미적 구성, 문화적 및 역사적 맥락, 관객의 반응, 철학적 및 미학적 이론 등 다양한 요소들을 종합적으로 고려하여 이루어진다. 이는 무용 작품이 관객에게 얼마나 깊은 인상을 주고, 예술적 감동을 전달하는지를 평가하는 중요한 필수요건이다.

무용미학에서의 미적가치판단은 무용수의 표현과 무용작품의 아름다움을 예술적가치로 평가하는 과정으로, 다양한 이론적 관점과 평가 기준을 통해 이루어진다.

★미적가치판단의 주요 요소들을 설명하면 다음과 같다.

1. 형식주의 관점

형식주의는 무용의 형태와 구조에 주목하며, 움직임의 디자인, 안무의 구성, 무대 공간의 활용 등을 평가한다. 이 관점에서 미적 가치는 구조적 완성도, 공간적 활용, 대칭과 균형의 요소를 포함한다. 구조적 완성도는 통일성 있고 창의적인 안무의 구성과 무대 사용, 주제와의 연결성이 정확하고 일관성 있는지를 평가하며, 공간적 활용은 무용가가 무대 공간을 얼마나 효과적으로 활용하는지를 본다. 이는 동작의 위치, 경로, 방향 등을 포함하며, 대칭과 균형은 움직임의 대칭성과 균형이 미적 조화를 이루는지를 평가한다.

2. 표현주의 관점

표현주의는 무용을 통해 전달되는 감정과 메시지에 초점을 맞추며, 이 관점에서의 미적 가치는 감정적 표현, 내러티브, 관객과의 교감 등의 요소들에 의해 결정된다. 감정적 표현은 무용가가 연출하고 전달하고자 하는 주관적이고 내면의 감정을 작품의 주제와 맞게 강렬하고 진솔하게 표현하는지를 본다. 내러티브는 서사라고도 하며, 무용이 이야기나 주제를 무대, 의상, 소품, 구성, 형식 등을 통해 명확하고 설득력 있게 전달하는지를 평가한다. 마지막으로 관객과의 교감은 무용가가 무대에서 관객과 정서적 교감을 이루는 정도를 평가한다.

3. 현상학적 관점

현상학적 관점은 경험적인 측면에 주목하며, 무용가는 관객과 자신의 신체적 경험과 감각적 인식을 공유하는데 중점을 둔다. 이 관점에서의 미적 가치는 직관적 이해, 신체적 존재감, 감각적 몰입 등의 요소들에 의해 결정된다. 직관적 이해는 무용의 움직임이 시각적 현상으로 얼마나 잘 이해되며, 내면적으로 직관적으로 받아들여지고 감각적으로 경험되는지를 평가한다. 신체적 존재감은 무용가의 무대에서의 진정성과 생동감, 그리고 그 움직임이 무대에서 얼마나 강한 존재감을 발휘하는지를 본다.

마지막으로 감각적 몰입은 관객이 무용을 보면서 얼마나 깊이 집중하고 감각적으로 몰입하는지를 평가한다. 이러한 요소들은 무용이 단순히 시각적인 공연을 넘어 관객과 무용가가 신체적, 감각적으로 상호작용하는 경험을 창출하는지를 중요하게 여긴다.

4. 포스트모던 관점

포스트모던 관점은 무용의 경계를 확장하고, 과거의 전통적인 규범을 넘어서는 형식에 대한 경계가 사라지고 창의성과 다양성을 중시하며, 이 관점에서의 미적 가치는 다양성과 혼합, 실험성과 혁신성, 문화적 맥락 등의 요소들에 의해 결정된다. 다양성과 혼합은 다양한 춤 스타일과 장르들을 창의적으로 융합하는 능력을 평가하며, 실험성과 혁신성은 무용의 형식과 내용, 또는 움직임과 무대 공간을 실험적으로 접근하여 새로운 표현 방식을 재창조하는지를 본다.

5. 관객 반응

무용의 미적 가치는 관객의 반응을 통해서도 평가되며, 이는 주관적일 수 있지만 무용이 관객에게 주는 감동과 영감, 정서적 반응은 중요한 평가 기준이 된다. 이 관점에서 미적 가치는 감동과 공감, 참여와 몰입, 평가와 피드백 등의 요소들에 의해 결정된다. 감동과 공감은 무용이 관객에게 얼마나 깊은 감동과 공감을 불러일으키는지를 평가하며, 이는 작품이 관객의 감정을 얼마나 효과적으로 자극하는지를 나타낸다. 참여와 몰입은 관객이 무용에 얼마나 적극적으로 몰입하고 집중하는지를 평가하는데, 이는 무용이 관객에게 얼마나 큰 흡입력을 가지는지를 보여준다. 마지막으로 평가와 피드백은 관객의 피드백과 평가를 통해 무용의 미적 가치를 측정하며, 이는 공연 후 관객의 반응과 의견을 통해 작품의 성공 여부와 예술적 가치를 판단하는 중요한 척도가 된다. 이러한 요소들은 무용이 단순한 시청각적 경험을 넘어, 관객과의 정서적, 심리적 교감을 통해 예술적 가치를 극대화하는 방식을 중시한다. 무용미학에서의 미적 가치 판단은 형식주의, 표현주의, 현상학적, 포스트모던 관점 등 다양한 이론적 접근을 통해 다차원적으로 이루어진다. 무용 작품이 신체의 움직임을 통해 얼마나 아름답고 창의적이며, 감정적이고 철학적인 깊이를 가지는지를 평가하는 중요한 과정이다.

무용의 중요성

1. 개인적 중요성

무용은 개인의 신체적 건강과 정신적 웰빙에 중요한 역할을 한다. 신체 활동으로서 무용은 근력, 유연성, 균형, 정신력, 체력 ,심폐 기능 등을 향상시키며, 전반적인 신체 건강을 증진시킨다. 규칙적인 무용 연습은 근육을 강화하고, 관절의 유연성을 높이며, 신체 조정 능력을 향상시킨다. 또한, 무은 심폐 기능을 개선하여 심혈관 건강을 증진시키고, 체력을 증가시켜 일상생활에서의 피로를 줄이는 데 도움을 준다.

정신 건강 측면에서도 무용은 다양한 혜택을 제공한다. 무용은 스트레스 해소, 감정 표현, 자기 인식 등의 심리적 혜택을 제공하여 정신 건강에 긍정적인 영향을 미친다. 신체 움직임을 통해 정신적, 정서적 치유를 추구하는 접근법으로, 다양한 심리적 문제와 스트레스를 완화하는 데 효과적이다. 무용을 통해 자신의 감정을 표현하고, 신체와 마음의 연결을 강화하며, 전반적인 정신 건강을 증진시킬 수 있다. 이는 우울증, 불안감, 스트레스 등의 심리적 문제를 완화하고, 긍정적인 감정을 증가시키는 데 기여한다.

무용은 또한 자기 표현과 창의력을 증진시키는 데 중요한 역할을 한다. 무용을 통해 자신의 감정을 자유롭게 표현하고, 창의적인 방식으로 신체를 활용하며, 자기 인식을 높일 수 있다. 이는 개인의 자존감을 향상시키고, 자신감과 자기 효능감을 높이는데 도움을 준다. 또한, 무용은 사회적 상호작용과 공동체 형성에도 기여한다. 무용 수업이나 그룹 활동을 통해 사람들은 다른 사람들과 상호작용하고, 협력하며, 사회적 유대감을 형성할 수 있다. 이는 사회적 지원망을 구축하고, 사회적 고립감을 줄이는 데 도움이 된다. 무용은 개인의 신체적 건강과 정신적 웰빙에 매우 중요한 역할을 한다. 신체 건강을 증진시키는 동시에, 정신 건강을 향상시키고, 감정 표현과 자기 인식을 촉진하며, 사회적 상호작용을 통해 공동체 의식을 강화하는 데 기여한다. 이는 무용이 단순한 예술 형식을 넘어, 전인적 건강과 웰빙을 지원하는 중요한 활동임을 보여준다.

2. 예술적 중요성

무용은 창의성과 표현의 독특한 매체로, 예술가가 감정, 이야기, 주제 등을 신체의 움직임으로 표현할 수 있는 중요한 예술 형식이다. 무용은 인간의 창의적이고 예술적인 욕구를 충족시키는 방식으로, 관객에게 깊은 감동과 영감을 제공하며 풍부한 미적 경험을 선사한다.

무용의 예술성은 단순한 신체의 움직임을 넘어선다. 이는 음악, 안무, 무대 미술이 결합되어 하나의 완성된 예술 작품을 형성하는데, 인간의 감정과 이야기를 표현하는 강력한 도구로 기능한다. 예술가는 무용을 통해 인간의 내면을 탐구하고, 사회적 및 문화적 메시지를 전달한다. 무용수는 그들의 몸을 통해 다양한 감정과 서사를 전달하며, 이를 통해 관객과의 깊은 감정적 교감을 형성한다.

또한, 무용은 전통과 현대를 아우르며, 시대와 문화에 따라 끊임없이 새로운 표현 방식을 창조해 왔다. 이러한 다면적인 특성은 무용을 인간 경험의 깊이를 탐구하고, 예술의 무한한 가능성을 탐구하는 중요한 장르로 자리매김하게 한다. 예를 들어, 고전 발레는 정교하고 세련된 움직임을 통해 역사적 이야기를 전달하는 반면, 현대 무용은 추상적이고 실험적인 움직임을 통해 현대 사회의 다양한 이슈를 탐구한다.

무용은 단순한 신체의 움직임을 넘어, 인간의 감정과 이야기를 신체의 언어로 표현하는 예술적인 형식이다. 이는 미적 경험을 제공함과 동시에 사회적 메시지를 전달하고, 문화적 경계를 초월하는 독창적인 예술 매체로서 중요한 역할을 한다. 예술가들은 무용을 통해 사회적 이슈를 조명하거나 개인적 경험을 공유하며, 이를 통해 관객들에게 새로운 시각과 깊은 통찰을 제공한다.

무용의 예술적 가치는 또한 다양한 장르와 스타일의 융합을 통해 나타난다. 전통적인 무용 형식에서부터 현대적인 실험적 무용에 이르기까지, 무용은 끊임없이 발전하며 새로운 표현 방식을 탐구한다. 이러한 진화 과정은 무용을 시대와 문화의 변화에 민감하게 반응하게 하며, 다양한 사회적, 문화적 배경을 반영하고 수용할 수 있는 폭넓은 표현력을 제공한다.

결론적으로, 무용은 인간의 감정과 이야기를 표현하는 예술적 형식으로, 창의성과 표현의 무한한 가능성을 제공한다. 이는 관객에게 깊은 미적 경험을 선사하고, 사회적 메시지를 전달하며, 문화적 경계를 초월하는 독창적인 예술 매체로서, 인간 경험의 깊이를 탐구하는 중요한 역할을 한다.

3. 사회적 중요성

무용은 사회적 상호작용과 공동체 형성에 중요한 역할을 한다. 무용을 통해 사람들은 감정을 공유하고, 사회적 유대감을 형성하며, 공동체 의식을 강화한다. 사회적 행사나 축제에서의 무용은 사람들을 하나로 모으고, 사회적 결속을 강화하는 중요한 역할을 한다. 공동체 구성원들이 함께 춤을 추는 것은 상호 의존성과 협력을 증진시키며, 축제나 모임에서 무용을 통해 개인들은 서로를 알아가고 사회적 유대를 강화한다. 예를 들어, 아프리카의 다양한 부족들의 춤은 사회적, 경제적, 정치적 문제를 움직임을 통해 표현하고 공동체 의사결정에 참여하는 수단으로 활용된다.

무용은 다양한 배경과 문화를 가진 사람들을 하나로 묶는 다리 역할을 한다. 이를 통해 문화 간 이해와 존중을 증진시키고, 사회적 다양성을 포용하는 공동체를 형성하는 데 기여한다. 예를 들어, 브라질의 삼바 축제나 인도의 디왈리 축제에서의 무용은 각기 다른 배경을 가진 사람들이 함께 모여 춤을 추며, 서로의 문화를 이해하고 존중하는 기회를 제공한다.

무용은 또한 개인의 사회적 기술을 개발하는 데 중요한 역할을 한다. 무용 수업이나 워크숍을 통해 사람들은 팀워크, 협력, 리더십 등의 사회적 기술을 배울 수 있다. 이러한 기술은 일상생활에서의 상호작용과 사회적 관계 형성에 긍정적인 영향을 미친다. 더 나아가, 무용은 스트레스 해소와 정서적 안정에도 기여하여 개인의 정신 건강을 증진시키는 역할을 한다. 무용을 통해 사람들은 신체적 활동을 통해 스트레스를 해소하고, 긍정적인 에너지를 얻으며, 이를 통해 더 건강하고 행복한 삶을 영위할 수 있다. 무용은 사회적 상호작용과 공동체 형성, 문화 간 이해와 존중, 사회적 기술 개발, 그리고 정신 건강 증진 등 다양한 측면에서 중요한 역할을 한다.

,4. 문화적 중요성

무용은 각 문화의 전통과 정체성을 표현하고 보존하는 데 중요한 역할을 한다. 문화는 무용을 통해 독특한 스타일과 동작으로 나타나며, 이는 사람들에게 자신들의 문화적 정체성을 인식하고 자부심을 가질 수 있게 한다. 다양한 문화권은 각각 고유한 춤 양식을 가지고 있으며, 이를 통해 그 사회의 역사, 가치, 신념을 전달한다. 무용은 세대 간 전통을 이어가고, 문화적 정체성을 강화하는 중요한 역할을 한다.

전 세계의 다양한 무용 형태는 각 사회의 역사, 신화, 가치관을 표현하고 보존하는 방법으로 발전해왔다. 무용은 고대부터 사회의 역사와 전통을 구전 형태로 보존하고 전달하는 중요한 수단이었다. 이런 무용은 종종 중요한 사회적, 종교적, 의식적 행사와 결합되어 그 문화의 핵심 요소로 자리 잡는다. 전통적인 무용은 특정 사건이나 인물의 이야기를 내포하고 있으며, 이를 통해 세대 간 지식과 문화의 전달이 이루어진다.

예를 들어, 호주 원주민의 춤은 성인식, 결혼식, 수확의 의식 등 중요한 커뮤니티 행사에서 수행되며, 이런 행사를 통해 그들의 신화와 자연에 대한 이해가 후대에 전해진다. 이러한 무용은 그들의 정체성과 신념을 다음 세대에 전달하는 중요한 역할을 한다. 플라멩코는 스페인의 안달루시아 지방의 문화적 정체성을 강하게 대표하며, 이 무용을 통해 지역의 역사, 감정, 사회적 문제가 표현된다. 플라멩코의 열정적이고 강렬한 동작은 그 지역의 고유한 문화적 배경과 연결되어 있으며, 이를 통해 그들의 이야기가 전해진다.

또한, 한국의 탈춤은 전통 사회에서 풍자와 비판을 통해 사회적 문제를 논의하는 도구로 사용되었으며, 태평무와 같은 궁중 무용은 조선시대의 궁중 문화를 반영한다. 인도네시아의 발리춤은 종교적 의식을 통해 신화와 전설을 재현하고, 신들과 인간의 소통을 상징적으로 표현한다.

종합적으로 보면, 무용은 각 문화의 고유한 정체성을 나타내고, 그 전통을 후대에 전달하는 중요한 매개체로서의 역할을 한다. 이는 무용이 단순한 예술 형식을 넘어서, 문화적 유산을 보존하고 발전시키는 데 중요한 기여를 하고 있음을 보여준다. 무용을 통해 사람들은 자신의 뿌리를 되새기고, 전통을 지속적으로 이어 나가며, 이를 바탕으로 새로운 문화적 표현을 창조해 나간다.

5. 교육적 중요성

무용은 교육적 측면에서 큰 가치를 지니고 있다. 어린 세대가 무용을 배우는 과정에서 그들은 자신의 문화와 역사를 배우고, 이를 통해 문화적 유산에 대한 깊은 이해와 존중을 얻게 된다. 이런 과정은 문화적 전통의 지속적인 보존을 가능하게 하고, 세계적인 무용의 발전에도 기여한다.

무용은 신체적, 정서적, 인지적 발달을 촉진하는 강력한 교육 도구다. 학생들은 무용을 통해 자기 표현 능력을 기르고, 자신감을 키울 수 있으며, 협력과 창의적 사고를 배운다. 예를 들어, 발레 수업은 자세를 개선하고, 현대무용은 신체적 한계를 넓히는 데 도움을 준다. 이 과정에서 학생들은 신체 인식을 강화하고, 근력, 유연성, 균형, 조정 능력을 발전시켜 신체적 자신감을 쌓는다.

무용은 인지적 기능 향상에도 중요한 역할을 한다. 안무를 배우고 기억하는 과정은 기억력과 집중력을 향상시키며, 복잡한 동작을 순서대로 배우고 수행하는 것은 인지적 유연성을 높인다. 또한, 무용은 공간적 인식과 수학적 이해를 요구하는 경우가 많아, 문제 해결 능력과 분석적 사고를 발전시키는 데 기여한다.

무용을 통해 학생들은 단순한 신체 활동을 넘어, 감정과 아이디어를 표현하고, 창의력과 협력, 문제 해결 능력을 종합적으로 개발한다. 무용은 감정을 표현하고 처리하는 안전한 방법을 제공한다. 아이들과 청소년은 무용을 통해 자신의 감정을 자유롭게 표현하고, 이를 통해 자기 인식과 정서적 지능이 향상된다. 안무를 통해 자신만의 해석을 추가하거나 새로운 이야기를 만들어 내면서 창의력을 발휘할 수 있으며, 이 과정에서 상상력이 자극되고 예술적 감각이 발달한다.

무용이 제공하는 집단 활동은 동료들과 상호작용을 통해 사회적 기술을 개발하고, 공감 능력을 높인다. 무용 수업은 팀워크와 협력을 배울 수 있는 기회를 제공하며, 함께 춤을 추는 과정에서 리더십, 협상, 갈등 해결 같은 중요한 사회적 기술을 자연스럽게 훈련한다. 이러한 경험은 사회적 상황에서 더 효과적으로 기능하도록 돕는다. 무용은 단순한 신체 활동을 넘어서, 학생들의 전인적 발달을 지원하는 포괄적인 교육 도구로서 중요한 역할을 한다. 이는 무용 교육을 받는 학생들이 더 건강하고 창의적이며 사회적으로 능동적인 개인으로 성장하는 데 필수적인 요소를 제공한다.

무용의 어원

무용의 어원을 살펴보면, 한국어에서 "무용(舞踊)"은 '춤추다'라는 의미의 '무(舞)'와 '뛰다' 또는 '도약하다'라는 의미의 '용(踊)'이 결합된 합성어다. '무(舞)'는 고대 중국에서 사용되어 왔으며, 원래는 종교적 의식이나 궁정에서의 축하 행사 등에서 신이나 귀족을 기쁘게 하기 위한 신체의 움직임을 의미했다. '용(踊)'은 발의 동작을 강조하는 데 사용되며, 두루뭉술한 춤의 개념을 구체적인 신체 움직임으로 연결시키는 역할을 한다.
이렇게 '무용'이라는 단어는 춤과 관련된 신체의 움직임을 포괄적으로 나타내는 데 사용되며, 문화적, 예술적, 심지어 때때로 종교적 맥락에서 춤의 실천과 표현을 설명하는 데 적합한 용어로 자리 잡았다. 이는 무용이 단순한 레크리에이션 활동을 넘어서서 다양한 사회적, 문화적 의미를 내포하고 있음을 반영한다.

무용의 어원을 다양한 나라에서 살펴보면, 각 언어와 문화의 역사적 맥락에 따라 무용이 지닌 의미와 기원이 다양하게 나타난다.

⌘ 영어: Dance - 영어의 'dance'는 프랑스어 'danser'에서 유래되었으며, 이는 다시 초기 중세 라틴어 'dansare'로 거슬러 올라갑니다. 'Dansare'는 원래 'dare' (주다)와 'tendere' (펼치다, 뻗다)에서 영향을 받았을 것으로 추정되며, 이는 음악과 함께 신체를 펼치며 표현하는 예술임을 의미한다.

⌘ **프랑스어: Dans** - 프랑스어의 'danse' 역시 라틴어 'dansare'에서 유래되었으며, 이는 중세 라틴어에서 널리 사용된 표현으로, 춤을 통한 신체의 리듬적 움직임을 강조한다.

⌘ **스페인어: Danza** - 스페인어의 'danza' 또한 라틴어 'dansare'에서 유래되었으며, 이 단어는 정교하고 조직적인 춤의 형태를 뜻하며, 전통적인 춤 스타일을 지칭하는 데 사용된다.

⌘ **독일어: Tanz** - 독일어의 'Tanz'는 고대 게르만어에서 유래되었으며, 이는 무언가를 당기거나 늘어나는 움직임을 의미하며, 이는 춤의 움직임이 신체를 통해 에너지를 전달하고 변형시키는 과정을 반영한다.

⌘ **러시아어: Танец (Tanets)** - 러시아어의 'Танец'는 슬라브어의 고유한 어원에서 유래하며, '타닌다'라는 동사에서 파생된 것으로, '회전하다'나 '돌다'와 같은 의미를 지닌다. 이는 많은 러시아 전통 무용에서 볼 수 있는 회전 동작을 반영한다.

한국에서 **"춤"**은 오랜 세월 동안 일상 생활 속에서 자연스럽게 사용되어 온 순수한 한국어이다. 이 단어는 전통 춤부터 현대 댄스까지 다양한 형태의 춤을 포괄하며, 사람들의 감정과 교감을 표현하는 중요한 수단으로 자리잡고 있다. "춤"은 한국인의 삶과 문화 속에 깊이 뿌리내린 친숙한 표현이다.
반면,"무용"은 20세기 초반 근대화 과정에서 일본의 영향을 받아 도입된 한자어로, 일본의 영문학자 스보우치의 영향을 받아 한국에 전해졌다. 이 때문에 "무용"은 주로 교육적 또는 학문적 맥락에서 사용되며, 전문적인 공연 예술을 지칭할 때 주로 쓰인다. 예를 들어, 무용과 관련된 학술 논문, 교육 과정, 또는 공식적인 예술 행사에서 "무용"이라는 단어가 사용된다. 일상 생활에서는 "무용"보다 "춤"이 더 자주 사용된다. 이는 "춤"이 더욱 친숙하고 일상적이며, 한국인의 언어와 문화 속에 자연스럽게 융합되어 있기 때문이다. "춤"이라는 단어는 한국인의 정서와 문화적 감성을 표현하는 데 있어서 매우 중요한 역할을 한다. 한국에서는 전문적이거나 공식적인 예술 맥락에서 "무용"이라는 단어가 사용되지만, 일상적인 대화나 문화적 표현에서는 "춤"이 훨씬 더 자주 사용되며, 이는 한국어와 문화에 깊이 뿌리내린 단어이다.

무용의 요소

무용의 요소는 여러 가지 측면에서 구체적으로 정의될 수 있으며, 이는 동작, 공간, 시간, 에너지로 나눌 수 있다. 이러한 요소들은 무용의 구조와 표현을 형성하는 기본적인 구성 요소들로써, 각각이 상호작용하여 전체적인 무용 작품을 완성한다.

1. 움직임(Movement)

무용의 기본 요소로, 신체의 다양한 부위가 움직이는 것을 포함한다. 동작은 단순히 움직임에 그치지 않고, 그 움직임에 의미와 감정을 담아내는 방법으로 사용된다. 움직임은 무용의 가장 기본적인 요소로, 신체의 움직임을 의미한다. 동작은 다양한 형태로 나타날 수 있으며, 이는 춤의 스타일이나 장르에 따라 달라진다. 동작은 주로 팔과 다리의 움직임, 몸의 회전, 점프, 균형 잡기 등으로 구성되며, 무용수의 신체 표현력과 기술력을 통해 아름답고 독창적인 동작을 창출해낸다.

2. 공간(Space)

무용수는 공간을 사용하여 움직임의 방향, 크기, 경로를 정의한다. 이 공간적 사용은 작품의 시각적 구성을 만들어 내며, 관객에게 시각적으로 인상적인 경험을 제공한다. 공간은 무용이 이루어지는 물리적 장소와 무용수가 그 공간을 사용하는 방식을 포함한다. 공간의 사용은 수직적, 수평적, 그리고 깊이의 차원에서 이루어지며, 무용수의 이동 경로, 동작의 범위, 공간 내의 위치와 방향 등을 통해 무용의 구성을 더욱 풍부하게 만든다. 공간은 무대 위에서의 위치 뿐만 아니라, 무용수 간의 거리와 상호작용에서도 중요한 역할을 한다.

무용의 공간요소는 **신체공간, 마루공간, 입체공간**으로 나눌 수 있다.

• 신체공간 (Personal Space): 신체공간은 무용수가 자신의 신체를 중심으로 움직임을 펼치는 개인적인 공간을 의미한다. 이는 무용수가 자신의 신체를 어떻게 사용하고 표현하는지를 나타낸다. 신체공간은 주로 팔, 다리, 몸통 등의 움직임을 통해 정의되며, 무용수의 신체 표현력과 유연성을 통해 다양한 동작과 형태를 창출해낸다. 예를 들어, 팔을 뻗거나 다리를 높이 들어 올리는 동작은 신체공간 내에서 이

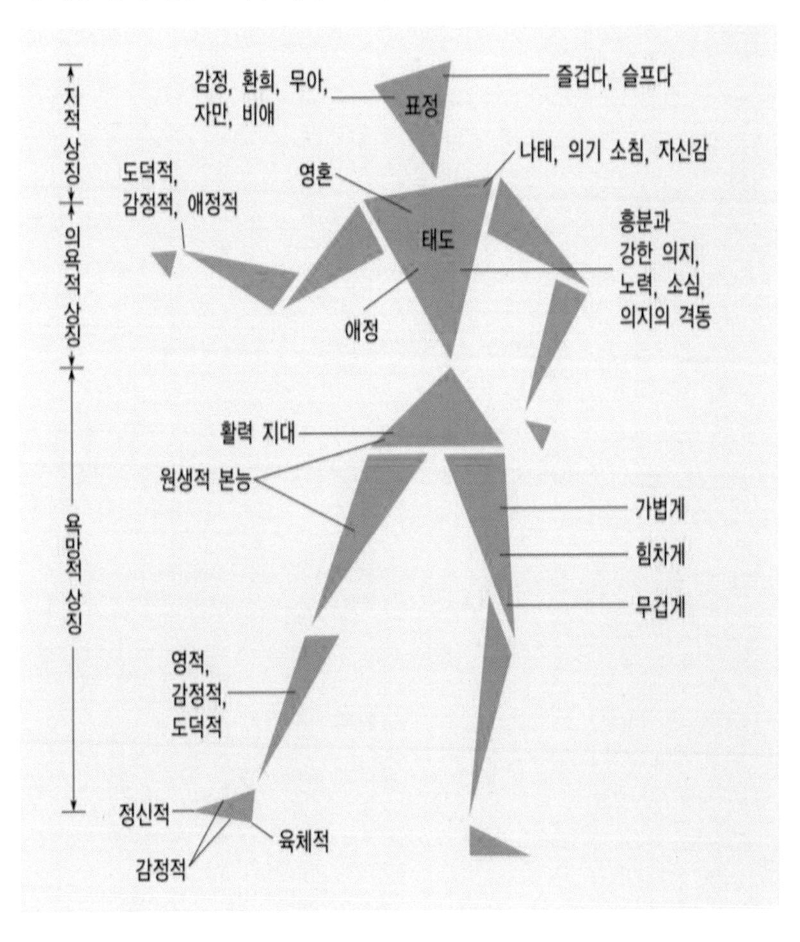

루어지며, 이를 통해 무용수는 자신의 신체를 최대한 활용하여 다양한 감정과 이야기를 전달할 수 있다.

무용수는 자신의 신체에서 나오는 움직임을 관객들에게 이미지로 전달한다. 무용의 요소들 중에 공간요소에 속하는 신체공간으로 위의 그림에서 보면 알 수 있듯이 얼굴은 가장 중요한 표현력을 지니고 있고 손은 가장 무한한 표현을 할 수 있는 영역이다. 다리는 신체의 지지대 역할로 이동에 매우 중요한 신체의 모든 에너지를 전달할 수 있는 운송기관의 역할이다. 몸통은 확대와 축소로 흥분과 나약함 등을 나타낸다.

· 마루공간 (Floor Space): 마루공간은 무용수가 무대나 바닥을 이용하여 움직임을 전개하는 공간을 의미한다.

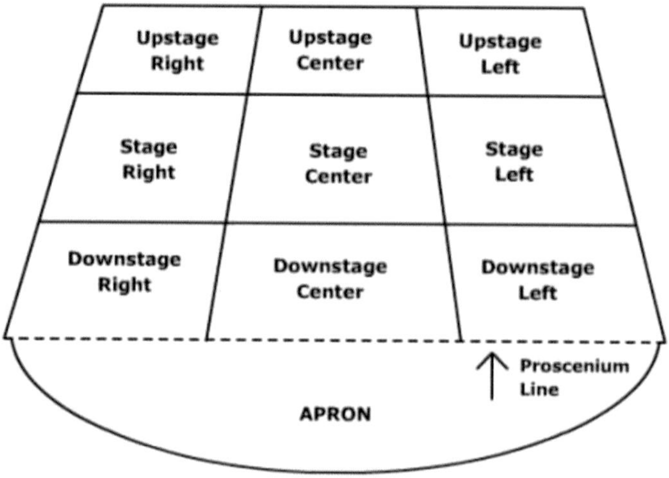

이는 무용수의 이동 경로, 위치, 방향 등을 포함하며, 무대 위에서의 동작

을 구성하는 중요한 요소이다. 마루공간은 수평적인 움직임을 강조하며, 무용수 간의 거리와 상호작용을 포함한다.
예를 들어, 무용수가 무대 위를 가로질러 달리거나 회전하는 동작은 마루공간 내에서 이루어지며, 이를 통해 무용 작품의 구성을 더욱 풍부하고 다채롭게 만든다.

다음은 알렉산더가 설정한 무대를 6 개로 구분한 것이다.

UP RIGHT ⑤	UP CENTAR ②	UP LEFT ⑥
DOWN RIGHT ③	DOWN CENTAR ①	DOWN LEFT ④

하수 상수

관객석

DOWN CENTER (①): 무대의 중심부로서 가장 주목받는 위치이며, 관객과의 거리가 가장 가까워 감정 표현과 디테일한 움직임이 효과적으로 전달된다. 이 구역에서는 중요한 솔로 춤, 감정의 클라이맥스, 주인공의 주요 동작 등이 주로 이루어진다. 예를 들어, 발레 "백조의 호수"에서 오데트가 백조로 변하는 장면은 DOWN CENTER 에서 연기되어 관객에게 깊은 인상을 남길 수 있다.

UP CENTER (②): 무대의 중앙 상단에 위치하며, 상대적으로 관객과 거리가 멀지만, 무대 전체를 한눈에 볼 수 있는 포지션이다. 이 구역에서는 연설과 결혼식, 의식과 같은 대규모 군무, 집단 장면, 주요 등장 및 퇴장 장면 등을 효과적으로 연출할 수 있다. 예를 들어, 현대 무용 공연에서 다수의 무용수들이 함께 동기화된 동작을 펼치는 장면은 UP CENTER 에서 연기되어 무대의 웅장함을 강조할 수 있다.

DOWN RIGHT (③): 무대 아래 오른쪽 구역으로, 공간 중에서 가장 친숙한 공간이다. 무용수가 등장하거나 퇴장할 때 자연스럽게 사용할 수 있는 위치다. 이 구역에서는 보조 무용수의 활동, 감정적인 동작이나 솔로, 무대 전환 등이 주로 이루어진다. 예를 들어, 플라멩코 공연에서 솔로 무용수가 강렬한 감정을 표현하며 등장하는 장면은 DOWN RIGHT 에서 연기되어 관객에게 그의 강렬한 감정을 전달할 수 있다.

DOWN LEFT (④): 무대 아래 왼쪽 구역으로, DOWN RIGHT 와 비슷한 성격을 가지며, 무용수의 등 퇴장에 유리하다. 이 구역에서는 보조 무용수의 활동주에서도 배타적인 감정 표현에 적합하고 독백에 유리하고 동작이나 솔로, 무대 전환에 적합하다. 무용에서 무용수가 조용히 시작하여 감정이 고조되는 독무를 펼치는 장면은 DOWN LEFT 에서 연기되어 그의 내면적 갈등을 효과적으로 표현할 수 있다.

UP RIGHT (⑤): 로맨틱하고 서정적인 곳이며 환상적이거나 초자연적인 것 을 표현하고 사색적인 분위기를 연출할 수 있다. 무대 위 오른쪽 구역으로 상대적으로 덜 주목받는 위치지만, 중요하지 않은 활동이나 배경 동작을 배치하기에 적합하다. 이 구역에서는 장면 전환 준비, 배경 무용수의 활동, 주요 장면에 대비되는 보조 장면 등을 배치할 수 있다. 배경 무용수들이 주인공의 주요 동작에 대비하여 부드러운 동작을 펼치는 장면은 UP RIGHT 에서 연기되어 무대의 깊이를 더할 수 있다.

UP LEFT (⑥): 무대 위 왼쪽 구역으로, UP RIGHT 와 유사한 성격을 지닌다. 중요한 장면에 비해 상대적으로 덜 주목받는 위치다. 이 구역에서는 장면 전환 준비, 배경 무용수의 활동, 주요 장면에 대비되는 보조 장면 등을 연출할 수 있다. 공연에서 무용수들이 천천히 움직이며 배경을 구성하는 장면은 UP LEFT 에서 연기되어 주인공의 주요 동작을 강조할 수 있는 배경을 제공한다.

이처럼 각 무대 구역은 무용 공연에서 독특한 특성과 표현 가능성을 지니고 있어 관객에게 강한 느낌을 주는 무대구역의 순서는 D.C, U.C , D.R D.L, U.R, U.L 으로 나타나 연출가와 무용수들이 무대 공간을 효과적으로 활용할 수 있게 한다.

• 입체공간 (Three-Dimensional Space): 입체공간은 무용수가 수직적, 수평적 그리고 깊이의 차원에서 움직임을 표현하는 공간을 의미한다.

이는 무용수가 단순히 바닥 위에서 움직이는 것을 넘어서, 공중으로 뛰어 오르거나 몸을 낮추는 등 다양한 차원에서의 움직임을 포함한다.

입체공간은 무용 작품의 입체감을 높여주며, 관객에게 더 입체적이고 동적인 시각적 경험을 제공한다. 예를 들어, 공중 점프나 회전, 몸을 바닥에 낮추는 동작 등은 입체공간을 활용한 움직임으로, 무용수의 기술적 능력과 창의성을 잘 드러낸다.

이러한 신체공간, 마루공간, 입체공간의 요소들은 서로 긴밀히 연관되어 무용 작품의 전체적인 완성도를 높이며, 무용수의 표현력과 창의성을 발휘 하게 한다. 각 공간 요소의 조화와 균형은 무용 작품의 미적 가치와 감동을 극대화하는 데 필수적이다.

3. 시간(Time) 모든 무용은 시간의 흐름에 따라 발전하며, 리듬, 속도, 지속성은 무용의 시간적 구조를 정의하는 핵심 요소이다. 시간은 무용에서 단순히 동작의 진행을 넘어서, 리듬과 속도를 조절하고 안무의 구조와 흐름을 형성하는 데 중요한 역할을 한다.

시간은 무용에서 동작의 지속성, 속도, 그리고 타이밍을 결정짓는 요소로, 음악의 박자와 리듬과 깊은 연관을 맺고 있다. 무용수는 음악에 맞춰 동작의 빠르기와 느리기를 조절하며, 이를 통해 감정과 분위기를 표현한다. 예를 들어, 빠른 템포의 음악은 활기차고 역동적인 동작을 유도하는 반면, 느린 템포는 부드럽고 감성적인 표현을 가능하게 한다. 시간은 무용의 안무 구조를 형성하는 중요한 요소이다. 안무가는 시간의 흐름을 따라 동작을 배치하고, 이로써 작품의 전체적인 리듬과 흐름을 조절한다. 시간의 무용수들의 동작이 어떻게 연결되고, 특정한 감정을 어떻게 전달할지를 결정짓는다.

4. 에너지(Energy)

무용의 동작은 다양한 강도와 힘으로 수행된다. 이 에너지의 사용은 무용의 동적인 측면을 강조하며, 감정의 강도를 전달하는 데 중요하다.에너지는 동작을 수행하는 데 필요한 힘과 노력의 정도를 의미한다. 에너지는 동작의 강도, 힘, 무게, 흐름 등을 통해 나타난다. 예를 들어, 부드럽고 유연한 동작은 낮은 에너지를 필요로 하고, 강렬하고 폭발적인 동작은 높은 에너지를 필요로 한다. 에너지는 무용수의 표현력과 감정 전달에 중요한 영향을 미치며, 동작의 질감을 형성하는 데 기여한다.

무용의 유형

무용은 그 자체로 강력한 예술적 표현 수단이며, 또한 다른 예술 형태와의 결합을 통해 더욱 풍부한 예술적 경험을 제공한다. 무용을 통해 사람들은 자신의 감정을 표현하고, 문화적 정체성을 탐색하며, 사회적 메시지를 전달할 수 있다. 또한 무용은 교육적 및 치료적 맥락에서도 중요하게 활용되어, 신체적, 정서적 건강을 증진시키고, 사회적 기술을 개발하는 데 기여한다. 무용은 다양한 기준에 따라 분류될 수 있는데, 여기에는 춤의 목적, 스타일, 기원 및 수행되는 문화적 맥락이 포함된다.

다음은 무용의 주요 유형 분류들을 다음과 같다.

1. 전통무용과 민속무용

전통무용은 특정 문화나 지역의 역사와 전통을 담고 있는 고유한 무용 형태로, 고대부터 현대에 이르기까지 세대를 거쳐 전승되어 온 중요한 문화 유산이다. 이러한 무용은 단순한 신체의 움직임을 넘어서, 그 문화의 정체성과 정신을 표현하며, 공동체의 일상과 특별한 의식을 풍부하게 만드는 데 기여한다.

전통무용은 문화적 정체성을 강화하고, 공동체의 자부심을 고취시키는 데 중요한 역할을 한다. 각 문화의 전통무용은 그 고유의 스타일과 이야기를 통해 자신들의 독특한 문화를 표현하고, 이를 통해 문화적 유산을 보존하고 발전시킨다. 전통무용은 특정 문화의 역사와 전통을 반영하며, 종교적, 사회적 의식과 되어 공동체의 정체성을 형성하고 유지하는 데 중요한 역

할을 한다. 이러한 무용은 단순한 예술적 표현을 넘어, 그 문화의 정신과 가치를 후대에 전하는 중요한 매개체로서의 가치를 지닌다

2. 발레

발레는 15 세기 이탈리아에서 시작되어, 이후 프랑스와 러시아에서 크게 발전한 고전적인 무용 형식이다. 발레는 고도의 테크닉과 우아한 동작을 특징으로 하며, 포인트 워크(pointe work), 턴아웃(turnout), 그리고 정교하고 우아한 몸짓을 강조한다. 클래식 발레는 이러한 엄격한 규칙을 바탕으로 발전해 왔으며, "백조의 호수", "호두까기 인형"과 같은 전통적인 레퍼토리가 대표적이다.

발레는 르네상스 시대 유럽에서 발전하여, 궁정과 귀족 사회에서 중요한 예술 형식으로 자리 잡았다. 프랑스의 루이 14 세 시대에 이르러 발레는 궁정의 주요 예술로 더욱 발전하였으며, 이후 러시아에서 마리우스 쁘띠빠(Marius Petipa)와 같은 안무가들의 손을 거쳐 극적인 발전을 이루었다. 러시아 발레는 테크닉의 정교함과 극적인 표현을 더해, 전 세계적으로 발레의 기준을 높였다.

현대에 이르러 발레는 전통적인 기술과 동작을 바탕으로 새로운 변화를 시도하고 있다. 현대 발레는 고전 발레의 엄격한 규칙에 현대적인 움직임을 결합하여, 보다 자유롭고 창의적인 표현을 추구한다. 이는 안무가들이 새로운 스토리텔링과 감정 표현을 탐구하고, 발레의 예술적 가능성을 확장하는 데 기여한다. 따라서, 발레는 단순한 무용을 넘어서, 역사와 전통, 기술과 예술을 통합한 깊이 있는 예술 형식으로 자리매김하고 있다. 발레의 발전 과정은 다양한 문화와 시대적 배경을 반영하며, 그 유산은 오늘날에도 전 세계적으로 사랑받고 있다.

3. 현대무용

현대 무용은 20 세기 초반, 발레의 형식적 제한에서 벗어나기 위해 등장한 혁신적인 무용 형태이다. 이사도라 던컨(Isadora Duncan)과 마사 그레이엄(Martha Graham)은 현대 무용의 선구자로, 그들의 작품은 전통적인 발레의 엄격한 규칙에서 벗어나 자유롭고 자연스러운 움직임을 탐구했다.

현대 무용은 신체의 유연성과 강도를 활용한 동작을 중시하며, 감정 표현과 개인적인 창의성을 강조한다. 이 무용 형태는 자연스러운 움직임을 통해 인간의 감정과 내면의 이야기를 표현하는 데 초점을 맞춘다. 던컨은 자연에서 영감을 받아 발레의 정형화된 동작 대신, 흐르는 듯한 자유로운 움직임을 추구했다. 그레이엄은 자신의 독창적인 테크닉인 '수축과 이완(contraction and release)'을 통해 인간의 감정을 강렬하고 표현적으로 탐구했다.

현대 무용은 전통적인 발레의 형식을 벗어나 더 실험적이고 개성적인 표현을 추구한다. 이는 무용수와 안무가들이 현대 사회의 다양한 주제와 감정을 탐구하는 데 적합한 무대를 제공한다. 현대 무용에서는 종종 개인적이고 사회적인 이슈가 주제로 다뤄지며, 무대 위의 움직임은 그 자체로 이야기와 감정을 전달한다.

이 무용 형태는 또한 다양한 음악과 융합하여 새로운 예술적 가능성을 탐구한다. 현대 무용 작품에서는 전통적인 음악 외에도, 전자 음악, 무음, 또는 환경 소리 등이 사용되며, 이는 무용의 표현 범위를 더욱 확장한다.

결론적으로, 현대 무용은 발레의 형식적 제약에서 벗어나 자유롭고 창의적인 움직임을 통해 감정과 현대적 주제를 탐구하는 예술 형식이다. 이는 무용의 표현력과 예술적 깊이를 크게 확장하며, 오늘날 무용 예술의 중요한 부분을 차지하고 있다.

4. 한국무용

한국무용은 한국의 전통과 문화를 바탕으로 한 무용 형식으로, 유연하고 느린 동작이 특징이다. 이러한 동작들은 내면의 감정을 섬세하게 표현하며, 우아하고 부드러운 움직임을 통해 관객에게 깊은 인상을 남긴다. 한국무용은 특히 한(悲)과 흥(喜)의 감정을 깊이 있게 표현하는데, 한은 슬픔과 고통을, 흥은 기쁨과 흥겨움을 나타낸다. 이를 통해 인간의 다양한 감정 스펙트럼을 전해준다.

한국무용의 우아한 동작은 자연의 리듬과 조화를 이루며, 마치 바람에 흔들리는 나뭇가지처럼 부드럽고 흐르는 듯한 움직임을 선보인다. 이러한 동작은 단순한 신체적 표현을 넘어, 내면의 감정과 영혼의 깊이를 탐구하고 표현하는 예술적 도구로 작용한다. 예를 들어, 한국의 승무는 느린 호흡과 팔 동작으로 고요하면서도 깊은 내적 감정을 표현하며, 살풀이춤은 한을 풀어내고 흥을 돋우는 동작을 통해 관객과의 감정적 교감을 이끌어낸다.

또한, 한국무용은 전통 의상과 장신구를 활용하여 화려하고 다채로운 시각적 아름다움을 더한다. 한복과 같은 전통 의상은 무용수의 움직임을 더욱 돋보이게 하며, 깃털 모양의 갓이나 장식적인 한삼 등은 무용의 시각적 효과를 극대화한다. 이러한 요소들은 한국의 역사와 문화를 고스란히 담아내며, 무용을 통해 그 시대의 사회적, 문화적 배경을 전달한다.

한국무용은 단순히 아름다운 동작의 나열이 아닌, 그 안에 깊이 있는 이야기와 감정을 담고 있다. 이는 무용수의 섬세한 표현과 함께 관객에게 전달되며, 한국의 문화적 정서를 깊이 있게 체험할 수 있도록 한다. 예를 들어, 탈춤은 웃음을 통해 사회적 풍자를 담아내고, 강강술래는 공동체의 연대감을 강화하는 전통적 의식을 표현한다.

한국무용은 유연하고 느린 동작을 통해 내면의 감정을 섬세하게 표현하고, 한과 흥을 아우르며 인간의 다양한 감정을 전달한다. 화려한 전통 의상과 장신구는 한국의 역사와 문화를 시각적으로 풍부하게 담아내며, 한국무용은 그 자체로 한국인의 삶과 정서를 예술적으로 표현하는 중요한 매체이다.

5. 대중무용

대중무용은 일반 대중에게 널리 알려지고 접근하기 쉬운 무용 형태로, 현대 대중문화와 깊이 연관되어 있다. 힙합, 브레이크 댄스, 재즈 댄스와 같은 다양한 장르를 포함하는 대중무용은, TV 프로그램, 영화, 뮤직 비디오 등을 통해 폭넓은 인기를 얻고 있다. 이 무용 스타일은 복잡한 기술보다는 표현의 자유로움과 에너지를 중시하며, 누구나 쉽게 따라 할 수 있는 동작들이 많아 전 세계적으로 다양한 연령층과 문화권에서 사랑받고 있다.

대중무용은 현대 사회에서 개인의 개성과 창의성을 표현하는 중요한 매체로 자리잡았다. 예를 들어, 힙합은 1970 년대 미국의 스트리트 컬처에서 시작되어 전 세계적으로 확산되었으며, 오늘날에는 다양한 음악과 패션과 결합하여 하나의 문화 현상으로 자리잡았다. 브레이크 댄스는 스릴 넘치는 동작과 함께 공연의 에너지를 극대화하며, 특히 젊은 층 사이에서 인기를 끌고 있다. 재즈 댄스는 빠르고 경쾌한 리듬을 통해 생동감 있는 무대를 연출하며, 뮤지컬과 영화에서 자주 등장하는 무용 스타일이다. 대중무용은 또한 미디어를 통해 확산되고, 현대 사회의 문화적 트렌드와 밀접하게 연계된다. TV 프로그램의 춤 경연대회, 뮤직 비디오 속의 화려한 퍼포먼스, 영화 속의 춤 장면들은 대중무용의 인기를 높이는 데 크게 기여한다. 이러한 미디어의 영향력은 새로운 춤 스타일을 대중에게 소개하고, 전 세계적으로 무용의 문화적 교류를 촉진한다. 대중무용은 현대 대중 문화의 중요한 부분으로, 개성과 창의성을 자유롭게 표현할 수 있는 무용 형태이다. 쉽게 접근할 수 있는 특성 덕분에, 대중무용은 다양한 문화적 배경을 가진 사람들에게 사랑받고 있으며, 미디어를 통해 더욱 널리 확산되고 있다.

6. 재즈 댄스

재즈 댄스는 20 세기 초 미국에서 재즈 음악과 함께 발전한 무용 형태로, 리듬감 넘치고 활기찬 동작이 특징이다. 이 무용 스타일은 초기에는 아프리카계 미국인 커뮤니티에서 시작되어, 다양한 문화적 영향을 받으며 독특한 움직임과 스타일을 형성했다. 재즈 댄스는 자유로운 표현과 역동적인 에너지를 중시하며, 빠른 발놀림과 강렬한 리듬감이 돋보인다.

재즈 댄스는 브로드웨이 뮤지컬과 상업적 공연에서 특히 널리 사용되며, 독창적이고 개성 넘치는 동작이 특징이다. 이러한 특성 덕분에 재즈 댄스는 무대에서 관객의 시선을 사로잡는 중요한 요소로 자리 잡았다. 예를 들어, 뮤지컬 "시카고"나 "캣츠" 같은 작품에서는 재즈 댄스의 역동적인 동작과 표현이 공연의 핵심을 이루며, 무대에 생동감을 불어넣는다.

재즈 댄스의 또 다른 특징은 다양한 스타일과 기법이 혼합되어 있다는 점이다. 클래식 재즈, 스윙, 비밥, 그리고 현대적인 스트리트 재즈 등 여러 스타일이 존재하며, 각기 다른 음악적 요소와 움직임을 반영한다. 이는 재즈 댄스가 끊임없이 진화하고 새로운 트렌드와 융합되면서도, 항상 독창성과 개성을 유지하게 하는 요소이다.

재즈 댄스는 또한 무용수의 기술과 창의성을 요구한다. 무용수들은 빠른 리듬에 맞춰 다양한 발동작과 몸의 움직임을 조화롭게 수행하며, 그 과정에서 자신의 독특한 스타일과 해석을 표현한다. 이는 재즈 댄스가 단순히 기술적인 능력뿐만 아니라, 무용수의 개인적인 감각과 해석을 중시하는 이유이기도 하다. 재즈 댄스는 리듬감 넘치는 활기찬 동작과 독창적인 표현이 특징인 무용 형태로, 브로드웨이와 상업적 공연에서 중요한 역할을 하고 있다. 다양한 스타일과 기술을 혼합하여 끊임없이 진화하는 재즈 댄스는 무용수의 개성과 창의성을 발휘할 수 있는 풍부한 무대 예술로, 현대 무용계에서 중요한 위치를 차지하고 있다.

7. 힙합 댄스

힙합 댄스는 1970 년대 미국의 거리 문화에서 시작된 무용 형태로, 그 기원은 뉴욕의 브롱크스 지역의 청소년들이 자신들의 에너지와 개성을 표현하기 위해 발전시킨 춤에서 비롯된다. 이 무용 스타일은 강렬한 리듬과 에너제틱한 동작이 특징이며, 브레이킹(Breaking), 팝핑(Popping), 락킹(Locking) 등의 다양한 스타일을 포함하고 있다.

브레이킹은 힙합 댄스의 초기 형태로, 바닥을 중심으로 한 역동적인 움직임이 두드러진다. 브레이커들은 바닥에서 회전하거나 빠르게 몸을 전환하는 파워 무브(Power Move)와 정지된 상태에서 균형을 유지하는 프리즈(Freeze) 같은 기술을 통해 시각적 충격을 주며, 공연의 중심에 선다. 팝핑과 락킹은 각각 독특한 리듬감 있는 움직임과 빠른 손목과 팔의 움직임을 강조하는 스타일로, 힙합 댄스의 다양성과 창의성을 잘 보여준다.

힙합 댄스는 즉흥성과 창의성을 강조하는 것이 특징이다. 무용수들은 음악의 리듬에 맞춰 즉흥적으로 춤을 추며, 이를 통해 자신의 개성과 감정을 표현한다. 이러한 자유로운 표현 방식은 힙합 댄스를 단순한 무용을 넘어, 하나의 문화적 아이콘으로 자리매김하게 만들었다.

오늘날 힙합 댄스는 글로벌한 인기를 끌고 있으며, 뮤직비디오, 광고, 영화 등 다양한 매체에서 널리 활용되고 있다. 힙합 댄스는 다양한 장르와 융합하여 끊임없이 진화하고 있으며, 그 에너지 넘치는 동작과 자유로운 스타일은 현대 대중 문화의 중요한 부분으로 자리잡고 있다. 이러한 특징 덕분에 힙합 댄스는 전 세계의 젊은이들 사이에서 하나의 공통된 언어로서, 문화적 경계를 초월하는 힘을 가지고 있다.

8. 컨템포러리 댄스

컨템포러리 댄스는 20 세기 중반 이후에 발전한 무용 장르로, 기존의 전통적인 무용 형식에서 벗어나 자유롭고 현대적인 주제와 감정을 표현하는 데 중점을 둔다. 이 장르는 실험적이고 창의적인 접근을 중시하며, 무용 예술의 경계를 끊임없이 확장하고 있다.

컨템포러리 댄스는 종종 새로운 기술과 혼합 미디어를 활용하여 무대 위에서 혁신적인 퍼포먼스를 만들어낸다. 예를 들어, 디지털 영상, 프로젝션 맵핑, 가상 현실 등과 같은 첨단 기술을 무용과 결합하여 시각적으로 놀라운 경험을 제공한다. 이러한 기술적 요소는 무용수의 움직임과 상호작용하여 새로운 예술적 가능성을 탐구하는 중요한 수단이 된다.

또한, 컨템포러리 댄스는 비전통적인 공간에서의 공연을 통해 무용의 표현 영역을 넓힌다. 전통적인 무대뿐만 아니라, 공공 장소, 자연 환경, 산업 공간 등 다양한 장소에서 공연이 이루어지며, 이러한 비전통적인 공간은 무용수와 관객 사이의 새로운 관계를 형성하게 한다. 이를 통해 무용은 단순히 공연장에서의 예술적 표현을 넘어서, 일상과 자연 속에서의 예술적 경험으로 확장된다.

컨템포러리 댄스의 핵심은 감정과 아이디어의 자유로운 표현에 있다. 이 장르는 특정한 기술적 규칙에 얽매이지 않고, 무용수의 개성과 창의성을 최대한 발휘할 수 있는 기회를 제공한다. 무용수들은 자신의 몸을 통해 다양한 감정과 서사를 전달하며, 이를 통해 관객과 깊은 감정적 교감을 형성한다.

컨템포러리 댄스는 현대 사회의 다양한 주제와 감정을 탐구하며, 실험적이고 창의적인 접근을 통해 무용 예술의 경계를 넓히고 있다. 이 장르는 새로운 기술과 혼합미디어를 통해 시각적으로 놀라운 경험을 제공하고, 비전통적인 공간에서의 공연을 통해 무용의 표현 영역을 확장하며, 감정과 아이디어의 자유로운 표현을 중시하는 독특한 예술 형태로 자리매김하고 있다.

예술의 세 가지 이론: 모방론, 표현론, 형식론

1. 모방론

예술에 대해서 고대 그리스 철학자들은 이 물음에 답하기 위해 힘써왔다. 그 중에 플라톤과 아리스토텔레스에 의해 체계화되었으며 '모방의로서의 예술,로 예술은 복제의 의미로 현실을 모방하는 행위로 간주된다는 정의를 내렸다. 하지만 인류 최초로 예술에 대해서 계몽적인 예술에 질문을 제시하고 이에 대한 답을 설득력 있게 논증한 이가 플라톤이다 그가 설명하고자 했던 이 이론이 후대에 모방론이라 불리었다. 플라톤은 예술을 이데아의 불완전한 모방으로 보았으나, 아리스토텔레스는 예술이 현실을 모방하면서도 인간의 감정을 정화시키는 카타르시스의 기능을 한다고 주장했다. 르네상스 시대에는 자연과 인간을 정확히 재현하는 것이 중요시되었으며, 이는 레오나르도 다 빈치와 미켈란젤로의 작품에서 잘 나타난다. 또한 라파엘로의 아테네 학당을 보면 이해가 쉽다.

라파엘로의 "아테네 학당"에서 철학자들은 활발한 토론과 학문적 교류를 하고 있다. 중심에 위치한 플라톤과 아리스토텔레스는 각자의 철학적 견해를 제시하며 논의의 핵심을 이루고 있다. 플라톤은 하늘을 가리키며 그의 이데아론을 상징하고, 아리스토텔레스는 손을 뻗어 땅을 가리키며 현실적이고 경험적인 접근을 강조하고 있다.

천상의 이데아를 지향했던 플라톤의 손가락은 하늘을 향하고, 현실의 문제를 놓고 철학을 했던 아리스토텔레스의 손바닥은 땅을 향한다. 이들의 손엔 각각 책이 들려 있는데, 플라톤의 손에는 잘 보이지 않지만 『티마이오스』(TIMEO)가, 아리스토텔레스의 손에는 『윤리학』(ETICA)이 있다.

플라톤은 형이상학적 저작에서 세계의 본질을 논하고, 아리스토텔레스는 인간의 지혜로운 처신을 논한다. 이 두 철학자는 예술과 신화의 시대에 종지부를 찍고 합리적인 철학의 시대를 열었지만, 그들의 철학은 저 엇갈리는 손의 방향처럼 서로 다른 모방론을 지향한다.

플라톤의 손짓은 진리가 천상의 이데아에 있다는 것을, 아리스토텔레스의 손짓은 진리가 현실의 경험에 있다는 것을 우리에게 말해 주고 있다. 플라톤은 본질이 현실 밖에 있다고 생각했기 때문에, 이곳은 인간의 지각으로는 경험할 수 없고 오직 순수이성을 통해서만 접근할 수 있다고 주장했다. 이를 '이데아론'이라고 하며, 이데아는 '본질을 품은 세상'을 의미한다. 반면, 아리스토텔레스는 본질이 현실에 있다고 생각했다. 그는 하나하나의 사물들을 관통하는 공통된 성질이 본질이라고 믿었다. 따라서 아리스토텔레스에게 중요한 것은 이데아가 아닌 현실이었다.

이 그림의 중심부에 위치한 두 사람은 서로의 철학을 나누며 세상의 이치에 대해 이야기하고 있다. 플라톤은 예술을 이데아의 모방으로 보았다. 예를 들어, 화가가 그린 아름다운 나무는 이데아로서 완벽한 나무를 모방한 것일 뿐이라고 생각했다. 반면, 아리스토텔레스는 예술이 현실의 모방을 통해 인간의 감정을 정화시킨다고 보았다. 그에게 화가가 그린 나무는 그 자체로 중요한 현실의 일부분이며, 그 현실 속에서 진리를 찾을 수 있다고 여겼다. 이처럼 두 사람의 철학은 모방의 대상과 그 목적에 대해 상반된 입장을 보여주며, 예술과 현실을 바라보는 시각에 큰 차이를 드러낸다.

문학에서도 고전 비극과 서사시가 인간의 영웅적 행위를 사실적으로 묘사하며 모방론의 전형을 이룬다. 모방론은 예술 이론 중 하나로서, 예술이 현실을 모방하는 행위라는 개념을 중심으로 한다.

현재의 예술 세계에서 모방론은 여전히 중요한 위치를 차지하고 있지만, 그 형태와 적용 방식은 과거와 다소 달라졌다. 다양한 방식으로 현대 예술에 반영되고 있다. 사진, 영화, 디지털 아트 등 기술 발전에 따른 새로운 매체들은 현실을 보다 정밀하고 다양하게 모방할 수 있게 되었다. 이러한 매체들은 사실적인 재현 뿐만 아니라, 초현실적이거나 가상 현실 같은 새로운 형태의 모방을 가능하게 한다. 예를 들어, 영화와 게임은 현실의 정교한 모방을 통해 몰입감을 제공하며, 가상 현실 기술은 사용자에게 현실과 구분하기 어려운 경험을 선사한다.
또한, 현대 미술에서는 하이퍼리얼리즘과 같은 운동이 등장하여 극도로 세밀한 현실 재현을 묘사하는 것을 추구한다. 이러한 작품들은 사진보다 더 현실적이면서도 세밀한 기법을 통해 관람자에게 새로운 시각적 경험을 제공한다. 하이퍼리얼리즘 화가들은 인체, 도시 풍경, 일상 사물 등을 매우 정밀하게 그려내며, 이를 통해 현실의 복잡성과 아름다움을 재발견하게 한다.
그러나, 단순히 현실을 모방하는 것을 넘어, 현대 예술에서는 모방의 개념이 보다 복잡하고 다층적으로 발전하고 있다. 포스트모더니즘 예술은 기존의 모방 개념을 비틀고 재해석하는 방식으로, 패러디와 패스티쉬 같은 기법을 통해 새로운 의미를 창출한다. 이는 단순한 모방을 넘어서, 현실을 비판하거나 새로운 시각을 제공하는 역할을 한다.
결론적으로, 모방론은 현대 예술 단순한 현실 재현을 넘어, 모방을 통해 새로운 경험과 의미를 창출하는 방향으로 계속해서 발전하고 있다.

2. 표현론

19세기 말과 20세기 초에 걸쳐 발전한 이론으로, 예술은 인간의 내적 감정과 경험을 표현하는 것이라는 주장이다. 니체와 프로이트의 철학과 심리학 이론에 영향을 받아 예술가의 주관적 감정과 개인적 경험이 중요시되었다. 이 흐름은 에드바르드 뭉크의 "절규"와 같은 표현주의 작품에서 두드러지며, 인간의 내적 고뇌와 심리적 상태를 강렬하게 드러낸다. 문학에서는 낭만주의와 표현주의 작가들이 개인의 감정과 내적 갈등을 중시하여 작품을 통해 인간의 복잡한 심리를 탐구했다.
한편, 톨스토이의 예술 표현론은 또 다른 관점을 제공한다. 톨스토이는 예술을 단순한 모방이 아닌 감정의 전달로 보았다. 그의 에세이에서 톨스토이는 "예술은 감정의 전염"이라고 말하며, 예술 작품은 창작자의 감정을 관객에게 전달하고 공감하게 만드는 도구라고 주장했다. 예를 들어, 한 음악가가 슬픔을 느끼며 작곡한 곡이 듣는 이에게도 같은 슬픔을 느끼게 한다면, 그 음악은 성공적인 예술 작품이라고 볼 수 있다.

표현론은 예술을 인간의 내적 감정과 경험을 표현하는 행위로 간주하지만, 몇 가지 문제점을 가지고 있다.

첫째, 표현론은 예술가의 개인적 감정과 경험을 강조하기 때문에 작품의 해석이 지나치게 주관적이 될 수 있다. 이는 동일한 작품에 대해 다양한 해석이 가능하게 하며, 객관적인 평가 기준을 마련하는 데 어려움을 초래한다.

둘째, 표현론은 작품의 형식적 요소를 경시할 수 있다. 예술 작품의 미적 가치는 형식적 구조와 기술적 완성도에도 크게 좌우되지만, 표현론은 이러한 측면을 충분히 고려하지 않을 수 있다.

마지막으로, 표현론은 예술을 단순히 감정의 표출로만 이해할 위험이 있다. 이는 예술 작품이 사회적, 문화적, 역사적 맥락에서 가지는 의미를 간과하게 만들 수 있다. 이러한 문제점들은 표현론이 예술을 이해하는 하나의 방식으로는 유효하지만, 그것 만으로는 예술의 모든 측면을 포괄하기 어렵다는 점을 시사한다.

베네데토 크로체와 로빈 조지 컬링우드는 표현론의 중요한 이론가로서, 예술을 감정과 사상의 표현으로 보았다. 그들의 사상은 예술을 단순한 모방이 아닌, 예술가의 내면 세계를 표현하는 행위로 이해하는 데 중점을 둔다.

베네데토 크로체는 예술을 '직관적 표현'으로 보았다. 그는 예술 작품이 예술가의 직관을 통해 형성된 감정이나 생각의 표현이라고 주장했다. 크로체는 예술가가 느끼는 감정이 예술 작품을 통해 표현될 때, 그 감정이 형태를 얻는다고 보았다. 따라서 예술은 예술가의 주관적인 경험과 내면의 세계를 드러내는 매개체로 작용한다. 그는 예술이 단순히 사물의 외형을 모방하는 것이 아니라, 예술가의 감정과 직관이 구체화된 산물이라고 강조했다.

로빈 조지 컬링우드 역시 예술을 표현으로 이해했다. 그는 예술 작품을 예술가의 경험과 감정의 표현으로 간주하고, 예술의 본질이 감정의 전이와 소통에 있다고 보았다. 컬링우드는 예술 작품이 단순히 미적 쾌락을 제공하는 것을 넘어서, 예술가가 자신의 감정과 사상을 작품을 통해 명확히 하고, 이를 통해 관객과 소통하는 과정이라고 주장했다. 그는 예술을 통해 예술가와 관객이 감정적으로 교류하며, 서로의 감정을 이해하고 공감하는 과정을 중시했다.

이처럼 크로체와 컬링우드의 표현론은 예술을 예술가의 내면 세계를 표현하는 행위로 보며, 예술가와 관객 간의 감정적 교류와 소통을 강조한다. 예술 작품은 단순한 미적 대상이 아니라, 감정과 사상의 전달을 통해 사람들 사이의 이해와 공감을 이끌어내는 중요한 매개체로 여겨진다.

3. 형식론

20 세기 초 러시아 발전된 이론으로, 예술 작품의 미적 가치는 그 형식적 요소에 있다고 본다. 클라이브 벨(Clive Bell)은 20 세기 초반의 영국 미술 비평가로, 형식론을 지지하며 "유의미한 형식"이라는 개념을 제안했다. 클라이브 벨의 "유의미한 형식" 개념처럼, 예술은 내용보다는 색, 선, 구도, 구조 등 형식적 아름다움에만 중점을 두어야 한다는 주장이다. 벨의 이론에 따르면, 예술 작품의 가치는 그 작품이 가진 형식적 요소들에서 찾을 수 있으며, 특히 "유의미한 형식"을 통해 예술의 본질을 파악하고자 했다. 벨은 유의미한 형식을 예술 작품의 필수적인 요소로 보았다. 그의 이론에 따르면 유의미한 형식이란 관람자에게 미적 경험을 제공하는 형식적 요소들의 조합이다. 이는 특정한 감정적 반응을 일으키는 시각적 구성으로, 색채, 선, 형태 등이 중심적으로 조화롭게 결합되어 관람자에게 강렬한 미적 반응을 전달한다. 그가 강조한 것은 '시각 예술의 모든 작품들에 공통적인 따라서

한 가지 '성질'인 의미 있는 형식(significant form)개념을 통해 예술 작품의 내용이 아니라 형식에 주목할 것을 요구하였다.

이러한 미적 경험은 주관적이지만 동시에 보편적인 감동을 불러일으킬 수 있다. 그는 유의미한 형식을 통해 예술 작품을 감상할 때 시각적 조화, 정서적 반응, 형식의 독립성 등의 특징들을 강조했다. 시각적 조화는 색채, 선, 형태가 조화롭게 배치되어 시각적 아름다움을 창출하는 것이며, 정서적 반응은 작품을 감상할 때 일어나는 감정적, 정서적 반응이다. 형식의 독립성은 작품이 표현하는 내용이나 주제와 독립적으로 형식 그 자체로서의 가치를 갖는 것이다. 이러한 미술 및 예술철학의 영역에서만 아니라 당시의 현대적 삶의 조건들이 모더니즘 미술론이 등장하게 된 실질적인 이유이다.

벨의 이론은 예술 감상에 있어 주제나 배경보다는 형식적 요소에 집중하게 함으로써, 예술 작품의 본질적인 아름다움을 강조하는 데 기여했다. 이러한 관점은 이후 많은 형식주의 비평가들에게 큰 영향을 미쳤으며, 현대 미술 비평의 중요한 기초가 되었다.

형식론을 지지하는 이들은 예술의 본질을 형식적 요소에서 찾기 때문에 표현론보다 형식론이 중요하다고 주장하며 의의를 제기한다. 형식론은 예술 작품의 객관적이고 측정 가능한 요소들인 색채, 선, 구도, 질감 등은 누구에게나 동일하게 인식되기 때문에 주관적인 해석보다 더 객관적인 평가를 할 수 있다는 것이다. 이는 작품을 평가하거나 비교할 때 중요한 기준이 되며 형식론자들은 예술 작품이 그 자체로 독립적인 존재로서 의미가 있다고 본다. 즉, 예술은 그것을 사실적으로 또는 추상적으로 표현하는 내용이나 주제와 독립적인 그 자체로 가치가 있다는 것이다. 이 접근 방식은 예술을 외부의 맥락이나 내용에서 자유롭게 평가할 수 있게 한다. 예술 작품이 시각적으로 아름답고 조화로운지 여부를 평가하는 데 중점은 조형적인 요소들이 어떻게 배열되고 상호작용하는지가 형식론의 작품의 가치를 결정한다. 형식론은 예술의 본질을 탐구하는 데 집중하기 때문에 예술의 형식적 요소를 통해 작품의 본질과 그 작동 방식을 이해해야 한다. 이는 바실리 칸딘스키와 피에트 몬드리안의 추상미술에서 잘 나타나며, 예술의 순수한 미적 경험을 추구한다. 문학에서는 러시아 형식주의 문학 비평가들이 작품의 언어적 구조와 형식을 분석하는 데 중점을 두었으며, 제임스 조이스의 "율리시스" 같은 모더니즘 작품들은 형식적 실험을 통해 새로운 문학적 표현을 시도했다.

⌘ 바실리 칸딘스키 (Wassily Kandinsky)

칸딘스키는 추상미술의 선구자로서, 색채와 형식의 순수한 표현을 통해 감정을 전달하려고 했다. 그의 작품은 형식적 요소의 실험과 탐구로 가득 차 있다.

"Composition VII" (1913)은 복잡한 구성을 통해 색과 형태의 조화를 추구하며, 음악적 리듬과 감정을 시각적으로 표현하려고 한다.

"Improvisation 28" (1912)은 칸딘스키가 추구한 즉흥적이고 자유로운 형태의 표현으로, 음악적 영감을 받은 색채와 선의 율동이 돋보인다.

"Yellow-Red-Blue" (1925)는 명확한 기하학적 형태와 강렬한 색채 대비를 통해 형식적 아름다움을 선사했다.

⌘ 피에트 몬드리안 (Piet Mondrian)★★★

몬드리안은 기하학적 추상을 통해 형식적 순수성과 조화를 추구했다. 그의 작품은 단순한 선과 색채를 사용하여 복잡한 조형미를 만들어낸다. "Composition with Red, Blue, and Yellow" (1930)는 단순한 직선과 기본 색채를 사용하여 조화와 균형을 이루는 몬드리안의 대표적인 형식적 실험이다. "Broadway Boogie Woogie" (1942-43)**는 뉴욕의 거리와 재즈 음악에서 영감을 받아 만든 작품으로, 사각형과 선의 리듬감이 돋보인다. "Tableau I" (1921)는 기본적인 색상과 직선만을 사용하여 복잡한 감정과 아름다움을 표현하는 몬드리안의 기하학적 추상을 잘 보여준다.

그의 작품은 예술이 단순히 외형을 모방하는 것을 넘어서, 색채와 형태의 순수한 조화로 감정을 전달하는 힘을 가지고 있음을 보여준다.

위의 작품은 보편적인 요서인 수평과 수직선만 남아있고 색체도, 빨강, 파랑 그리고 노랑의 삼원색을 사용했다. 명암으로는 무채색의 검정과 흰색, 회색으로 명도를 조절했다. 이 엄격한 조형원리는 이 세상의 무질서로부터 인간을 해방시키는 것을 미술의 목적으로 삼은 몬드리안의 예술론이다.

"그림이란 비례와 균형 이외에 다른 아무것도 아니다"

-몬드리안-

몬드리안은 작품에 들어간 색체를 실존하는 이유로 생각했다.
그는 빨강은 노랑과 대비를 이루는 위로 떠오르는 색, 노랑은 빛이 시작되는 색, 파랑은 창공과 뒤로 후퇴하는 색이라는 깊은 의미를 담고 있다.

형식론을 지지하는 이들은 예술의 본질을 형식적 요소에서 찾기 때문에 표현론보다 객관적이고 측정 가능한 요소들이 예술적이라고 주장한다. 형식론은 예술 작품의 색채, 선, 구도, 질감 등은 누구에게나 동일하게 인식되기 때문에 주관적인 해석보다 더 객관적인 평가를 할 수 있다. 이는 작품을 평가하거나 비교할 때 중요한 기준이 된다. 형식론자들은 예술작품이 그 자체로 독립적인 존재로서 의미가 있다고 본다. 즉, 예술은 그것이 표현하는 내용이나 주제와 독립적으로 그 자체로 가치가 있다는 것이다. 이 접근 방식은 예술을 외부의 맥락이나 내용에서 자유롭게 평가할 수 있게 한다. 또한, 형식론은 예술의 시각적이고 조형적인 아름다움을 강조한다. 이는 예술 작품이 시각적으로 아름답고 조화로운지 여부를 평가하는 데 중점을 둔다. 조형적인 요소들이 어떻게 배열되고 상호작용하는지가 작품의 가치를 결정한다고 본다. 형식론은 예술의 본질을 탐구하는 데 집중하며, 예술의 형식적 요소를 통해 작품의 본질과 그 작동 방식을 이해하려고 한다. 이는 예술 작품의 내적인 구조와 그 작동 원리를 이해하는 데 도움을 준다.
또한 형식론자들은 형식이 보편적인 언어라고 주장한다. 예술 작품의 형식적 요소들은 문화나 시대를 초월하여 보편적으로 이해될 수 있기 때문에, 형식을 통해 예술 작품이 전달하려는 메시지가 더 널리 전달될 수 있다고 본다. 이러한 이유들 때문에 형식론자들은 예술의 표현보다는 형식적 요소가 더 중요하다고 주장한다. 형식적 분석을 통해 예술 작품의 객관적 평가와 본질적 이해를 추구하는 것이 그들의 주요 목표이다.

모방론, 표현론, 형식론 ★거울 이론

모방론 (Mimesis)의 거울로서의 예술: 모방론은 예술이 현실을 반영한다고 본다. 플라톤과 아리스토텔레스는 예술을 현실의 모방으로 이해했다. 예술은 거울처럼 세상을 그대로 비추며, 그 안에 존재하는 사물, 사람, 사건들을 충실히 재현한다. 이 관점에서 예술은 현실의 정확한 복제물이자, 관람자가 현실을 간접적으로 경험할 수 있는 수단이다. 따라서, 모방론에서 예술은 현실의 거울로서, 현실의 본질과 진리를 탐구하고 드러내는 역할을 한다.

표현론 (Expressionism)은 내면을 비추는 거울: 표현론은 예술이 예술가의 내면 세계, 감정, 생각을 반영한다고 본다. 크로체와 컬링우드는 예술을 예술가의 감정 표현 수단으로 보았다. 이 관점에서 예술은 단순한 현실의 모방이 아니라, 예술가의 주관적인 경험과 감정을 투영하는 거울이다. 예술가는 자신의 내면 세계를 거울에 비추어 관람자에게 보여주며, 이를 통해 관람자도 자신의 내면을 성찰할 수 있게 된다. 따라서, 표현론에서 예술은 내면의 거울로서, 예술가의 감정과 생각을 드러내고, 관람자에게 감정적 공감을 불러일으키는 역할을 한다.

형식론 (Formalism)은 형식 자체를 비추는 거울: 형식론은 예술이 형식적 요소와 구조에 중점을 둔다고 본다. 클라이브 벨의 "유의미한 형식" 개념은 예술의 가치를 형식적 요소에서 찾는다. 이 관점에서 예술은 외부 현실이나 내면 세계를 반영하는 것이 아니라, 그 자체로 독립적인 형식을 지닌 거울이다. 예술 작품은 색채, 선, 구도 등의 형식적 요소들을 통해 그 자체로 의미를 가진다. 관람자는 예술 작품을 통해 형식적 아름다움과 조화를 경험하며, 작품의 내재된 형식적 질서와 구조를 감상한다. 따라서, 형식론에서 예술은 형식 자체를 비추는 거울로서, 형식적 요소들의 상호작용을 통해 예술의 본질을 드러내는 역할을 한다.

"쉽게 설명하자면,

거울 이론에 따르면 모방론은 거울 비친 형상 자체이고 표현론은 거울에 어떠한 형상으로 비춰졌는지 느끼는 것이고 형식론은 거울과 형상 그 두개의 각각의 도구 자체를 예술로 인식한다고 생각하면 된다."

현대예술의 모호성

움베르트 에코의 "열린 작품(Opere aperte)" 개념은 예술 작품이 고정된 의미를 갖지 않고, 다양한 해석과 의미를 허용하는 구조를 가진다는 것을 의미한다. 에코는 1962 년에 출판한 책 "열린 작품"에서 이 개념을 상세히 설명하며, 예술 작품이 관람자에 의해 완성되는 과정을 강조했다. 열린 작품은 하나의 고정된 의미나 해석을 지니지 않으며, 관람자 각자의 경험, 지식, 감정에 따라 다양한 해석이 가능하다. 이는 작품의 의미가 고정되어 있지 않고 유동적임을 의미한다. 또한, 열린 작품은 관람자의 적극적인 참여를 요구한다. 관람자는 작품을 단순히 감상하는 것이 아니라, 자신의 해석과 상상을 통해 작품을 완성하게 된다. 이로 인해 관람자는 예술 창작의 일부분이 된다. 열린 작품은 시간과 공간에 따라 그 의미가 변화할 수 있으며, 이는 사회적, 문화적 맥락에 따라 작품의 해석이 달라질 수 있음을 의미한다. 열린 작품은 다의적이며, 다양한 층위의 의미를 담고 있어, 관람자가 여러 차원에서 작품을 이해하고 해석할 수 있게 한다.

현대 예술의 문제점은 다양한 관점에서 논의될 수 있으며, 몇 가지 주요 문제점은 다음과 같다.

1. 의미의 불명확성

현대 예술은 종종 의미가 불명확하고 모호한 경우가 많다. 움베르트 에코의 "열린 작품" 개념처럼 관람자의 다양한 해석을 허용하지만, 이는 때때로 작품의 본래 의도가 불분명해지는 결과를 초래할 수 있다. 이러한 모호성은 관람자에게 혼란을 주고, 예술 작품의 가치나 목적을 이해하는 데 어려움을 겪게 한다.

2. 엘리트주의

현대 예술은 종종 일반 대중보다는 예술계 엘리트나 특정한 문화적 배경을 가진 사람들에게만 이해되고 인정받는 경우가 많다. 이는 예술이 대중과 소통하기 어려워지고, 예술의 접근성이 낮아지는 결과를 낳는다. 피에르 부르디외는 예술이 사회적 지위와 권력을 상징하게 되면서 일부 엘리트들만이 이해하고 소비하는 특권적인 영역으로 변질된다고 주장했다. 이는 예술이 대중과 소통하는 능력을 상실하게 만들고, 문화적 불평등을 심화 시킨다.

3. 상업화

현대 예술이 상업화되면서 작품의 본래 가치나 의도가 왜곡되는 경우가 많다. 예술 작품이 상품으로 취급되면서, 예술가의 창의성과 진정성이 희생될 수 있다. 돈 톰슨은 예술 시장의 상업화와 경매 문화가 예술의 본질을 왜곡하고, 작품의 진정한 가치보다는 가격과 투자 가치에 초점을 맞추게 한다고 비판했다. 예술품이 투기 대상으로 전락하면서, 작품의 미적 가치나 예술적 중요성이 퇴색된다는 지적이다.

4. 작품의 일시성

현대 예술은 종종 일시적이거나 순간적인 작품들이 많다. 퍼포먼스 아트나 설치 미술과 같은 경우, 작품의 보존과 전시가 어려워 시간이 지나면서 원래의 의미나 형태를 잃게 된다. 보리스 그로이스는 현대 예술이 퍼포먼스, 설치, 디지털 아트 등 일시적이고 비물질적인 형식을 많이 취하면서, 작품의 보존과 역사적 지속 가능성에 문제가 생긴다고 지적했다. 이는 예술 작품의 영속성과 기록 가능성을 위협할 수 있다.

5. 기술 의존성

현대 예술은 디지털 기술이나 새로운 매체에 크게 의존하는 경우가 많다. 이는 예술의 표현 영역을 확장시키는 긍정적인 측면이 있지만, 동시에 기술의 발전에 따라 작품의 보존과 접근성이 어려워질 수 있다. 클레어 비숍은 디지털 기술과 뉴미디어의 확산이 현대 예술의 표현 영역을 확장하는 동시에, 기술적 한계와 보존 문제를 초래한다고 비판했다. 기술의 변화와 발전 속도가 빠르기 때문에, 현재의 기술을 기반으로 한 예술 작품이 미래에도 동일한 형태로 유지될 수 있는지에 대한 의문이 제기된다. 이러한 문제점들은

현대 예술이 직면한 도전 과제들로, 예술가와 관람자 모두에게 중요한 고려 사항이 된다. 예술의 본질과 목적에 대해 지속적인 논의와 성찰이 필요하다.

무용의 기원

무용의 기원

무용의 역사적인 중요성은 무용이 인류 역사와 함께 발전해왔으며, 각 시대와 문화를 통해 여러 모습으로 정착되는 과정을 알 수 있다 무용은 단순히 예술적 표현의 수단을 넘어, 사회적, 종교적, 정치적 역할을 하며 문화의 중요한 구성 요소로 자리잡았다. 무용의 기원은 인류의 역사와 함께 시작되었으며, 인간의 본능적 표현 욕구와 깊은 관련이 있다. 초기 인류는 의사소통과 의례의 수단으로 몸짓과 움직임을 사용했으며, 이는 무용의 기초가 되었다. 원시 사회에서 무용은 종교적 의식과 밀접하게 연관되었으며, 사냥의 성공, 풍작을 기원하는 의례, 신에게 감사하는 제사 등 다양한 맥락에서 행해졌다. 이러한 무용은 공동체의 결속을 강화하고, 사회적 규범과 가치를 전달하는 중요한 역할을 했다. 고대 문명에서는 무용이 더 체계적이고 예술적인 형태로 발전했다. 예를 들어, 고대 이집트에서는 종교 의식과 장례 의식에서 무용이 중요한 부분을 차지했고, 고대 그리스에서는 연극과 축제의 일부로 무용이 포함되었다. 이처럼 무용은 단순한 신체 활동을 넘어, 인간의 사회적, 문화적, 종교적 삶의 필수적인 요소로 자리잡아 왔다. 이러한 역사를 통해 무용은 시대와 문화에 따라 다양한 형태와 목적을 지닌 예술로 발전해 왔다.

1. 사회적 결속과 공동체 형성

고대부터 무용은 사회적 결속과 공동체 형성에 중요한 역할을 했다. 무용은 단순한 신체 활동을 넘어, 공동체의 일원들이 함께 모여 하나의 목적을 공유하고 협력하는 경험을 제공했다. 사냥의 성공을 기원하거나, 풍작을 기원하는 의례, 또는 신에게 감사하는 제사와 같은 의식에서 무용은 필수적인 요소로 자리잡았다. 이러한 의례적 무용은 공동체 구성원들 간의 유대감을 강화하고, 집단의 정체성을 확립하는 데 기여했다. 또한, 무용은 지식과 전통을 다음 세대로 전달하는 수단으로도 사용되었다. 춤을 통해 이야기를 전하고, 중요한 사회적 규범과 가치를 전달함으로써, 공동체의 지속성과 안정성을 유지할 수 있었다. 이처럼 원시 시대의 무용은 사회적 결속을 강화하고 공동체를 형성하는 데 중대한 영향을 미쳤으며, 이는 무용이 인류 역사에서 중요한 문화적 표현 형태로 자리잡게 되는 기초가 되었다.

2. 종교적 및 의식적 기능

무용은 원시 사회와 고대 문명에서 종교적 및 의식적 기능을 중요한 역할로 수행했다. 이러한 기능은 신앙과 영적 체험을 표현하고, 신과의 소통을 강화하며, 공동체의 의례와 축제에서 중요한 역할을 했다. 무용은 신성한 의식을 수행하는 데 사용되었으며, 신에게 경배하고 감사하는 수단으로 활용되었다. 예를 들어, 고대 이집트에서는 신에게 바치는 의식에서 무용이 필수적인 부분을 차지했으며, 이러한 무용은 종종 신성한 장소에서 수행되었다. 무용은 신의 축복을 기원하고, 악령을 쫓아내며, 신과의 교감을 표현하는 도구로 사용되었다. 인도의 전통 무용인 바라타나티암은 신성한 이야기를 춤을 통해 표현하며, 종교적 제사와 축제에서 중요한 역할을 한다. 이처럼 무용은 종교적 의례의 중심 요소로서, 공동체의 영적 삶을 풍요롭게 하고, 신과의 연결을 강화하는 역할을 해왔다.

3. 역사적 사건과 정치적 표현

무용은 역사적 사건을 기록하고 전승하는 방법으로도 사용되었다. 무용은
특정 사건이나 역사적 인물을 기리기 위한 수단으로 활용되며, 때로는 정치적 메시지를 전달하는 도구로서도 기능했다. 예를 들어, 민속무용은 종종 국가적인 자부심과 정체성을 강화하는 데 중요한 역할을 하며, 억압된 민족들이 자신들의 문화적 정체성을 유지하고 저항의 의미를 표현하는 수단이 되기도 했다. 무용은

역사적 사건과 정치적 표현의 수단으로서 중요한 역할을 해왔다. 다양한 시대와 문화에서 무용은 정치적 메시지를 전달하고, 사회적 변화와 혁명을 반영하는 도구로 사용되었다. 예를 들어, 프랑스 혁명 이후, 발레는 혁명의 이상을 표현하는 방식으로 변화했으며, 자유와 평등을 주제로 한 작품들이 공연되었다. 현대 무용 역시 사회적 이슈와 정치적 사건을 반영하는 데 적극적으로 사용되었다. 마사 그라함의 작품들은 종종 사회적 불의와 인권 문제를 다루었으며, 그녀의 무용은 정치적 저항의 형태로 받아들여졌다. 또한, 힙합 댄스는 미국의 흑인 사회에서 태어나, 사회적 불평등과 인종 차별에 대한 저항과 표현의 수단으로 발전했다. 이처럼 무용은 단순한 예술적 표현을 넘어, 중요한 역사적 사건과 정치적 메시지를 전달하고, 사회적 변화를 촉진하는 역할을 해왔다.

4. 예술적 발전과 문화 교류

무용은 예술적 발전과 문화 교류의 중요한 매개체로서 기능해왔다. 다양한 문화와 시대를 거치며 무용은 상호 영향을 주고받으며 발전해 왔고, 이를 통해 새로운 예술적 표현과 스타일이 탄생했다. 예를 들어, 19 세기 러시아 발레는 프랑스 발레의 기술과 형식을 받아들여 독자적인 스타일로 발전하였고, 이는 다시 전 세계에 영향을 미쳤다. 현대 무용은 아시아, 아프리카, 유럽 등 다양한 문화의 전통 무용 요소를 융합하여 더욱 풍부하고 다채로운 표현을 가능하게 했다. 이러한 문화 교류는 무용의 경계를 확장시키고, 새로운 창작의 영감을 제공함으로써 예술적 발전을 촉진했다. 또한, 국제 무용 페스티벌과 같은 이벤트는 세계 각국의 무용수들이 모여 서로의 문화를 배우고 교류하는 장을 제공하여, 문화적 이해와 협력을 증진시켰다. 이처럼 무용은 예술적 발전과 문화 교류를 통해 지속적으로 성장하고 변화해온 중요한 예술 형태로 자리잡고 있다. 무용은 예술 형태로서 중요하며, 시대를 거치면서 다양한 예술적 스타일과 기법이 발전해왔다. 무용은 다른 예술 형태와의 교류를 통해 발전을 이루었고, 서로 다른 문화 간의 예술적 영향을 주고받는 중요한 매개체가 되었다. 발레, 현대무용, 재즈댄스 등이 세계적으로 퍼져 나가면서 각 문화의 특성을 받아들이고 새로운 형태로 재창조되는 과정에서 문화적인 창의성과 다양성이 특징이다.

5. 무용역사의 흐름

무용의 역사는 인류의 역사와 함께 시작되었으며, 시대와 문화를 거쳐 다양한 형태로 발전해왔다. 초기 인류는 의사소통과 의례의 수단으로 몸짓과 움직임을 사용하였고, 이러한 신체 표현은 무용의 기초가 되었다. 원시 사회에서는 사냥의 성공, 풍작을 기원하는 의례, 신에게 감사하는 제사 등에서 무용이 중요한 역할을 했으며, 이러한 의례적 무용은 공동체의 결속을 강화하고, 사회적 규범과 가치를 전달하는 수단으로 사용되었다. 고대 문명에서는 무용이 더 체계적이고 예술적인 형태로 발전하였다. 예를 들어, 고대 이집트에서는 종교 의식과 장례 의식에서 무용이 중요한 부분을 차지했고, 고대 그리스에서는 연극과 축제의 일부로 무용이 포함되었다. 중세 시대에는 종교적 제약으로 인해 무용이 억압받기도 했으나, 르네상스 시대에 이르러 다시 부흥하며 예술의 중요한 형태로 자리 잡았다. 17 세기와 18 세기에는 발레가 유럽에서 크게 발전하였고, 19 세기에는 러시아 발레가 세계적으로 유명해졌다. 20 세기에는 현대 무용이 등장하여, 전통적인 형식에서 벗어나 자유롭고 창의적인 표현을 추구하게 되었다. 현대에 이르러서는 힙합, 재즈, 컨템포러리 댄스 등 다양한 무용 형태가 생겨나며, 무용은 글로벌한 예술 형태로 자리매김하였다. 이처럼 무용의 역사는 끊임없이 변화하고 발전하며, 시대와 문화를 반영하는 중요한 예술 형태로 지속되어 왔다. 무용의 역사적 중요성은 이처럼 광범위하며, 인간의 감정, 사회, 문화를 연결하는 중요한 매개체로서 무용은 시대와 문화를 초월하여 인간의 삶과 밀접하게 연결되어 있으며, 앞으로도 계속 그 중요성이 지속될 것이다.

원시시대의 무용: 구석기와 신석기 시대

1, 구석기 시대의 무용 (약 2.5 백만년 전 - 약 1 만년 전)

구석기 시대의 무용은 주로 생존과 밀접한 의식적 행위로 수행되었다. 이 시기의 인간들은 사냥, 번식, 자연 현상에 대한 경외심과 같은 일상의 중요한 활동을 신성하게 여겼으며, 이러한 활동들은 종종 무용과 결합되었다. 예를 들어, 사냥 전에는 성공적인 사냥을 기원하며 사냥감의 움직임을 모방하는 춤을 추었을 가능성이 높다. 이러한 무용은 사냥 기술을 연습하는 동시에 사냥감과의 영적 연결을 강화하는 역할을 했다. 또한, 이 시기의 무용은 집단적인 활동으로, 공동체 구성원 간의 결속을 강화하고 사회적 연대감을 형성하는 중요한 수단이었다. 구석기 시대의 무용은 인간의 초기 신체 표현 형태 중 하나로, 의사소통, 의례, 그리고 사회적 결속을 강화하는 중요한 역할을 했다. 이 시기의 무용은 문자나 기록이 남아 있지 않아 구체적인 내용을 알기 어렵지만, 고고학적 발견과 인류학적 연구를 통해 그 성격과 기능을 추정할 수 있다.

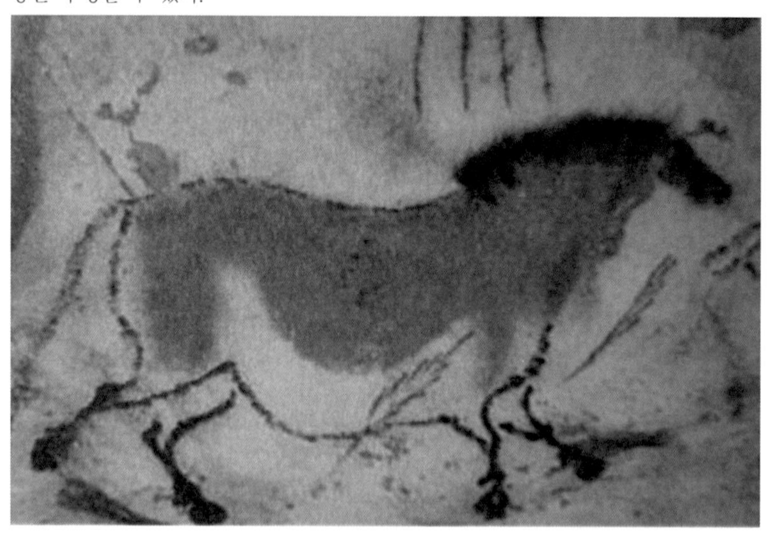

구석기 시대의 무용은 주로 의사소통의 수단으로 사용되었다. 언어가 발달하기 전, 사람들은 몸짓과 움직임을 통해 서로의 의도를 전달하고 협력해야 했다. 사냥 전후의 무용은 사냥의 성공을 기원하거나, 사냥의 전략과 기술을 전수하는 중요한 역할을 했다. 예를 들어, 사냥꾼들이 사냥감을 포위하거나 추적하는 동작을 재현하며 젊은 사냥꾼들에게 기술을 가르쳤을 가능성이 있다.

무용은 구석기 시대의 종교적 의식과 밀접하게 연관되어 있었다. 샤먼이나 종교 지도자가 주도하는 의례에서 무용은 영적 경험을 표현하고, 초자연적 존재와의 교감을 시도하는 수단이었다. 동굴 벽화나 조각상에서 발견되는 춤추는 인물들은 이러한 종교적 무용의 흔적을 보여준다. 예를 들어, 프랑스의 쇼베 동굴 벽화에서는 춤추는 인물들이 그려져 있으며, 이는 종교적 의례나 사냥의 성공을 기원하는 의식에서의 무용을 나타내는 것으로 해석된다.

무용은 공동체의 결속을 강화하고, 사회적 유대감을 형성하는 중요한 역할을 했다. 집단 무용을 통해 사람들은 서로의 존재를 인식하고, 공동의 목표를 위해 협력하며, 사회적 규범과 가치를 공유했다. 공동체의 일원들이 함께 춤을 추며 노래하는 것은 집단의 정체성을 확립하고, 소속감을 강화하는 중요한 행사였다. 이러한 무용은 출생, 사냥의 성공, 계절의 변화 등 중요한 사건을 기념하는 데 사용되었다.

구석기 시대의 무용은 단순한 생존과 의례를 넘어, 인간의 창의적 표현의 일환으로도 이해할 수 있다. 춤은 인간의 감정과 이야기를 표현하는 매개체로서, 초기 예술의 중요한 부분을 차지했다. 동굴 벽화에서 춤추는 인물들의 생생한 묘사는 당시 사람들의 창의적 사고와 예술적 감각을 엿볼 수 있게 한다.

이처럼 구석기 시대의 무용은 단순한 신체 활동을 넘어, 의사소통, 종교적 의례, 사회적 결속, 예술적 표현 등 다양한 기능을 수행하며, 인간 사회의 중요한 요소로 자리 잡았다. 이러한 무용의 전통은 후대에 이르러 더욱 발전하고 다양화되며, 현대 무용의 기초가 되었다.

2. 신석기 시대의 무용 (약 1 만년 전 - 약 4,500 년 전)

신석기 시대에 접어들면서 농경 생활이 시작되고 정착 생활이 확산됨에 따라 무용의 형태와 목적에도 변화가 생겼다. 이 시기의 무용은 주로 풍요와 번영, 자연과의 조화, 공동체의 안녕을 기원하는 의례에서 중요한 역할을 했다. 신석기 시대의 무용은 더욱 조직적이고 상징적인 특성을 띠게 되었으며, 계절의 변화와 관련된 축제나 의식에서 주로 수행되었다. 예를 들어, 수확의 시기에는 풍년을 감사하며 춤을 추는 것이 일반적이었다.

신석기 시대의 무용은 또한 공동체 내의 사회적 구조와 계급을 반영하는 수단으로 사용되었다. 춤은 특정 신들에게 봉헌되거나 사회적 계급이나 직업에 따라 다른 형태로 표현되었다. 이러한 무용은 종교적, 사회적 의미를 내포하며, 공동체의 정체성과 전통을 유지하는 데 중요한 역할을 했다.

구석기와 신석기 시대를 통틀어 무용은 인간이 자연과 소통하고, 사회적 관계를 유지하며, 문화적 가치를 전승하는 중요한 수단으로 자리 잡았다. 이처럼 원시시대의 무용은 단순한 예술 활동을 넘어서서 생존, 종교, 사회적 연대의 필수적인 부분이었다.

원시시대의 무용의 중요성★

1. 생존과 의식의 수단으로서의 무용

무용은 단순한 예술적 표현이 아닌 생존과 의식의 수단으로 오랜 기간 사용되었다. 이러한 역할은 특히 원시 시대에 무용은 집단의 생존 활동과 밀접하게 연결되어 의미와 기능을 가졌다. 생존을 위한 사냥이나 전투 같은 생존 활동 전에는 성공을 기원하며 특정 동작을 사용한 춤을 추는 경우가 많았다. 예를 들어, 사냥을 앞둔 사냥꾼들이 사냥감의 움직임을 모방하는 춤을 추면서 실제 사냥 상황을 시뮬레이션하고, 사냥 기술을 연마하는 동시에 사냥의 성공을 기원했다. 이러한 춤은 사냥감과의 영적인 연결을 강화하고, 사냥꾼들 사이의 협력과 집중력을 높이는 역할을 했다.

2. 의식을 위한 무용

무용은 종종 종교적이거나 영적인 의미를 가진 의식과 결합되어 수행되었다. 이러한 의식용 무용은 공동체의 안녕, 비옥함, 풍요 등을 기원하는 목적으로 사용되었다. 예를 들어, 비를 부르는 춤은 가뭄에 시달리는 공동체에서 비의 내림을 기원하며 추는 춤으로, 자연과의 교감을 도모하고 자연의 섭리에 영향을 미치고자 하는 의도를 담고 있다. 또한, 무용은 사회적 의식이나 통과 의례에서 중요한 역할을 했다. 성인식, 결혼식, 장례식 등 인생의 중요한 전환점에서 공동체 구성원들이 함께 춤을 추며 개인의 새로운 삶의 단계를 축하하고, 이를 사회적으로 인정하는 방식으로 활용되었다. 이처럼 무용은 단순한 신체 활동을 넘어서 생존 기술의 연마, 사회적 결속력 강화, 종교적 및 영적 가치의 전달과 같은 다양한 사회적, 문화적 기능을 수행하며 인간의 삶에 깊이 뿌리내렸다. 무용을 통해 공동체는 자연과 소통하고, 사회적 관계를 강화하며, 문화적 정체성을 형성하고 유지해 왔다.

3..종교적 의식과 무용

신석기 시대의 무용은 주로 종교적 의식과 깊이 연관되어 있었다. 고대 사람들은 자연현상, 계절의 변화, 풍요로운 수확 등을 신성한 힘의 결과로 여겼으며, 이를 기리기 위해 춤을 추었다. 이러한 춤은 신들에게 감사와 경의를 표하거나, 풍요와 번영을 기원하는 의식의 일환으로 행해졌다. 예를 들어, 비를 기원하는 춤이나, 사냥의 성공을 기원하는 춤 등이 있었다.

4. 사회적 유대와 공동체 강화

무용은 신석기 시대의 사람들 사이에서 사회적 유대를 강화하는 중요한 수단이었다. 춤은 공동체의 구성원들이 함께 모여 소통하고, 협력을 다지며, 집단의 결속을 강화하는 역할을 했다. 특히, 축제나 특별한 행사에서는 남녀노소 모두가 참여하여 춤을 추었고, 이를 통해 공동체의 일체감을 느낄 수 있었다.

5. 의례와 전통의 전달

신석기 시대의 춤은 또한 의례와 전통을 후세에 전달하는 중요한 매개체였다. 춤은 이야기와 신화를 전달하는 수단으로 사용되었으며, 중요한 역사적 사건이나 전설을 춤을 통해 재현하고 기억하였다. 이러한 춤은 구전으로 전해지며, 세대를 이어 공동체의 정체성과 문화를 유지하는 데 기여하였다.

6. 무용의 형태와 스타일

신석기 시대의 무용은 주로 원시적이고 단순한 형태였지만, 그 안에는 다양한 상징적 의미가 담겨 있었다. 벽화나 조각에서 발견되는 무용 장면들은 원형으로 둘러서서 손을 맞잡고 추는 춤이나, 리듬감 있게 움직이는 장면들을 보여준다. 이러한 춤은 종종 타악기나 박수 소리와 함께 진행되었으며, 원초적인 리듬과 움직임이 특징이었다.신석기 시대의 무용은 단순한 오락의 수단을 넘어, 종교적 신념, 사회적 유대, 전통의 전달 등 다양한 기능을 가진 중요한 예술 형태였다. 춤은 신석기 시대 사람들의 일상 생활과 깊이 연관되어 있었으며, 그들의 문화와 정신세계를 반영하는 중요한 요소였다.

원시시대의 무용형성의 배경적 요소

1. 자연과 환경

원시 시대의 사람들은 자연과 밀접한 관계를 맺고 생활하였다. 사냥, 채집, 농업 등의 활동은 자연의 리듬과 변화에 크게 의존했으며, 이로 인해 자연 현상을 기리고 감사하는 의식이 발달했다. 무용은 이러한 자연 현상과 계절의 변화를 축하하고 기원하는 중요한 수단이 되었다.

2. 종교적 신앙과 의식

원시 사회에서는 초자연적 존재나 영혼을 숭배하는 토템신앙과 애니미즘이 널리 퍼져 있었다. 무용은 이러한 신앙을 표현하고 신과 교감하기 위한 중요한 의식이었다. 예를 들어, 사냥의 성공을 기원하거나 수확의 풍요를 기원하는 춤은 공동체의 중요한 종교적 행위였다.

3. 주술적인 무용

주술적 요소가 강한 무용은 초자연적 힘을 빌려 인간의 소망을 이루고자 하는 목적에서 행해졌다. 이러한 무용은 주로 주술사나 샤먼이 주도하며, 질병의 치유, 사냥의 성공, 악령의 퇴치를 기원하는 의식을 포함하였다. 춤은 주술적인 주문과 함께 행해져 신비롭고 영적인 분위기를 조성하였다.

4. 모방적인 무용

원시 무용에는 자연의 동작이나 동물의 행동을 모방한 춤이 많았다. 이러한 모방적인 무용은 주로 사냥의 성공을 기원하거나 자연과의 조화를 이루기 위해 행해졌다. 동물의 움직임을 따라하는 춤은 사냥 기술을 연습하는 동시에 동물의 영혼을 달래는 주술적 의미를 담고 있었다.

5. 집단 무용

원시 사회에서는 개인보다 공동체가 중요한 가치였으며, 집단 무용은 공동체의 결속을 강화하고 사회적 유대를 형성하는 중요한 역할을 하였다. 함께 춤을 추는 행위는 공동체의 일체감을 높이고 협력을 도모하는 수단이었다. 축제, 결혼식, 성년식 등 다양한 사회적 행사에서 춤은 중요한 부분을 차지했다.

6. 표현 무용

무용은 단순한 의식적 행위를 넘어 예술적 표현의 형태로 발전하였다. 개인이나 집단의 감정, 이야기, 창의성을 춤을 통해 표현하였다. 이러한 표현 무용은 의사소통의 수단이자 예술적 창작 활동으로서 중요한 역할을 했다.

7. 사회적 유대와 공동체 의식

무용은 공동체의 결속을 강화하고 사회적 유대를 형성하는 중요한 수단이었다. 원시 사회에서는 개인보다 공동체가 중요한 가치였으며, 함께 춤을 추는 행위는 공동체의 일체감을 높이고 협력을 도모하는 수단이었다. 축제, 결혼식, 성년식 등 다양한 사회적 행사에서 춤은 중요한 부분을 차지했다.

8. 의사소통과 표현

언어가 발달하기 전, 무용은 의사소통의 중요한 수단이었다. 사람들은 몸짓과 동작을 통해 감정, 이야기, 정보를 전달하였다. 무용은 또한 예술적 표현의 한 형태로서, 개인이나 집단의 창의성을 발휘하는 매개체가 되었다.

9. 신체적 훈련과 놀이

무용은 단순한 예술적 행위를 넘어 신체적 훈련과 놀이의 일환으로 발전하였다. 춤을 추는 과정에서 사람들은 신체적 능력을 기르고, 체력을 단련하며, 동시에 즐거움을 느꼈다. 이는 특히 어린이들에게 중요한 교육적 역할을 했다.

이와 같이, 원시 시대의 무용은 자연, 종교, 주술, 모방, 집단, 표현 등의 다양한 요소들이 결합되어 형성된 종합 예술 형태였다. 무용은 원시인들의 삶과 문화에 깊숙이 뿌리내려 있었으며, 그들의 세계관과 생활 방식을 반영하는 중요한 활동이었다.

고대 이집트, 그리스, 로마의 문명

고대 문명의 발전에 있어 그리스, 로마, 이집트는 중요한 역할을 했다. 이들 문명은 각기 독특한 방식으로 문화와 예술을 발전시켰으며, 후대에 큰 영향을 미쳤다. 고대 이집트 문명은 기원전 3100년경부터 나일강 유역에서 발전했다. 이집트는 피라미드와 스핑크스 같은 거대한 건축물로 잘 알려져 있으며, 이러한 구조물은 주로 종교적 및 장례 의식과 관련이 있다. 이집트의 예술은 주로 무덤 벽화, 석상, 장식품에 집중되어 있었으며, 상형 문자(히에로글리프)를 사용해 종교적이고 신화적인 주제를 표현했다. 이집트 미술은 정교하고 상징적이며, 주로 신들과 파라오의 위엄을 강조했다. 특히, 무덤 벽화는 사후 세계에 대한 믿음과 일상 생활의 장면을 생생하게 담고 있다.

고대 그리스 문명은 기원전 8 세기경부터 지중해 지역에서 발전했다. 그리스는 민주주의의 기원지로, 철학과 과학, 문학에서도 큰 발전을 이루었다. 그리스 예술은 조각, 건축, 도자기로 유명하며, 인간의 아름다움과 균형, 비례를 강조했다. 대표적인 건축물로는 아테네의 파르테논 신전이 있으며, 이는 도리스식 기둥과 균형 잡힌 비례로 유명하다. 그리스의 조각상은 현실적이고 자연스러우며, 인간의 이상적인 형태를 표현하려 했다. 예를 들어, 피디아스와 프락시텔레스와 같은 조각가들은 신화적 인물과 운동선수의 생동감을 잘 나타냈다.

고대 로마 문명은 기원전 8 세기경 이탈리아 반도에서 시작되었다. 로마는 법률과 공공건축에서 큰 발전을 이루었으며, 로마법은 현대 법제도의 기초가 되었다. 로마 예술은 그리스 예술의 영향을 받았으며, 모자이크, 벽화, 조각 등이 포함되었다. 로마 건축물 중 콜로세움과 포룸은 공공 생활과 엔터테인먼트의 중심지로 중요한 역할을 했다. 로마의 모자이크와 벽화는 일상 생활과 신화를 주제로 한 생생한 장면을 묘사했으며, 판테온과 같은 건축물은 혁신적인 돔 구조로 유명하다. 로마의 조각은 현실적이며, 인물의 특징을 자세히 묘사하는 초상 조각이 발달했다.

이들 문명은 각기 다른 방식으로 예술과 문화를 발전시켰지만, 모두 후대에 큰 영향을 미쳤으며, 오늘날까지도 그 유산이 이어지고 있다. 고대 이집트의 상형 문자와 피라미드, 그리스의 철학과 조각, 로마의 법률과 건축은 현대 문명에 깊은 영감을 주고 있다.

고대 문명은 그 시대를 이해하고 현대 사회의 기초를 형성하는 데 중요한 여러 특징을 가지고 있다. 이 문명들은 도시를 중심으로 한 발전, 중앙집권적 정부 구조, 사회적 계층화, 문자와 기록의 발명, 종교의 중요성, 기술과 과학의 발전,상업과 무역, 예술과 문화, 법률과 제도, 농업의 발전 등 다양한 측면에서 독특한 특징을 보여준다.

고대 문명의 특징

1. 도시 중심의 발전

고대 문명은 대부분 대규모 도시를 중심으로 발전했다. 이 도시는 단순한 주거 공간을 넘어서, 정치, 경제, 문화의 중심지로 기능했다. 예를 들어, 메소포타미아의 바빌론, 이집트의 테베, 인더스 문명의 모헨조다로와 하라파, 그리고 중국의 장안 같은 도시는 그 시대를 대표하는 중요한 중심지였다. 이러한 도시들은 농업 생산의 증대와 인구 증가를 바탕으로 성장했으며, 복잡한 사회 구조와 다양한 경제 활동이 이루어지는 장으로 발전했다.

2. 중앙집권적 정부 구조

고대 문명은 강력한 중앙집권적 정부 구조를 가지고 있었다. 이러한 정부 구조는 왕이나 황제와 같은 강력한 지도자가 권력을 집중시켜, 법과 질서를 유지하고, 대규모 건설 프로젝트를 추진하는 데 중요한 역할을 했다. 이집트의 파라오들은 피라미드와 같은 거대한 건축물을 건설하기 위해 노동력을 조직하고 자원을 동원할 수 있었다. 메소포타미아의 왕들은 법률과 제도를 통해 사회를 통제하고 안정시켰다.

3. 사회 계층

고대 문명 사회는 여러 계층으로 나뉘어 있었다. 일반적으로 귀족, 성직자, 상인, 농민, 노예 등 다양한 사회적 계층이 존재했다. 각 계층은 사회에서 고유한 역할과 책임을 가지고 있었으며, 이러한 계층화는 사회의 기능을 유지하는 데 중요한 역할을 했다. 예를 들어, 이집트에서는 파라오와 귀족들이 권력을 유지하고, 성직자들이 종교 의식을 담당하며, 농민들이 농업 생산을 책임졌고, 노예들은 주로 노동을 담당했다.

4. 문자의 발명과 기록

고대 문명은 문자를 발명하고 이를 통해 행정, 상업, 종교적 활동을 기록하며 지식을 전수했다. 문자의 발명은 사회의 복잡성이 증가하면서 기록의 필요성이 커졌기 때문이다. 수메르의 쐐기문자와 이집트의 상형문자는 고대 세계에서 가장 오래된 문자 중 하나로, 다양한 문서와 기록에 사용되었다. 이를 통해 우리는 그 시대의 역사, 경제, 법률, 종교에 대한 많은 정보를 알 수 있게 되었다.

5. 종교의 중요성

종교는 고대 문명에서 중요한 역할을 했다. 고대 사회는 대부분 다신교를 신봉하였으며, 종교는 사회와 문화의 중심이 되었다. 신전은 중요한 건축물로, 종교 의식과 사회적 행사가 열리는 장소였다. 왕이나 황제는 종종 신의 대리인으로 여겨져, 신권 정치가 이루어지기도 했다. 예를 들어, 이집트의 파라오들은 신의 현신으로 여겨졌으며, 그 권위는 절대적이었다.

6. 기술과 과학의 발전

고대 문명은 농업, 건축, 금속 가공, 수학, 천문학 등의 분야에서 놀라운 발전을 이루었다. 예를 들어, 이집트의 피라미드와 중국의 장성은 뛰어난 건축 기술을 보여주는 대표적인 예다. 또한, 수메르인은 관개 시스템을 개발하여 농업 생산성을 크게 높였다. 이러한 기술과 과학의 발전은 사회의 물질적 기반을 강화하고, 경제적 번영을 가져오는 데 중요한 역할을 했다.

7. 상업과 무역

고대 문명은 상업과 무역을 통해 경제적 번영을 누렸다. 이들은 물물교환에서 시작하여 점차 화폐 경제로 발전해 갔다. 상업과 무역은 지역 간의 교류를 촉진하고, 문화적 교류와 경제적 성장을 가능하게 했다.

8. 예술과 문화

고대 문명은 독특한 예술과 문화를 발전시켰으며, 이는 건축물, 조각, 그림, 문학 작품 등으로 표현되었다. 그리스의 조각과 로마의 건축물은 오늘날에도 큰 영향을 미치며, 고대 예술의 아름다움과 정교함을 보여준다. 이러한 예술적 표현은 당대의 사회적 가치, 종교적 신념, 일상 생활 등을 반영하고 있다.

9. 법률과 제도

고대 문명은 법률과 행정 제도를 발전시켜 사회 질서를 유지했다. 예를 들어, 함무라비 법전은 고대 법률 체계의 대표적인 사례로, 사회의 질서를 유지하고 정의를 구현하는 역할을 했다. 이러한 법률 제도는 사회의 안정과 발전을 위한 기반을 제공하며, 사회 구성원 간의 갈등을 조정하는 중요한 역할을 했다.

10. 농업의 발전

고대 문명은 관개 시스템과 같은 기술을 개발하여 농업 생산성을 높였다. 예를 들어, 메소포타미아의 관개 기술은 매우 발전된 형태로, 이를 통해 인구 증가와 도시 발전을 가능하게 했다. 농업의 발전은 사회의 물질적 기반을 강화하고, 인구 증가와 경제적 성장을 촉진하는 데 중요한 역할을 했다.이러한 특징들은 고대 문명이 어떻게 발전하고 번영했는지를 이해하는 데 중요한 단서를 제공하며, 현대 사회의 기초를 형성하는 데 큰 영향을 미쳤다.

고대 그리스

고대 그리스 예술에서 무용은 다양한 측면에서 깊이 있는 역할을 했으며 무용은 종교적, 사회적, 예술적 활동의 중심에 있었으며, 다양한 종류와 형태로 발전했다.

1. 종교적 무용

고대 그리스에서는 무용이 신들과의 교감을 위한 중요한 매개체로 여겨졌다. 종교 의식에서 무용은 필수적인 요소로, 신들에게 경의를 표하고, 그들의 축복을 기원하는 역할을 했다. 특히 디오니소스 신을 기리는 디오니시아 축제에서는 연극과 함께 춤이 주요 요소로 등장했다. 이러한 축제에서의 무용은 신비롭고 황홀한 분위기를 조성하여, 참가자들이 신성한 경험을 체험할 수 있도록 했다.

2. 사회적 무용

고대 그리스 사회에서 무용은 공동체의 일체감을 강화하고, 사회적 유대를 강화하는 역할을 했다. 결혼식, 장례식, 군사 훈련 등 다양한 사회적 행사에서 무용이 사용되었다. 결혼식에서는 신랑과 신부를 축하하는 춤이 추어졌으며, 장례식에서는 고인의 영혼을 기리기 위한 애도 무용이 행해졌다. 또한, 군사 훈련에서는 전사들이 전투 준비를 하며 춤을 춘 기록이 있다. 이 춤은 전사의 용맹함과 단결을 상징했다.

3. 연극과 무용

고대 그리스 연극에서 무용은 극의 중요한 구성 요소였다. 코러스는 무용과 노래를 통해 극의 진행을 도왔다. 예를 들어, 에우리피데스의 연극에서는 합창단이 춤과 노래로 극의 분위기를 조성하고, 주요 장면에서 감정의 고조를 표현했다. 이러한 합창 무용은 단순한 동작이 아닌, 스토리텔링의 중요한 수단으로 사용되었다.

4. 무용의 형태와 기술

고대 그리스의 무용은 주로 집단 무용으로, 춤추는 사람들은 일사불란하게 움직이며 동작의 조화를 이루었다. 이들은 주로 원형으로 서서 춤을 추었고, 이는 그리스인들의 공동체 의식과 질서를 반영했다. 무용의 동작은 종종 자연의 요소나 동물의 움직임에서 영감을 받았다. 예를 들어, 추수 축제에서는 농작물을 수확하는 동작을 모방한 춤이 행해졌다.

무용은 또한 다양한 도구와 소품을 활용했다. 리라, 플루트 등의 악기 반주에 맞추어 춤을 추었으며, 때로는 토치나 화관 등을 소품으로 사용했다. 이러한 요소들은 무용의 시각적 아름다움을 더하고, 춤의 의미를 강화했다.

5. 교육과 훈련

고대 그리스에서는 무용이 교육의 중요한 부분이었다. 젊은이들은 무용을 통해 신체를 단련하고, 사회적 규범과 미적 감각을 익혔다. 특히 스파르타에서는 무용이 군사 훈련의 일환으로 중요하게 다루어졌다. 스파르타의 젊은 전사들은 무용을 통해 전투 기술과 단결력을 기르고, 전사의 용기를 표현했다.

고대 그리스 무용은 단순한 예술적 표현을 넘어, 그리스인의 삶 전반에 깊숙이 뿌리내린 문화적 요소였다. 종교, 사회, 예술 등 다양한 영역에서 중요한 역할을 했으며, 오늘날에도 그 영향력이 이어지고 있다.

고대 그리스에서 피릭 춤(Pyrrhic Dance)과 디브람스(Dithyrambs)는 그리스 문화와 종교 의식에서 중요한 역할을 하였다.

피릭 춤(Pyrrhic Dance)은 주로 전사들의 전투 기술을 연습하고 시연하는 목적에서 시작된 전쟁과 밀접한 관련이 있는 춤이었다. 이 춤은 매우 역동적이고 전투적인 움직임이 특징이며, 방패와 창과 같은 무기를 사용하여 실제 전투를 재현하는 동작을 포함하고 있었다. 피릭 춤은 스파르타와 아테네와 같은 도시국가에서 군사 훈련의 일환으로 수행 되었으며, 젊은 전사들에게 전투 기술을 익히고 용기를 북돋아 주는 중요한 역할을 하였다. 이 춤은 또한 전사의 용맹함을 찬양하고 군사적 승리를 기념하는 축제에서도 중요한 부분을 차지하였다.

디브람스(Dithyrambs)는 디오니소스 신을 숭배하는 종교 의식에서 사용된 합창과 춤의 형식이었다. 디브람스는 합창단이 함께 서사시 형식의 노래를 부르며 춤을 추는 형태로 진행되었다. 이 의식은 특히 아테네의 디오 니시아 축제에서 중요한 부분을 차지하였으며, 합창단은 주로 남성으로 구성되었고, 디오니소스 신의 이야기를 노래와 춤으로 표현하였다. 디브람스의 가사는 주로 신화적이고 영웅적인 내용을 다루었으며, 춤은 역동적이고 열정적인 움직임이 특징이었다.

고대 로마

고대 로마 예술에서 무용은 다양한 측면에서 중요한 역할을 했다. 로마의 무용은 종교적, 사회적, 오락적 활동의 중심에 있었으며, 여러 종류와 형태로 발전했다.

1. 종교적 무용

고대 로마에서는 무용이 종교 의식의 필수적인 요소로 자리잡았다. 로마인들은 신들에게 경의를 표하고 그들의 축복을 기원하기 위해 춤을 추었다. 종교 축제와 의식에서 무용은 신성한 분위기를 조성하며 신들과의 교감을 표현하는 중요한 매개체였다. 예를 들어, 사투르날리아(Saturnalia) 축제에서는 춤과 노래가 주요 활동으로 등장했다. 이 축제는 농업의 신 사투르누스(Saturnus)를 기리기 위한 것으로, 춤을 통해 풍요와 번영을 기원했다.

2. 사회적 무용

로마 사회에서 무용은 공동체의 일체감을 강화하고 사회적 유대를 강화하는 역할을 했다. 결혼식, 장례식, 승전 축하 연회 등 다양한 사회적 행사에서 무용이 행해졌다. 결혼식에서는 신랑과 신부를 축하하는 춤이 추어졌고, 장례식에서는 고인의 영혼을 기리기 위한 애도 무용이 있었다. 승전 연회에서는 군인들이 전쟁에서의 승리를 축하하며 춤을 추었다.

3. 오락과 무용

로마의 무용은 오락의 중요한 부분이었다. 로마 극장과 원형 경기장에서 춤 공연이 자주 열렸다. 판토마임과 비극, 희극 등의 연극에서 무용은 극의 흐름을 강화하고 감정을 표현하는 중요한 요소로 사용되었다. 판토마임 무용은 대사 없이 몸짓과 동작만으로 이야기를 전달하며 관객을 즐겁게 했다. 이러한 공연은 로마 시민들에게 큰 인기를 끌었다.

4. 무용의 형태와 기술

고대 로마의 무용은 다양한 형태와 기술로 발전했다. 종교적 의식에서는 주로 장엄하고 의식적인 동작이 강조되었고, 오락적 무용에서는 경쾌하고 활기찬 동작이 주를 이루었다. 로마의 무용수들은 때로는 독무를 추기도 했으며, 그룹 무용도 자주 행해졌다. 춤의 동작은 자연의 요소나 신화 속 인물들의 동작을 모방하기도 했다.

무용은 또한 다양한 소품과 의상을 활용했다. 무용수들은 화려한 의상과 장식을 착용하고, 다양한 소품을 활용하여 춤의 시각적 효과를 높였다. 예를 들어, 디오니소스 축제에서는 포도 덩굴을 모티브로 한 장식과 소품이 사용되었다.

5. 교육과 훈련

고대 로마에서는 무용이 교육의 중요한 부분이었다. 젊은이들은 무용을 통해 신체를 단련하고, 사회적 규범과 미적 감각을 익혔다. 특히 귀족층에서는 무용 교육이 필수적이었으며, 전문 무용수들이 훈련을 받았다. 로마의 무용 학교에서는 다양한 무용 기술과 동작을 가르쳤다.

고대 로마의 무용은 단순한 예술적 표현을 넘어, 로마인의 삶 전반에 깊숙이 뿌리내린 문화적 요소였다. 종교, 사회, 오락 등 다양한 영역에서 중요한 역할을 했으며, 로마 제국의 문화적 풍요로움을 상징했다.

6. 춤 금지령

고대 로마에서 춤에 대한 금지령은 주로 기독교가 로마 제국에서 영향력을 확대하면서 도입되었다. 로마 제국 후반부에 이르러, 기독교는 4 세기경 로마 제국의 국교로 자리 잡았으며, 이에 따라 많은 전통적인 로마 종교 의식과 관습이 배척되었다. 기독교 지도자들은 많은 로마의 춤과 축제가 이교적인 요소를 포함하고 있으며, 도덕적으로 부적절하다고 판단하였다. 특히 바카날리아와 같은 축제는 술과 환락, 성적 방종과 관련이 있었기 때문에 기독교 교리에 반하는 것으로 간주되었다. 또한, 로마의 춤과 연극 중 일부는 지나치게 음란하거나 방탕한 내용을 포함하고 있다는 이유로 비난받았다. 이러한 춤들이 사회적으로 해이한 분위기를 조장하고 도덕적 타락을 불러일으킨다는 우려가 제기되었다. 따라서, 춤을 금지하여 사회적 질서와 도덕을 유지하려는 시도가 있었다. 더불어, 대규모 군중이 모이는 축제와 춤은 폭동이나 반란으로 이어질 위험이 있었기 때문에, 사회적 안정을 도모하려는 의도에서도 춤 금지령이 내려졌다. 이러한 배경 하에 로마 제국은 춤에 대한 금지령을 시행하게 되었다.

고대 이집트

고대 이집트의 무용은 종교적 의식, 사회적 행사, 오락 등을 위해 발전된 중요한 예술 형태였다. 이집트 무용은 다양한 행사에서 중요한 역할을 하였으며, 주로 다음과 같은 특징을 가지고 있었다.

1. 종교적 의식에서의 무용

고대 이집트에서는 무용이 종교적 의식에서 중요한 역할을 하였다. 이집트인들은 춤이 신들과의 소통 수단이라고 믿었으며, 종교 의식에서 춤은 신성한 의미를 가졌다. 예를 들어, 사원에서 행해지는 의식 춤은 주로 제사장과 제사장들이 수행하였으며, 이 춤들은 신에게 경의를 표하거나 기도를 올리는 목적을 가지고 있었다. 춤은 종종 음악과 함께 진행되었으며, 다양한 악기들이 사용되었다.

⌘ 내세 신념

고대 이집트의 내세 신념은 그들의 종교와 문화의 핵심을 이루는 중요한 개념이었다. 이집트인들은 죽음이 단순한 종말이 아니라, 영원한 삶으로 이어지는 하나의 전환점이라고 믿었다. 이들은 죽음 이후의 삶을 위해 철저히 준비했으며, 이러한 준비는 장례 의식, 무덤 건설, 미라 제작 등 다양한 형태로 나타났다. 이집트인들은 죽은 자의 영혼이 내세에서 계속해서 존재하기 위해서는 육체의 보존이 필수적이라고 여겼다. 따라서 미라 제작 기술이 발달하였고, 무덤 안에는 사후 세계에서 필요할 것이라고 생각되는 물건들, 음식, 장신구 등이 함께 매장되었다. 내세에서의 삶은 현세의 삶의 연장선상에 있는 것으로 보았으며, 사자의 책과 같은 문헌들은 죽은 자가 사후 세계를 안전하게 항해할 수 있도록 돕는 지침서 역할을 하였다. 이와 같이 고대 이집트의 내세 신념은 그들의 일상 생활과 밀접하게 연관되어 있었으며, 죽음 이후의 영원한 삶을 준비하는 데 중점을 두고 있었다.

2. 축제와 연회에서의 무용

고대 이집트의 축제와 연회에서는 춤이 중요한 오락 형태였다. 이러한 행사에서는 전문 무용수들이 초대되어 공연을 하였으며, 춤은 주로 노래와 음악과 함께 어우러졌다. 이집트 벽화와 유물에는 연회에서 춤을 추는 무용수들의 모습이 자주 묘사되어 있다. 춤은 사회적 계층과 관계없이 모든 사람들이 즐길 수 있는 활동이었으며, 왕족부터 일반 민중까지 다양한 계층의 사람들이 춤을 즐겼다.의식과 의례에서의 무용고대 이집트의 장례식에서도 춤은 중요한 역할을 하였다. 장례식에서는 죽은 자의

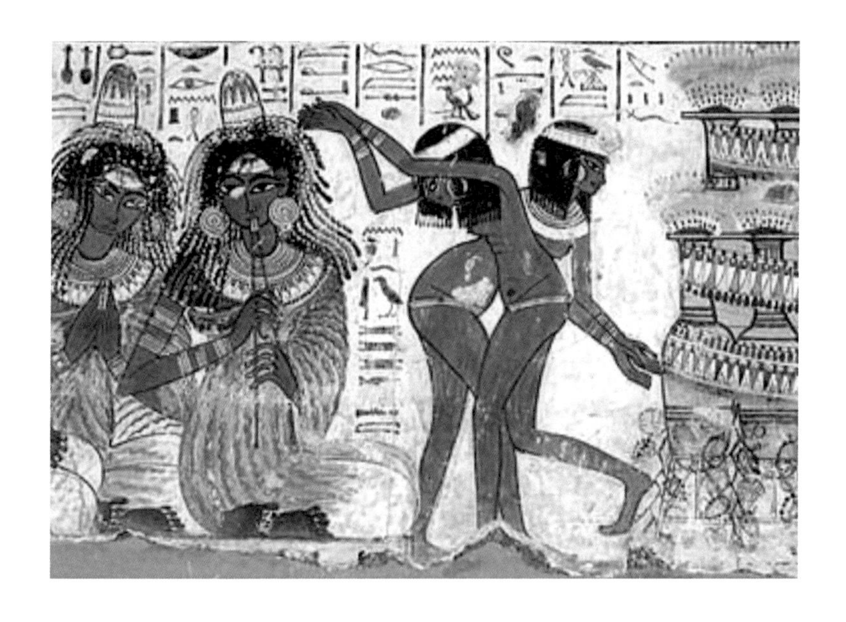

영혼을 인도하고 보호하기 위해 춤을 추었으며, 이러한 춤은 주로 슬픔과 애도를 표현하였다. 또한, 축제와 의례에서도 춤은 중요한 부분을 차지하였으며, 이집트인들은 춤을 통해 신들에게 감사를 표하고, 축복을 기원하였다.

3. 무용의 형태와 스타일

고대 이집트의 무용은 다양한 형태와 스타일이 있었다. 이집트 무용은 주로 정교하고 우아한 움직임이 특징이었으며, 손과 팔의 동작이 특히 강조되었다. 이집트의 무용수들은 주로 얇고 가벼운 의상을 입고, 손에는 악기나 소도구를 들고 춤을 추었다. 벽화와 조각에서 볼 수 있듯이, 이집트의 무용은 매우 시각적이고 예술적인 요소가 강하였다.

4. 무용수와 그들의 역할

고대 이집트에서 무용수는 매우 중요한 역할을 하였다. 전문 무용수들은 특별한 훈련을 받았으며, 왕실과 신전에서 중요한 행사에 참여하였다. 무용수들은 주로 여성들이었으며, 그들은 종교적 의식 뿐만 아니라 왕실의 연회와 축제에서도 활발하게 활동하였다.

결론적으로, 고대 이집트의 무용은 종교적, 사회적, 문화적 맥락에서 매우 중요한 예술 형태로 자리 잡고 있었다. 춤은 신과의 소통, 사회적 유대 강화, 예술적 표현의 수단으로서 이집트인들의 삶에 깊숙이 뿌리내려 있었다.

⌘ 수피댄스

수피 춤(Sufi Dance)은 수피즘(Sufism)에서 중요한 종교적 의식으로, 주로 신과의 합일을 추구하는 명상적이고 영적인 춤이다.

이 춤은 주로 "몰라위야"(Mevlevi) 교단에서 수행되며, 이슬람 신비주의의 일환으로 발전하였다. 수피 춤은 "휘리릭 도는 춤"(Whirling Dance) 또는 "데르비쉬의 회전"(Dervish Whirling)으로도 알려져 있다. 이 춤은 주로 터키의 콘야 지역에서 시작되었으며, 그 기원은 13세기 수피 시인 루미(Jalaluddin Rumi)에게로 거슬러 올라간다.

수피 춤의 주요 특징은 춤을 추는 사람들이 긴 흰 옷과 큰 터번을 착용하고, 한 손은 하늘을 향해 들어 신과의 교감을 표현하고, 다른 손은 땅을 향해 내려 대지와의 연결을 상징하며, 일정한 회전 동작을 지속적으로 반복하는 것이다. 이러한 회전은 신과의 합일을 상징하며, 춤을 추는 사람들은 회전 속에서 영적인 몰입과 내면의 평화를 경험하게 된다. 음악과 노래는 수피 춤에서 중요한 역할을 하며,

전통적인 악기들이 사용되어 영적인 분위기를 돋운다.

수피 춤은 단순한 춤 이상의 의미를 가지며, 이는 수피 교도들에게 있어 신과의 깊은 교감을 이루기 위한 중요한 의식이다. 춤을 통해 수피들은 자아를 초월하고, 신의 사랑과 일치를 경험하며, 영적인 깨달음을 추구한다. 이러한 이유로 수피 춤은 신비주의적이고 명상적인 특징을 가지며, 단순한 예술적 표현을 넘어선 종교적 의식으로서 중요한 의미를 지닌다.

고대문명에서 중세시대로 넘어가는 과정

고대 문명들은 중세로 넘어가는 과정에서 중요한 역할을 했으며, 그리스, 로마, 이집트 문명은 특히 중요한 위치를 차지했다. 고대 문명에서 무용은 종교적 의식, 사회적 행사, 문화적 표현의 중요한 요소였으며, 중세 시대로 넘어가는 과정에서 다양한 방식으로 변형되고 발전했다.

메소포타미아 문명에서는 무용이 종교 의식과 밀접하게 연관되어 있었다.

신을 기리는 의식과 축제에서 무용은 중요한 역할을 했으며, 이러한 전통은 후대의 중동과 지중해 지역의 문화에 영향을 주었다.

인더스 문명에서는 무용이 종교적 의식과 사회적 축제의 중요한 부분이었다. 인장의 조각과 도자기에 묘사된 춤추는 인물들은 무용이 일상 생활과 밀접하게 연관되어 있음을 보여준다. 이러한 무용 전통은 후에 인도의 고전 무용 형식으로 발전했으며, 중세 인도 문화에 깊은 연관이 있다.

고대 중국 문명에서도 무용은 중요한 문화적 요소였다. 춘추 전국 시대부터 한대에 이르기까지 무용은 종교적 의식, 궁중 의례, 민속 축제에서 중요한 역할을 했다. 중국의 무용은 주로 우아한 손동작과 유연한 몸짓을 강조했으며, 이러한 전통은 후에 중세 중국의 궁중 무용과 민속 무용으로 이어졌다.

마야 문명에서는 무용이 종교적 의식과 신성한 의례에서 중요한 역할을 했다. 신을 기리거나 신화적인 사건을 재현하는 데 사용된 마야의 춤은 정교하고 상징적인 동작으로 구성되었다. 이러한 무용 전통은 중세 중남미 지역의 다양한 원주민 문화에 영향을 미쳤다.

아즈텍 문명에서도 무용은 종교적 의식과 전쟁 승리를 기념하는 축제에서 중요한 요소였다. 아즈텍의 춤은 주로 집단적으로 이루어졌으며, 전사들이 전투의 성공을 기념하거나 신에게 감사의 춤을 추는 경우가 많았다. 이러한 무용 전통은 스페인 정복 이후에도 중남미 문화에 잔존하며 중세 시대로 넘어갔다.

잉카 문명에서는 무용이 종교적, 사회적 행사의 중요한 부분이었다. 태양신 인티를 기리기 위한 의식에서 춤은 중요한 역할을 했으며, 공동체의 단합과 조화로운 사회를 유지하는 데 기여했다. 이러한 무용 전통은 중세 안데스 지역의 다양한 문화적 행사서도 볼 수 있다.

이처럼 고대 문명들의 무용 전통은 중세 시대로 넘어가는 과정에서 각기 독특한 방식으로 발전하고 변형되었다. 종교적 의식, 사회적 축제, 문화적 표현의 중요한 요소로서 무용은 중세 문화의 형성에 큰 영향을 끼쳤다. 이러한 무용 전통은 현대에도 각 지역의 전통 무용으로 남아 전해지고 있다.

중세시대의 무용

중세 시대의 예술과 문화

종교적 신앙과 사회적 계층 구조가 강하게 반영된 특징을 보인다. 이 시기는 대략 5세기부터 15세기까지 이어졌으며, 기독교가 유럽 전역에서 지배적인 종교로 자리 잡으면서 교회가 문화와 예술의 중심 역할을 하였다. 건축에서는 고딕 양식의 대성당의 높은 첨탑과 스테인드글라스를 통해 하늘에 닿고자 하는 인간의 열망을 표현하였다. 미술에서는 성경 이야기와 성인의 삶을 묘사한 프레스코화와 모자이크가 주를 이루었으며, 이는 대다수 문맹이었던 당시 사람들에게 신앙을 전달하는 중요한 역할을 했다. 문학에서는 기사도와 종교적 신앙을 주제로 한 서사시와 설화가 인기를 끌었고, 언어와 지역에 따라 다양한 문학 작품이 창작되었다. 음악은 주로 교회 음악이 발달하였으며, 그레고리오 성가와 같은 성가들이 주요한 형태였다. 또한 중세 대학의 설립과 함께 학문적 연구가 활발히 이루어지며 철학과 신학이 크게 발전하였다. 이처럼 중세 시대의 예술과 문화는 종교적, 사회적 요소가 깊이 반영된 가운데, 다양한 형태로 발전하며 후대 문화에 큰 영향을 미쳤다.

중세 시대의 무용은 전기와 후기로 나누어 살펴볼 수 있다. 각기 다른 시대적 맥락에서 무용은 사회적, 종교적 기능과 함께 변화해왔다.

중세 전기 무용 (약 500년 - 1000년)

중세 전기의 무용은 주로 종교적 금지와 제약의 영향을 받았다. 초기 기독교 교회는 무용을 이교도의 유산으로 보고 엄격히 규제했다. 따라서, 이 시기에 무용은 대부분 민속적인 형태로 남아있었으며, 종교적 의식이나 축제에서 간헐적으로 수행되었다. 무용은 주로 농촌 지역에서 계절의 변화나 농사의 순환을 축하하는 데 사용되었고, 이러한 무용은 종종 춤추는 원이나 라인 댄스 형태였다.

중세 후기 무용 (약 1000 년 - 1500 년)

중세 후기에 접어들면서 무용은 궁정 문화와 연계되어 점차 부흥하기 시작했다. 이 시기에 유럽 전역의 궁정에서는 무용이 중요한 사교 활동으로 자리 잡았다. 궁정 무용은 사회적 계층을 확립하고 권력을 과시하는 수단으로 사용되었으며, 무용 기술은 귀족의 필수 덕목 중 하나로 여겨졌다.

이 시기에 특히 인기를 끈 무용 중 하나는 '카롤'이었다. 카롤은 여러 사람이 손을 잡고 원을 그리며 도는 무용으로, 간단한 스텝과 노래가 결합된 형태였다. 또한, '에스탐피'(Estampie)와 같은 무용도 유행했는데, 이는 더 복잡하고 화려한 발동작을 포함하는 무용으로, 연주되는 음악에 맞춰 춤을 추는 형태였다. 중세 후기 유럽에서 농민사회와 귀족사회의 무용은 각기 다른 사회적 목적과 문화적 특성을 반영하며 발전했다.

농민사회의 무용

농민사회에서 무용은 주로 공동체의 결속을 강화하고, 계절의 변화나 중요한 생활사건을 축하하는 데 사용되었다. 무용은 축제, 결혼식, 수확 축하 행사 등에서 중요한 역할을 했다. 이러한 무용은 주로 간단하고 반복적인 동작을 포함하며, 대체로 모든 공동체 구성원이 참여할 수 있는 포괄적인 성격을 띠었다.

전형적인 농민 무용은 원이나 라인 댄스 형태로 이루어졌으며, 종종 생동감 넘치는 음악과 함께 리듬을 맞추어 추었다. 이러한 무용은 주로 구두 전승으로 내려오며, 각 지역마다 독특한 춤 스타일과 전통을 가지고 있다. 예를 들어, 영국의 모리스 댄스나 프랑스의 브랑리 댄스 등이 있다.

귀족사회의 무용

귀족사회에서 무용은 사교적이고 의식적인 성격을 띠었다. 궁정 무용은 정치적 권력을 과시하고 사회적 지위를 확인하는 수단으로 사용되었다. 이는 더 복잡하고 규칙적인 스텝과 형식을 요구하는 무용이었으며, 종종 엄격한 규칙과 에티켓이 따랐다.

귀족 무용의 대표적인 형태로는 발레가 초기 형태를 갖추기 시작한 이 시기의 춤들을 들 수 있다. 발레는 원래 이탈리아 귀족 사회에서 시작되어 프랑스로 전해져 발전했으며, 귀족들 사이에서 인기를 끌었다. 이외에도 파발라나 갈리아르드 같은 춤이 유행했으며, 이들 무용은 종종 음악가와 무용수들이 동시에 참여하는 복잡한 행사의 일부였다.

무용은 귀족사회에서 매우 중요한 사교 활동이었으며, 궁정의 행사나 큰 축제에서는 귀족들이 자신의 무용 실력을 과시하기도 했다. 이를 통해 개인의 문화적 소양과 우아함을 보여주는 것이 중요한 사회적 활동이었다. 또한, 중세 후기에는 종교적 축제나 시장과 같은 공공의 장소에서 무용이 더욱 자유롭게 수행되기 시작했다.
유럽의 농민사회와 귀족사회에서 무용은 각각의 사회적, 문화적 요구와 맥락에 맞추어 다양하게 발전했다. 농민 무용은 공동체의 일원으로서 참여와 즐거움에 초점을 맞춘 반면, 귀족 무용은 사교, 예절, 권력의 과시가 중심이 되었다. 중세 시대의 무용은 시대가 진행됨에 따라 더욱 다양한 형태와 사회적 기능을 갖추게 되었다. 이러한 변화는 유럽의 문화와 사회 구조의 변화와 깊이 연결되어 있다.

유럽의 민속무용의 종류

유럽의 민속무용은 각 국가와 지역마다 독특한 전통과 문화를 반영하며, 역사적인 사건, 계절의 변화, 종교적 축제, 결혼식 등 다양한 사회적 행사와 긴밀하게 연결되어 있다. 이러한 무용은 공동체의 정체성을 유지하고, 전통을 보존하는 데 중요한 역할을 한다. 아래에서는 몇 가지 대표적인 유럽 민속무용을 소개한다.

1. 아일랜드의 아이리쉬 댄스

아이리쉬 댄스는 아일랜드의 대표적인 민속무용으로, 발의 움직임이 매우 활발하고 상체는 상대적으로 정적이다. 이 무용은 리버댄스로 전 세계적으로 유명해졌으며, 전통적인 아일랜드 음악과 함께 연주되어진다. 아이리쉬 댄스는 경연 대회와 공연, 축제 등에서 여전히 활발히 수행되고 있으며, 아일랜드 문화의 중요한 상징 중 하나다.

2. 스페인의 플라멩코

플라멩코는 스페인 안달루시아 지방에서 발전한 무용으로, 강렬한 감정 표현과 열정적인 춤사위가 특징이다. 기타 연주, 손뼉 박수, 노래가 함께 어우러지며, 무용수는 정열적인 몸짓과 발동작으로 이야기를 전달한다. 플라멩코는 스페인 문화의 중요한 부분으로, 로마니 문화의 영향을 받아 형성되었다.

3. 그리스의 사르토

사르토는 그리스에서 유래한 전통 무용으로, 특히 결혼식이나 기타 축하 행사에서 자주 추어진다. 사르토는 손을 잡고 원을 그리며 춤추는 형태로, 참여자들이 서로 연결되어 공동체의 단합을 상징한다. 이 춤은 간결한 발동작과 리듬을 유지하면서 동적으로 움직이는 것이 특징이다.

4. 폴란드의 폴카

폴카는 원래 폴란드에서 시작된 무용으로, 19 세기에 유럽 전역으로 퍼져 나갔다. 이 빠른 2/4 박자의 무용은 밝고 활기찬 음악에 맞춰 즐겁게 추어지며, 특히 축제와 모임에서 인기가 높다. 폴카는 커플이 함께 손을 잡고 동그랗게 회전하며 진행되는 것이 특징이다.

5. 프랑스의 부란

부란은 프랑스 남부 지방에서 유래한 무용으로, 빠른 리듬과 함께 하는 커플 댄스다. 전통적으로 아코디언이나 피리 같은 악기로 연주되는 음악에 맞춰 추는 이 춤은 사교적인 모임에서 빼놓을 수 없는 요소이다.

각 민속무용은 그 지역의 역사, 문화, 사회적 가치를 반영하며, 공동체 구성원 간의 소통과 유대를 강화하는 중요한 수단으로 여겨진다. 또한, 이러한 무용은 각 지역의 전통과 문화적 정체성을 유지하는 데 기여하고 있다.

15 세기에서 16 세기의 무용

1. 궁정 무용의 발전

15 세기와 16 세기 유럽의 궁정에서는 사교적인 무용이 매우 중요한 문화적 활동으로 자리 잡았다. 이 시기에는 궁정 무용이 사회적 지위와 권력을 과시하는 수단으로도 활용되었다. 궁정 무용은 국제적인 외교의 장이기도 했으며, 다른 나라의 궁정과의 교류를 통해 무용 스타일과 기술이 서로 영향을 주고받았다.

2. 무용 기록의 시작

이 시대에는 무용의 기술과 형식을 기록하기 시작했으며, 이는 무용의 기술적 발전을 촉진시켰다. 15 세기 말 이탈리아에서 발행된 최초의 무용 교본은 최초 무용교사로 알려진 두메니코 다 피아첸차의 "De arte saltandi et choreas ducendi" (춤의 예술과 무용을 지도하는 방법)로, 1465 년에 작성되었다. 이 교본은 유럽에서 무용을 가르치고 연구하는 방법을 표준화하는 데 큰 역할을 했으며, 궁정 무용의 기술적인 측면과 예절을 상세히 기록하고 있다. 무용수들이 보다 정교하고 조직된 방식으로 무용을 연습하고 공연할 수 있게 만들었으며, 이 책은 당시 무용의 스텝, 손동작, 발동작, 신체 자세 등을 상세하게 설명하고 있으며, 무용을 연마하는 귀족들에게 필수적인 지침서 역할을 했다.

피아첸차의 작업은 이후 발레와 다른 유럽 궁정 무용의 발전에 깊은 영향을 미쳤으며, 무용 교육과 공연의 표준을 설정하는 데 중요한 기준이 되었다. 이 교본은 무용을 기록하고 체계화하는 초기 시도 중 하나로, 이후 유럽 전역에서 비슷한 작업들이 이어지는 기초를 마련했다.

3. 발레의 초기 형태

프랑수아 1 세(재위 1515 년 - 1547 년)는 프랑스 르네상스의 촉매제 역할을 한 군주로, 예술과 문화의 후원자로 유명하다. 그는 레오나르도 다 빈치 같은 예술가들을 프랑스로 초청하고 그들의 작업을 지원하여 프랑스 예술을 부흥시켰다. 프랑수아 1세의 통치 하에서 프랑스는 문화적으로 크게 발전했으며, 이는 유럽 전역의 르네상스 운동에 중요한 영향을 끼쳤다. 또한, 그는 샤토 드 샹보르 같은 웅장한 궁전을 건축하며 건축 미학에도 새로운 기준을 제시했다.

앙리 2 세는 프랑수아 1 세의 아들로, 그의 아버지와 마찬가지로 예술과 문화를 사랑한 군주였다. 그의 통치 기간 동안 프랑스의 예술과 문화는 계속해서 번성했으며, 궁정 무용과 음악에 큰 투자를 했다. 앙리 2 세는 특히 궁정에서 열리는 화려한 무도회와 축제를 좋아했으며, 이러한 행사들은 프랑스 궁정 문화의 중요한 부분이 되었다.

카트린느 드 메디치는 앙리 2 세의 부인이자 프랑스의 국모로서 자녀들의 연속된 통치를 보좌했다. 그녀는 프랑스 문화와 예술, 특히 무용과 연극에 큰 영향을 끼쳤다. 카트린느는 이탈리아 출신으로서 프랑스 궁정에 많은 이탈리아의 문화적 요소를 도입했으며, 궁정 무도회와 축제를 정교하게 기획했다."왕비의 희극발레" 또는 "발레 드 라 렌"은 1581 년에 프랑스에서 카트린느 드 메디치의 주도로 공연된 중요한 발레 공연이다. 이 공연은 프랑스 발레와 유럽 무용사에 있어서 매우 중요한 위치를 차지한다.

⌘ **왕비의 희극발레**: 근대 발레의 태동기에 해당하는 작품으로, 종합 예술 작품으로서의 발레를 정립하는 데 큰 기여를 했다. 이 공연은 프랑스 궁정 문화뿐만 아니라 전 유럽 무용 문화에 지대한 영향을 미쳤으며, 발레가 고전 예술의 한 형태로 발전하는 데 결정적인 역할을 했다.그녀의 시대에 궁정 무용은

보다 정교하고 기술적으로 발전했으며, 후에 발레의 초기 형태가 등장하는 데 큰 영향을 미쳤다. 카트린느는 또한 종교적 긴장과 정치적 불안을 완화하기 위해 예술과 문화 활동을 적극적으로 활용했다. 이는 통치 기간 동안 프랑스는 문화적으로 황금기를 맞이했으며, 유럽 문화사에서 큰 발자취를 남겼다. 그들은 각기 다른 방식으로 예술과 문화를 증진시켰고, 이는 프랑스 뿐만 아니라 유럽 전체의 예술 발전에 기여했다. 이 발레는 음악, 시, 무용, 무대 디자인을 통합하는 복합 예술 형태로 발전했으며, 특히 프랑스 왕 루이 14 세 아래에서 크게 성장했다. 루이 14 세 자신도 뛰어난 무용수였으며, 발레를 사랑하여 그의 지원 아래 1661 년에 파리 오페라 발레 학교가 설립되었다. 이 시기의 무용 발전은 유럽 문화의 광범위한 변화와 더불어 무용이 단순한 여흥을 넘어 사회적, 정치적 상징으로서의 역할을 하게 됨을 보여준다. 르네상스 시대는 이처럼 유럽 문화에 있어 예술과 학문의 부흥기로, 무용 역시 중요한 발전을 이루었다.

• **장르의 발전**: "왕비의 희극발레"는 발레, 음악, 시, 그리고 드라마를 통합한 종합 예술 형태로, 근대 발레의 초기 형태 중 하나로 간주된다. 이 공연은 발레, 연극, 음악이 융합된 스펙터클을 선보이며 다양한 예술 장르 간의 경계를 허물었다.

• **정치적 도구로서의 사용**: 카트린느 드 메디치는 이 공연을 통해 궁정의 화합을 도모하고 외교적 메시지를 전달하는 도구로 사용했다. 공연은 사회적, 정치적 메시지를 전달하는 수단으로, 권력의 세련됨과 권위를 과시하는 데 중요한 역할을 했다. 15 세기와 16 세기 동안 무용은 단순한 예술적 표현을 넘어서 정치적 도구로

중요한 역할을 하였다. 이 시기에 유럽의 궁정에서는 무용이 권력과 지위를 과시하고, 외교적 관계를 강화하며, 정치적 메시지를 전달하는 수단으로 활용되었다. 궁정 무도회와 연회에서 춤은 왕과 귀족들이 자신의 권위를 나타내고, 충성을 요구하는 수단이었다. 또한, 외국 사절단을 접대할 때 무용은 문화적 우월성과 정교함을 보여주는 중요한 방법이었다. 예를 들어, 프랑스와 이탈리아의 궁정에서는 화려한 무도회가 자주 열렸으며, 이는 정치적 동맹을 강화하고 외교적 관계를 공고히 하는 장으로 사용되었다. 이러한 무도회에서는 복잡하고 우아한 춤이 선보였으며, 이는 참가자들의 교양과 권위를 과시하는 동시에, 정치적 의도를 은밀히 전달하는 매개체가 되었다. 또한, 무용은 사회적 질서를 유지하고, 계층 간의 위계질서를 확립하는 데 기여하였다. 이처럼 15 세기와 16 세기 동안 무용은 정치적 의도와 결합되어 중요한 사회적 기능을 수행하였으며, 단순한 오락을 넘어 정치적 영향력을 행사하는 도구로 사용되었다.

4. 종교와 무용의 결합

중세 및 르네상스 시대 유럽에서 종교와 무용의 결합은 매우 중요한 문화적 현상이었다. 이 시기의 사회는 깊이 종교적이었고, 무용은 종교적 의식, 축제, 그리고 교육적 수단으로 활용되었다. 중세 시대에는 교회가 사회와 문화의 중심이었고, 이에 따라 무용도 종종 종교적 맥락에서 수행되었다. 예를 들어, 기독교 의식 중 일부는 몸짓과 동작을 포함했으며, 이러한 동작들은 신성한 텍스트나 성경 이야기를 시각적으로 나타내는 데 사용되었다. 하지만, 교회는 때때로 무용에 대해 엄격한 태도를 취하기도 했는데, 특히 춤이 성적인 언더톤을 가지거나 이교도적 요소를 포함하는 경우 이에 대한 금지령을 내리기도 했다.

르네상스 시대에 들어서면서, 무용은 다시 종교적 맥락에서 중요한 역할을 차지하기 시작했다. 이 시기에는 종교적 축제나 성일을 기념하는 데 무용이 자주 포함되었다. 예를 들어, 카트린느 드 메디치는 종교적 축제를 위해 복잡한 무용 드라마를 조직했으며, 이는 당시 궁정에서의 종교적 행사와 공연 예술이 어떻게 결합되었는지를 보여주는 사례 중 하나다.

르네상스 궁정 무용에서는 종종 종교적 상징과 내러티브가 결합되었다. 무용 공연은 종종 성경 이야기나 성자들의 삶을 주제로 삼아, 관객들에게 교훈을 전달하고 종교적 메시지를 강화하는 수단으로 사용되었다. 이러한 공연들은 교회의 가르침을 대중에게 전달하는 동시에 문화현상의 기능도 했다.

이 시대의 무용과 종교의 결합은 문화적 표현의 다양성을 증진시켰으며, 무용이 단순히 오락의 수단을 넘어 교육적이고 교화적인 역할을 할 수 있음을 보여줬다. 또한, 종교적 무용은 사회적 규범과 가치를 강화하는 데 기여하며, 공동체 내에서 공유되는 문화적 정체성을 구축하는 데 중요한 역할을 했다.

르네상스

르네상스 시대는 14 세기부터 17 세기까지 유럽에서 일어난 문화적, 예술적, 학문적 부흥기로, 고대 그리스와 로마의 고전 문화를 재발견하고 인간 중심의 세계관이 강조된 시기이다. 이 시기의 예술과 문화는 건축, 문학, 미술 등 여러 분야에서 혁신적이고 창조적인 발전을 이루었다.

건축

르네상스 건축은 고대 로마와 그리스의 건축 양식을 부활시키고 발전시킨 것으로, 균형, 비례, 대칭을 중시하였다. 브루넬레스키(Filippo Brunelleschi)는 르네상스 건축의 선구자로서, 피렌체 대성당의 돔을 설계하며 기하학적 원리와 고전적 양식을 결합하였다. 그의 작업은 후대 건축가들에게 큰 영향을 미쳤다. 르네상스 건축의 또 다른 중요한 예로는 로마의 성 베드로 대성당이 있다. 미켈란젤로와 라파엘로가 참여한 이 성당은 웅장하고 화려한 양식을 자랑하며, 르네상스 건축의 정수를 보여준다.

문학

르네상스 문학은 인문주의(Humanism)의 영향을 받아 인간의 감정과 경험을 중시하였다. 단테 알리기에리(Dante Alighieri)의 "신곡(Divine Comedy)"은 중세에서 르네상스로 넘어가는 문학의 전환점을 이룬 작품으로, 인간의 영적 여행을 서사시 형식으로 담아내었다. 페트라르카(Petrarch)와 보카치오(Boccaccio)는 이탈리아 인문주의의 선구자로, 고전 문학을 연구하고 인간 중심적 사고를 확산시켰다. 영국에서는 윌리엄 셰익스피어(William Shakespeare)가 등장하여 인간의 복잡한 심리를 탐구한 희곡과 소네트를 통해 르네상스 문학을 꽃피웠다.

미술

르네상스 미술은 사실주의와 인체의 해부학적 정확성을 중시하며, 원근법(perspective)과 명암법(chiaroscuro)을 도입하여 깊이와 입체감을 표현하였다. 레오나르도 다 빈치(Leonardo da Vinci)는 "모나리자(Mona Lisa)"와 "최후의 만찬(The Last Supper)"을 통해 인간의 표정과 감정을 섬세하게 묘사하였다. 미켈란젤로(Michelangelo)는 "다비드(David)"와 시스티나 성당의 천장화와 같은 걸작을 통해 인체의 아름다움과 역동성을 극적으로 표현하였다. 라파엘로(Raphael)는 "아테네 학당(The School of Athens)"을 통해 고전적 아름다움과 조화를 구현하였다.

르네상스 시대의 예술과 문화는 고대의 재발견과 인간 중심의 새로운 사고방식을

결합하여, 유럽의 문화적 부흥을 이끌었다. 건축에서는 고전적 양식과 혁신적 기법이 결합되었고, 문학에서는 인간의 감정과 경험을 탐구하는 인문주의가 번성하

였으며, 미술에서는 사실적이고 인체 해부학적으로 정확한 표현이 강조되었다. 이러한 발전은 후대의 예술과 문화를 풍부하게 만들었으며, 현대 서양 문명의 중요한 기초가 되었다.

무용

르네상스 시대의 무용은 유럽에서 발생한 문화적 부흥기의 중요한 예술 형태 중 하나로, 그리스와 로마의 고전 문화를 재발견하고 인간 중심의 세계관이 강조되면서 크게 발전하였다. 이 시기의 무용은 사회적, 예술적, 문화적 변화에 맞추어 다양한 형태로 발전하였으며, 궁정과 도시, 마을 등 여러 장소에서 중요한 역할을 했다.

르네상스 시대의 궁정 무용은 왕실과 귀족 사회에서 중요한 사회적 행사로 자리 잡았다. 궁정 무용은 복잡하고 우아한 동작이 특징이며, 이는 귀족들의 교양과 사회적 지위를 과시하는 수단이었다. 페반느(Pavane), 갈리야드(Galliard), 쿠랑트(Courante)와 같은 춤이 대표적이다.

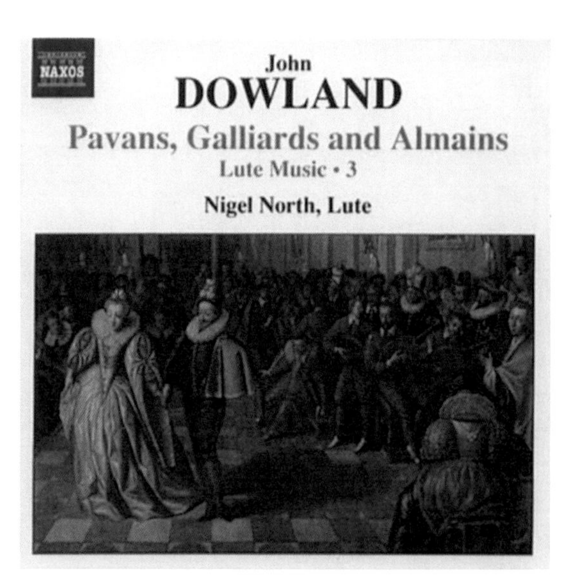

페반느는 느리고 장중한 춤으로, 귀족들의 위엄과 품위를 나타내었으며, 갈리야드는 빠르고 활기찬 춤으로, 점프와 회전 동작이 많아 젊은 귀족들 사이에서 인기가 있었다. 도시와 마을에서도 무

용은 중요한 오락 및 사회적 활동으로 자리 잡았다. 농민과 시민들은 축제, 결혼식, 수확 축제와 같은 행사에서 춤을 추었으며, 이러한 춤은 보다 단순하고 활기찬 형태였다.

브란르(Branle), 보로반스(Volta), 모리스 춤(Morris Dance) 등이 대표적이다. 브란르는 사람들이 원을 그리며 손을 잡고 춤을 추는 형태로, 공동체의 유대를 강화하는 역할을 했다.

르네상스 시대에는 무용이 점차 전문화되었으며, 이를 가르치고 배우는 체계적인 교육이 도입되었다. 무용 교본과 매뉴얼이 출판되기 시작하였으며, 이는 무용 기술과 스타일의 표준화를 가져왔다.

대표적인 교본으로는 1589 년 프랑스의 뚜아노 아르보(Thoinot Arbeau)가 쓴 "오르케소그라피(Orchesography)"가 있다. 이 책은 다양한 무용 동작과 춤곡, 그리고 무용을 위한 음악을 설명하고 있어, 당시의 무용 문화를 이해하는 데 중요한 자료이다.

르네상스 무용은 이탈리아와 프랑스에서 특히 발달하였으며, 이들 국가의 무용 스타일과 형식은 유럽 전역에 영향을 미쳤다. 이탈리아는 무용과 음악의 중심지로서, 르네상스 무용의 발전에 중요한 역할을 하였다. 프랑스에서는 궁정 발레가 발전하였으며, 이는 후에 로크와 고전 발레의 기초가 되었다.

바로크와 로코코

바로크 시대

바로크 시대의 예술은 17 세기에서 18 세기 초까지 유럽에서 발전한 화려하고 역동적인 양식을 특징으로 하며, 르네상스의 균형과 조화에서 벗어나 강렬한 감정 표현과 극적인 대비를 추구했다. 이 시기는 종교적, 정치적 변화가 크게 일어난 시기였으며, 예술은 이러한 변화를 반영하고 강화하는 도구로 사용되었다. 카톨릭 교회는 반종교개혁의 일환으로 바로크 예술을 적극 후원하여 신앙심을 고취하고

자 했으며, 이는 교회 건축과 성화에서 웅장하고 감동적인 표현으로 나타났다. 예를 들어, 로마의 성 베드로 대성당의 내부와 잔 로렌조 베르니니(Gian Lorenzo Bernini)의 조각 "성 테레사의 황홀경"은 바로크 예술의 대표적인 작품으로, 신비로운 빛과 극적인 자세를 통해 강렬한 영적 체험을 전달한다. 세속적인 분야에서도 바로크 예술은 왕실과 귀족의 권위를 과시하는 도구로 사용되었다.

베르사유 궁전의 화려한 장식과 정원은 절대왕정의 위엄을 드러내는 상징이었다. 음악에서는 요한 세바스찬 바흐(Johann Sebastian Bach)와 게오르크 프리드리히 헨델(Georg Friedrich Händel)이 복잡한 폴리포니와 대담한 감정 표현을 통해 바로크 음악의 정수를 보여주었다. 미술에서는 카라바조(Caravaggio)의 강렬한 명암 대비와 루벤스(Peter Paul Rubens)의 생동감 넘치는 인물 표현이 바로크 미술의 특징을 잘 보여준다. 바로크 시대의 예술은 강렬한 감정 표현, 극적인 구성, 화려한 장식으로 특징지어지며, 이는 당시 사회적, 종교적, 정치적 맥락에서 중요한 역할을 수행하였다. 바로크 시대의 무용은 17 세기와 18 세기 초에 걸쳐 발전한 예술 형태로, 주로 유럽의 궁정에서 화려하고 정교한 스타일로 발달하였다. 바로크 무용은 주로 궁정 발레와 무도회에서 행해졌으며, 사회적 위계와 권위를 과시하는 중요한 도구로 사용되었다. 루이 14 세가 프랑스에서 발레를 적극 후원하면서, 무용은 왕실 문화의 핵심 요소가 되었고, 프랑스 궁정 발레는 유럽 전역에 큰 영향을 미쳤다. 바로크 무용은 우아한 포즈, 복잡한 발동작, 정교한 손동작이 특징이며, 음악과 밀접하게 연관되어 있었다. 장바티스트 륄리(Jean-Baptiste Lully)와 같은 작곡가들은 무용 음악을 작곡하여 발레의 발전을 도왔다. 또한, 무용 교본과 매뉴얼이 출판되어 무용의 기술과 규범이 체계화되었으며, 이러한 자료들은 무용 교육과 공연에서 중요한 역할을 했다. 바로크 무용은 예술성과 기술이 결합된 형태로, 당 시의 사회적, 문화적, 정치적 맥락을 반영하며 유럽 예술의 중요한 요소가 특징이었다. 부분을 형성하였다.

로코코 시대

로코코 시대의 예술은 18 세기 초부터 중반까지 유럽에서 유행한 양식으로, 바로크의 화려하고 극적인 스타일에서 발전하여 더 가볍고 우아하며 장식적인 특성을 띠었다. 이 시기의 미술은 밝고 부드러운 색조, 곡선과 비대칭의 디자인, 자연을 모티프로 한 장식적 요소가 특징이었다. 프랑수아 부셰와 장 오노레 프라고나르 같은 화가들은 신화적 주제, 연애 장면, 유쾌한 전원 풍경을 그린 작품들로 로코코 양식을 대표했다. 건축과 인테리어 디자인에서도 로코코는 섬세한 장식과 우아한 곡선미를 강조하며, 베르사유 궁전의 프티 트리아농과 같은 화려한 궁전과 살롱에서 그 절정을 이루었다. 로코코 예술은 또한 가구, 도자기, 직물 등의 장식

예술에서도 두드러졌으며, 장인들의 기술이 최고조에 달했다. 음악에서는 프랑수아 쿠프랭과 장 필리프 라모와 같은 작곡가들이 섬세하고 우아한 작품을 작곡하여 로코코 양식을 반영했다. 로코코 예술은 그 화려함과 경쾌함으로 인해 귀족 사회의 사치와 향락을 반영하는 동시에, 바로크의무거운 양식에서 벗어나 보다

개인적이고 친밀한 분위기를 조성하는 데 기여하였다.

로코코 시대의 무용은 18 세기 초부터 중반까지 유럽에서 유행한 로코코 양식의 영향을 받아 우아하고 섬세한 특징을 지니게 되었다.

로코코 무용은 바로크 시대의 화려하고 극적인 춤에서 발전하여 더 경쾌하고 친밀한 분위기를 강조하였다. 이러한 무용은 주로 궁정과 상류층 사회에서 즐겨졌으며, 무도회와 연회에서 중요한 역할을 했다.

로코코 무용의 주요 특징은 부드럽고 유연한 동작, 정교한 손동작, 그리고 우아한 자세였다. 춤은 사회적 의사소통의 중요한 수단으로 사용되었으며, 춤의 예절과 기술이 매우 중시되었다. 이 시기에는 많은 춤곡과 춤의 형식이 발전하였으며, 가보트(Gavotte), 미뉴에트(Minuet), 알르망드(Allemande), 쿠랑트(Courante) 등이 대표적이다. 미뉴에트는 특히 로코코 시대에 인기가 있었으며, 느리고 우아한 리듬과 복잡한 스텝이 특징이었다.

프랑스는 로코코 무용의 중심지로, 루이 15 세의 궁정에서는 화려한 무도회가 자주 열렸다. 이러한 궁정 무용은 사회적 지위를 과시하고, 정치적 연대를 강화하는 중요한 수단이었다. 무용 교습서와 매뉴얼이 출판되어 무용의 기술과 예절이 체계적으로 교육되었으며, 이는 무용의 표준화를 가져왔다.

로코코 시대의 무용은 또한 발레의 발전과도 밀접하게 연관되어 있었다. 발레는 이 시기에 더욱 정교해지고, 극적인 요소가 강화되었다. 장 조르주 노베르(Jean-Georges Noverre)는 발레에 대한 이론서 "무용과 발레에 관한 편지"를 출판하여 발레의 예술적 표현을 중시하는 개혁을 주창하였다. 이는 후에 낭만주의 발레의 기초가 되었다.

전반적으로 로코코 시대의 무용은 그 시대의 예술적, 문화적 흐름을 반영하여 우아하고 섬세하며, 사회적, 정치적 의미를 담고 발전하였다. 이러한 무용은 당대 유럽 상류층 사회에서 중요한 문화적 활동으로 자리 잡았다.

발레의 기원과 발전

발레의 어원

'발레'라는 단어는 프랑스어 'ballet'에서 유래되었으며, 이는 이탈리아어 'balletto'에서 비롯되었다. 'Balletto'는 '작은 춤'을 의미하며, 다시 라틴어 'ballare'에서 파생된 단어다. 'Ballare'는 '춤추다'라는 뜻을 가지고 있다. 이탈리아에서 시작된 발레는 프랑스로 전파되어 16 세기 프랑스 궁정에서 오늘날 우리가 알고 있는 형태로 발전하고 명명되었다.

'발레리나'와 '발레리노'라는 용어 역시 프랑스어에서 유래하였으며, 각각 이탈리아어 'ballerina'와 'ballerino'에서 비롯되었다. 발레리나는 여성 무용수를, 발레리노는 남성 무용수를 지칭하는 용어로, 이들은 발레 공연에서 중심적인 역할을 담당한다. 이러한 용어들은 모두 '춤추다'를 의미하는 라틴어 'ballare'에서 파생된 것으로, 발레의 기원과 깊은 연관이 있다.

발레의 정의

발레는 정교한 기술과 우아한 동작을 통해 이야기를 표현하는 고전 무용 형식으로, 예술적 표현의 정수로 여겨진다. 이탈리아에서 16 세기경 시작된 발레는 프랑스로 전파되어 프랑스 궁정에서 그 현대적 형태를 갖추며 크게 발전하였다. 발레는 음악, 무대 미술, 의상과 결합하여 시각적 아름다움과 감정적 깊이를 극대화하는 예술이다.

발레의 동작은 극도의 정밀함과 통제력을 요구하며, 이는 무용수의 긴 훈련과 헌신을 통해 이루어진다. 발레 공연은 일반적으로 서사적인 요소를 포함하며, 특정한 이야기를 전달하거나 감정을 표현하는 데 중점을 둔다. 이는 대개 클래식 음악과 함께 공연되며, 음악과의 완벽한 조화를 통해 더욱 풍부한 감정적 경험을 제공한다. 발레는 단순한 춤을 넘어선 종합 예술로서, 높은 기술적 완성도와 예술적 표현을 요구한다. 발레 공연에서는 무대 디자인과 의상도 중요한 역할을 하며, 이를 통해 무대 위에서 시각적 아름다움을 극대화한다. 발레는 또한 다양한 주제와 이야기를 다루며, 이를 통해 인간의 감정과 경험을 깊이 있게 탐구한다.

발레의 주요 요소에는 정교하게 규정된 포지션과 동작, 점프, 회전, 균형 등이 포함된다. 이러한 동작들은 각각의 이야기나 감정을 표현하는 데 사용되며, 무용수의 기술과 표현력이 결합되어 관객에게 강렬한 인상을 남긴다. 발레는 그 예술적 깊이와 기술적 복잡성으로 인해 오랜 시간 동안 많은 이들에게 사랑받아 왔으며, 오늘날에도 여전히 중요한 무용 형식으로 자리매김하고 있다.

이처럼 발레는 단순한 신체 활동을 넘어서 예술적, 감정적, 문화적 표현의 중요한 매체로서, 다양한 이야기와 감정을 전하는 데 중요한 역할을 한다. 이는 무용수의 헌신과 예술적 열정을 통해 이루어지며, 관객에게 깊은 감동을 선사한다. 발레는 그 역사적 뿌리와 현대적 변화를 통해 지속적으로 발전하며, 다양한 형태로 예술적 가치를 이어가고 있다.

발레의 종류

발레는 다양한 스타일과 형태로 발전해왔으며, 크게 클래식 발레, 네오클래식 발레, 현대 발레로 구분할 수 있다. 각 종류는 고유한 특성과 역사적 배경을 지니고 있다.

클래식 발레는 발레의 전통적 형식으로, 19 세기 러시아와 프랑스에서 정립되었다. 이 스타일은 엄격한 규칙과 기교를 중시하며, 주로 고전 음악과 함께 공연된다. 대표적인 작품으로는 차이콥스키의 '백조의 호수', '호두까기 인형', 아당의 '지젤' 등이 있다. 클래식 발레는 정교한 발동작과 포인트 기술, 그리고 화려한 의상과 무대 장치로 특징지어진다.

네오클래식 발레는 20 세기 초에 등장한 스타일로, 클래식 발레의 전통적 요소를 유지하면서도 보다 단순하고 현대적인 표현을 도입하였다. 조지 발란신(George Balanchine)이 이끄는 뉴욕 시티 발레단이 이 스타일의 대표적 사례이다. 네오클래식 발레는 보다 자유로운 움직임과 간결한 무대 장치를 사용하며, 현대 음악과의 결합도 자주 이루어진다.

현대 발레는 20 세기 중반 이후 발달한 형태로, 전통적 발레 기법을 바탕으로 하지만, 더욱 실험적이고 창의적인 요소를 포함한다. 마사 그레이엄(Martha Graham), 메르스 커닝햄(Merce Cunningham) 등의 현대 무용 안무가들이 발레에 미친 영향을 반영하여, 움직임의 자유로움과 신체 표현의 다양성을 강조한다. 현대 발레는 종종 사회적, 철학적 주제를 다루며, 다양한 음악과 무대 예술과 결합된다.

이외에도 발레는 각 나라와 문화에 따라 다양한 스타일로 발전해왔다. 예를 들어, 러시아의 볼쇼이 발레단은 강력하고 극적인 표현으로 유명하며, 덴마크의 왕립 발레단은 부드럽고 우아한 움직임으로 잘 알려져 있다. 이러한 다양한 발레의 종류는 각각의 고유한 역사와 문화를 반영하며, 발레 예술의 풍부함과 다채로움을 보여준다.

초기의 발레의 기원

발레는 이탈리아 르네상스 궁정에서 시작되어 프랑스로 전해졌다. 이 과정에서 중요한 역할을 한 인물이 프랑수아 2 세와 앙리 2 세의 왕비였던 카트린 드 메디시스(Catherine de' Medici)였다. 이탈리아 메디치 가문의 일원으로서 카트린 드 메디시스는 프랑스로 이주하여 여러 방면에서 중요한 영향을 끼쳤다. 특히, 그녀는 이탈리아의 문화와 예술을 프랑스 궁정에 도입함으로써 큰 변화를 이끌었다.

카트린 드 메디시스의 문화적 기여

카트린 드 메디시스는 1547 년 앙리 2 세와 결혼하여 프랑스 왕비가 되었다. 이후 프랑수아 2 세와 샤를 9 세의 섭정을 맡으며 프랑스 정치와 문화에 깊은 영향을 미쳤다. 그녀는 이탈리아 출신 예술가, 건축가, 그리고 요리사들을 프랑스로 초청하여 프랑스 궁정의 예술과 문화를 혁신하였다. 이러한 문화 교류는 프랑스 르네상스의 발전을 촉진하였으며, 특히 발레와 같은 공연 예술의 발전에 큰 기여를 했다.

카트린 드 메디시스는 궁정에서 대규모의 공연과 축제를 주최하며 이탈리아의 무용과 음악 전통을 프랑스에 소개했다. 그녀는 발레의 기초를 마련하고 다양한 예술 후원 활동을 통해 프랑스 궁정에서 발레가 중요한 예술 형태로 자리 잡는 데 기여하였다. 이러한 배경에서 발레는 프랑스 궁정에서 발전하기 시작하였고, 이후 루이 14 세 시대에 더욱 성장하였다.

발레의 예술적 발전과 문화적 영향

카트린 드 메디시스는 여러 이탈리아 출신 예술가들을 프랑스로 초청하여 르네상스 예술의 기술과 스타일을 전파하였다. 조르조 바사리(Giorgio Vasari)와 프랑체스코 프리마티초(Francesco Primaticcio) 같은 예술가들은 프랑스 궁정에서 중요한 프로젝트를 맡아 르네상스 예술의 영향을 확산시켰다. 건축과 도시 계획에서도 메디치 가문은 큰 영향을 미쳤으며, 카트린 드 메디시스는 파리에 이탈리아식 정원과 건축물을 도입하여 프랑스의 건축 양식에 새로운 변화를 가져왔다.

정치적으로도 카트린 드 메디시스는 프랑스에 큰 영향을 미쳤다. 그녀는 여러 차례의 종교 전쟁 속에서 프랑스를 통치하며 정치적 안정과 권력 강화를 위해 노력하였다. 그녀의 통치 기간 동안 프랑스는 많은 내부 갈등을 겪었으나, 그녀의 중재와 정치적 감각 덕분에 어느 정도의 안정을 유지할 수 있었다.

발레의 사교적 활용과 정치적 역할

발레는 단순한 예술 형식을 넘어 궁정 사회의 중요한 일환이 되었다. 궁정에서 열리는 무도회와 연회에서 발레는 귀족들이 사교를 나누고 정치적 연대를 강화하는 중요한 수단으로 사용되었다. 발레 공연은 궁정의 화려함과 우아함을 나타내는 중요한 수단이었다. 귀족들은 발레 공연을 통해 자신의 지위와 세련됨을 과시할 수 있었으며, 이를 통해 사회적 연대와 정치적 연합을 강화했다.

발레가 사교무용으로 자리 잡게 된 배경에는 카트린 드 메디시스의 문화적 도입과 루이 14 세의 정치적 활용이 있었다. 이탈리아 르네상스 문화가 프랑스 궁정에 도입되면서 발레는 중요한 예술 형식으로 자리 잡았고, 궁정의 사교 활동과 정치적 연대를 강화하는 중요한 수단으로 발전하였다. 이를 통해 발레는 프랑스의 예술, 문화, 건축, 그리고 정치에 깊은 영향을 미치며 오늘날까지 이어지고 있다.

<태양왕 루이 14세>

루이 14세는 1638년 9월 5일 드니 성에서 프랑스의 국왕 루이 13세와 앙 도트리슈 왕비 사이에서 태어났다. 왕세자로서 그는 엄격한 교육을 받았으며, 다양한 예술 분야에 대한 교육을 포함해 발레에 깊은 애정을 키웠다. 발레교육은 그의 예술적 표현을 강화하고 권력을 과시하는 중요한 역할을 했다. 그의 주요 발레 선생님 중 한 명인 피에르 보샹은 발레의 다섯 가지 기본 포지션을 체계화하고 발레 용어를 정립하는 데 기여한 인물이다. 보샹의 지도 아래 루이 14세는 발레의 기초부터 고급 기술까지 익혔으며, 이는 그의 예술적 성장에 큰 영향을 미쳤다.

루이 14세는 단순히 발레를 배우는 것에 그치지 않고, 실제 발레 공연에 참여하며 자신의 기술을 연마했다. 1653년 '밤의 발레(Ballet de la Nuit)'에서 태양신 아폴로 역을 맡아 공연한 것은 그의 발레 실력을 잘 보여주는 예이다. 그의 발레 교육은 이론과 실기를 병행하며 이루어졌고, 이는 그가 발레에 깊은 이해와 애정을 갖게 된 배경이 되었다.

루이 14세의 발레에 대한 사랑은 그의 일상생활과 궁정 생활 전반에 큰 영향을 미쳤다. 그는 궁정 행사나 사교 모임에서 종종 발레를 공연했으며, 이러한 공연은 단순한 취미를 넘어 정치적 메시지를 전달하고 권위를 과시하는 수단으로 사용되었다. 그의 참여는 단순한 관람을 넘어 실제 무대에서 춤을 추며 발레의 중요한 역할을 맡은 것으로 유명하다.

루이 14세의 발레 사랑은 궁정 내 문화 발전에도 큰 영향을 미쳤다. 그는 정기적으로 발레 공연을 주최하여 귀족들과의 유대감을 강화하고 궁정의 문화를 풍성하게 만들었다. 그의 통치 기간 동안 발레는 프랑스 궁정의 중요한 문화 행사로 자리잡았으며, 이는 유럽 전역에 큰 영향을 미쳤다.

밤의 발레 (Ballet de la Nuit)

루이 14 세가 출연한 가장 유명한 발레 공연은 1653 년에 열린 '밤의 발레(Ballet de la Nuit)'이다. 이 공연에서 13 세의 루이 14 세는 태양신 아폴로 역을 맡아 금빛 의상을 입고 무대 중앙에서 태양을 상징하는 역할을 수행했다. 이 공연은 12 시간 동안 45 막에 걸쳐 진행되었으며, 그의 별명인 '태양왕(Sun King)'이 탄생하는 계기가 되었다.

루이 14 세는 '밤의 발레' 외에도 여러 발레 공연에 직접 참여하며 발레에 대한 깊은 애정을 드러냈다. 발레를 통해 궁정의 권위와 질서를 확립하고 자신의 절대적

권력을 시각적으로 과시한 그는, 예술을 통해 왕권을 신성하고 영광스럽게 만들고자 했다. 이러한 이유로 발레는 그의 통치 이념과 긴밀히 연관되었으며, 사교무용으로 자리 잡았다.

루이 14 세는 1661 년에 왕립 발레 아카데미(Académie Royale de Danse)를 설립하여 발레의 체계적 교육과 발전을 도모했다. 그의 통치 기간 동안 발레는 궁정의 중요한 행사로 자리 잡았고, 이 시기에 장바티스트 륄리가 창안한 희극발레와 같은 새로운 형태의 발레가 탄생하였다. 희극발레는 발레와 희극, 그리고 음악이 결합된 형식으로, 루이 14 세 시대의 궁정 문화와 예술을 풍부하게 만들었다.

루이 14 세의 발레에 대한 후원과 참여는 발레 예술의 발전에 큰 영향을 미쳤다. 그의 열정적인 참여는 궁정에서 발레가 중요한 문화적 행사로 자리 잡는 데 기여하였으며, 발레의 예술적 품격을 높이는 데 중요한 역할을 하였다. 그의 후원 아래 발레는 더욱 체계화되고 발전할 수 있었으며, 이러한 과정은 발레가 프랑스에서 확고한 예술 장르로 자리매김하게 만들었다.

루이 14 세의 발레를 통한 왕권 강화

루이 14 세 통치 시기의 발레는 단순한 예술 활동을 넘어 정치적 도구로서 중요한 역할을 했다. 발레는 그의 권력을 강화하고 통치 이념을 표현하는 중요한 수단이었다. 다음은 발레의 정치적 성격을 설명하는 세 가지 주요 측면이다.

1. 권력 과시와 왕권 강화

루이 14 세는 발레를 통해 자신의 절대적 권력을 과시하고 왕권을 강화했다. 발레 공연은 그의 위엄과 권위를 시각적으로 표현하는 매체로 사용되었으며, 궁정 내에서 왕의 절대적 지위를 재확인하는 중요한 수단이었다. 특히, 1653 년 '밤의 발레(Ballet de la Nuit)'에서 태양신 아폴로 역을 맡아 태양왕으로서의 이미지를 확립했다. 이러한 공연을 통해 자신의 신성한 권위를 강조하고, 귀족들에게 자신의 절대적 권력을 상기시켰다.

2. 궁정 통합과 정치적 메시지 전달

발레는 궁정 내에서 귀족들과의 유대감을 강화하고 통합을 도모하는 도구로 사용되었다. 루이 14 세는 궁정 발레를 통해 귀족들에게 자신의 정책과 정치적 메시지를 전달했다. 발레는 복잡한 상징과 은유를 통해 정치적 상황과 왕의 의도를 표현하는 매체로 사용되었다. 이를 통해 귀족들의 충성을 유도하고 궁정의 단합을 이끌어냈으며, 정치적 반대자들에게 은밀한 경고를 전달하는 수단이 되기도 했다.

3. 문화적 우월성과 외교적 영향력 과시

발레는 프랑스의 문화적 우월성을 과시하고 외교적 영향력을 강화하는 도구로 사용되었다. 루이 14 세는 발레를 통해 프랑스를 문화적 중심지로 만들고자 했다. 베르사유 궁전에서 열린 화려한 발레 공연은 외국 사절들에게 프랑스의 문화적, 정치적 위상을 과시하는 중요한 행사였다. 이러한 공연을 통해 프랑스의 예술적 우수성을 강조하고 외교적 협상에서 우위를 점하려 했다. 발레는 프랑스의 문화적 힘을 전 세계에 알리는 중요한 역할을 했다.

이처럼 루이 14 세는 발레를 활용하여 권력을 공고히 하고, 궁정 내 통합과 외교적 우위를 확보하는 데 큰 역할을 하였다.

<발타자르 드 보주아(Balthazar de Beaujoyeulx)>

16 세기 이탈리아 출신의 무용가이자 안무가로, 프랑스로 이주하여 프랑스 궁정에서 중요한 역할을 한 인물이다. 그의 본명은 발타사레 데 벨조요소(Balthasar de Beaujoyeulx)로, 카트린 드 메디시스(Catherine de' Medici)의 후원 아래 프랑스 궁정 발레의 발전에 크게 기여했다.

발타자르 드 보주아의 가장 중요한 업적 중 하나는 1581 년에 초연된 '발레 콩탱 드 라 렌'(Ballet Comique de la Reine, 여왕의 희극 발레)의 창작과 연출이다. 이 작품은 종합 예술 형식으로서 발레의 새로운 장르를 개척한 기념비적인 작품으로 여겨진다. '발레 콩탱 드 라 렌'은 프랑스 궁정의 귀족들과 왕족들을 위한 대규모 공연으로, 다음과 같은 특징을 지니고 있다.

1. 종합 예술 형식의 확립

발타자르 드 보주아는 '발레 콩탱 드 라 렌'에서 무용, 음악, 연극, 그리고 시각 예술을 결합한 새로운 공연 형식을 확립하였다. 이 작품은 종합 예술로서의 발레가 어떻게 구성될 수 있는지를 보여준 첫 번째 사례 중 하나이다.

2. 화려한 무대 연출

그는 이 작품에서 화려한 무대 장치와 의상을 활용하여 관객들에게 강렬한 시각적 인상을 주었다. 당시의 기술을 최대한 활용하여, 무대 장치는 정교하고 세련되었으며, 이는 공연의 품격을 높이는 데 큰 역할을 했다.

3. 음악과 춤의 조화

발타자르 드 보주아는 음악과 춤의 긴밀한 조화를 중시하였다. '발레 콩탱 드 라 렌'에서는 다양한 춤과 음악이 어우러져 이야기의 감정과 분위기를 효과적으로 전달하였다. 이를 통해 관객들은 보다 몰입감 있는 공연을 경험할 수 있었다.

4. 스토리텔링의 혁신

이 작품은 신화적이고 상징적인 이야기를 통해 관객들에게 메시지를 전달하였다. '발레 콩탱 드 라 렌'은 그리스 신화를 바탕으로 한 이야기 구조를 가지고 있으며, 이를 통해 궁정의 정치적 메시지와 예술적 가치를 전달하였다.

5. 문화적 영향력

발타자르 드 보주아의 작품은 이후 프랑스 발레의 발전에 큰 영향을 미쳤다. 그의 창의적인 접근과 종합 예술 형식은 후대의 발레 작품들에 영감을 주었으며, 발레가 중요한 공연 예술 형식으로 자리 잡는 데 기여하였다.

왕립무용 아카데미

프랑스 왕립 무용아카데미(Académie Royale de Danse)는 1661 년에 루이 14 세(Louis XIV)에 의해 설립되었으며, 발레 테크닉의 체계화와 표준화에 중요한 역할을 했다. 이 아카데미는 발레 기법을 정리하고, 이를 교육함으로써 발레의 예술적 수준을 높이고 무용수들의 기술을 향상시키는 데 기여했다.

1. 발레 테크닉의 체계화와 표준화:

기본 발레 용어와 동작: 왕립 무용아카데미는 발레의 기본 동작과 용어를 표준화하였다. 이는 발레를 학문적이고 체계적인 예술 형태로 확립하는 데 중요한 역할을 하였다. 이러한 표준화된 용어와 동작은 오늘날에도 전 세계 발레 교육의 기초가 되고 있다. 예를 들어, '플리에'(plié), '땅뒤'(tendu), '르베'(relevé) 등의 기본 동작이 이 시기에 확립되었다.

2. 발레 포지션의 확립

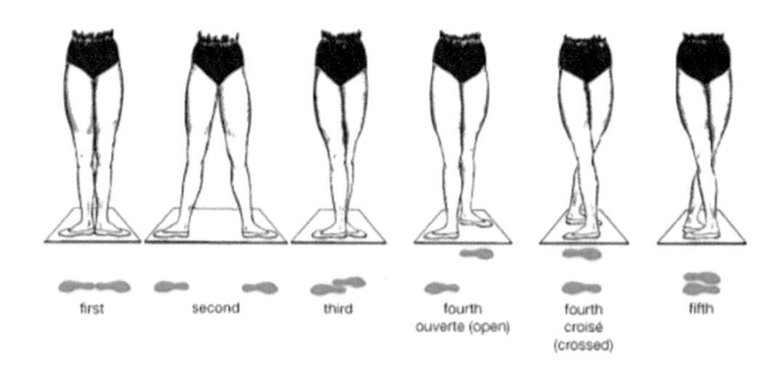

발레의 다섯 가지 기본 포지션은 이 시기에 체계화되었다. 제 1 포지션부터 제 5 포지션까지의 발과 팔의 위치는 발레의 기본 자세로, 모든 발레 동작의 기초가 된다.

이 포지션들은 무용수의 균형과 자세를 유지하는 데 중요한 역할을 하며, 발레 테크닉의 핵심 요소로 자리잡았다.

3. 기술적 숙련도 향상

아카데미는 무용수들이 고도의 기술적 숙련도를 갖추도록 훈련하였다. 이는 점프, 회전, 그리고 발레리나의 라인을 강조하는 다양한 동작을 포함한다. 예를 들어, '아라베스크'(arabesque), '피루엣'(pirouette), '앙데오르'(endeh ors) 등의 고급 기술이 이 시기에 발전하였다.

4. 무용 교육의 체계화

왕립 무용아카데미는 발레 교육의 체계를 정립하였다. 이는 체계적인 훈련 프로그램과 교육 방법을 통해 무용수들이 단계적으로 기술을 습득하도록 돕는 것이었다. 이로 인해 발레 교육이 보다 전문적이고 과학적으로 접근되었다.

5. 발레 마스터의 역할

아카데미에서는 발레 마스터들이 중요한 역할을 하였다. 이들은 무용수들을 지도하고, 새로운 안무를 창작하며, 발레 테크닉의 발전을 도모하였다. 유명한 발레 마스터들 중에는 피에르 보샹(Pierre Beauchamp)이 있다. 그는 루이 14세의 발레 마스터로, 발레의 기본 포지션과 용어를 체계화하는 데 중요한 기여를 하였다.

6. 공연과 실전 연습

아카데미는 정기적인 발레 공연을 통해 무용수들이 실전에서 자신의 기술을
연마할 수 있는 기회를 제공하였다. 이는 무용수들이 무대 경험을 쌓고, 자신의 기량을 실제 공연에서 발휘하는 데 도움이 되었다.

프랑스 왕립 무용아카데미는 발레 테크닉의 체계화와 표준화에 중요한 역할을 하

였다. 아카데미는 발레의 기본 용어와 동작을 정립하고, 체계적인 교육 프로그램을 통해 무용수들의 기술을 향상시켰다. 이러한 노력은 발레를 고도의 예술적 형식으로 발전시키는 데 기여하였으며, 오늘날에도 전 세계 발레 교육의 기초가 되고 있다.

<장 조르주 노베르>

장 조르주 노베르(Jean-Georges Noverre, (1727~1810)는 프랑스의 무용 가이자 안무가로, 발레의 개혁자로 널리 알려져 있다. 그는 발레 닥시옹(ballet d'action)이라는 개념을 통해 발레의 표현적 가능성을 확장 하였으며, 그의 업적은 오늘날까지도 발레 예술에 큰 영향을 미치고 있다.

노베르는 1727 년 프랑스 파리에서 태어났다. 그는 어린 시절부터 무용에 대한 열정을 보였으며, 1743 년 파리에서 발레리노로 데뷔하였다. 그는 유럽 여러 나라를 여행하며 다양한 무용 스타일을 경험하고 배웠다. 노베르는 특히 독일, 오스트리아, 영국 등에서 활동하며 자신의 안무 기법을 발전시켰다.

노베르는 발레의 형태와 내용을 혁신하려는 시도를 하였다. 그는 발레닥시옹(ballet d'action)을 통 해 발레의 스토리텔링과 감정 표 현을 강조하였다. 발레닥시옹은 단순한 춤의 나열이 아닌, 연속적이고 일관된 이야기를 전달하는 발레를 의미한다. 이를 위해 그는 무용수들이 단순히 기교를 뽐내는 것이 아니라, 연기와 감정 표현을 통해 관객과 소통할 수 있도록 하였다.

1. 발레닥시옹(ballet d′action)

발레닥시옹은 노베르의 가장 큰 공헌 중 하나로, 발레의 새로운 방향을 제시하였다. 그는 발레가 단순한 오락을 넘어 예술적 감동을 줄 수 있어야 한다고 주장하였다. 발레닥시옹의 핵심은 다음과 같다.

2. 스토리텔링

발레닥시옹은 춤을 통해 이야기를 전달하는 것을 목표로 한다. 이는 무용수들이 각자의 역할을 연기하고, 춤을 통해 감정을 표현하는 것을 의미한다.

3. 감정 표현

노베르는 무용수들이 감정을 생동감 있게 표현해야 한다고 강조하였다. 그는 얼굴 표정과 몸짓을 통해 관객이 무용수의 감정을 이해하고 느낄 수 있도록 하였다.

4. 음악과의 조화

발레닥시옹은 음악과 춤의 조화를 중시한다. 음악은 춤의 분위기와 감정을 강조하는 역할을 하며, 춤과 일체감을 이루어야 한다고 보았다.

무용과 발레에 대한 편지 (Lettres sur la danse et sur les ballets)

1760 년, 노베르는 ′무용과 발레에 대한 편지(Lettres sur la danse et sur les ballets)′라는 책을 출간하였다. 이 책은 발레닥시옹의 이론적 기초를 설명한 중요한 저작으로, 발레의 개혁을 주장하는 내용을 담고 있다. 노베르는 이 책을 통해 발레의 기교적 측면보다 예술적 표현과 감정 전달을 중시하는 발레닥시옹의 중요성을 역설하였다.

장 조르주 노베르 상(Jean-Georges Noverre Award)은 발레와 무용 예술에 기여한 예술가들에게 수여되는 권위 있는 상으로, 발레의 아버지로 불리는 장 조르주 노베르의 업적을 기리기 위해 제정된 상이다. 이 상은 노베르의 생일인 4 월 29 일에 수여되며, 전 세계적으로 발레와 무용 예술을 발전시키는 데 크게 기여한 예술가들에게 주어진다. 이 날은 또한 국제 무용의 날(International Dance Day)로 기념되며, 전 세계적으로 다양한 무용 공연과 행사가 열린다. 노베르 상 수여식은 이러한 행사들 중 하나로, 발레 예술의 중요성을 기리고, 무용 예술가들의 성과를 축하하는 자리이다. 수상자들은 그들의 업적을 인정받고, 발레 예술의 발전에 대한 기여를 인정받으며, 이는 전 세계 무용계에 큰 영감을 주고 있다.

우리나라의 발레리나 강수진은 이 상을 받은 몇 안 되는 아시아 출신 예술가 중 하나로, 그녀의 뛰어난 예술성과 무용에 대한 헌신이 국제적으로 인정받은 것이다. 강수진은 세계적으로 유명한 발레단인 슈투트가르트 발레단(Stuttgart Ballet)의 수석 발레리나로 활동하면서, 뛰어난 기술과 예술적 표현으로 많은 찬사를 받았다. 그녀는 발레리나로서의 경력 뿐만 아니라, 발레 예술의 발전과 전파에 기여한 공로로 이 상을 수상하였다.

노베르 상은 발레와 무용 예술에 대한 공로를 인정받는 상으로, 발레 예술의 발전과 전통을 계승하는 데 중요한 역할을 하고 있다. 이 상은 발레리노와 발레리나뿐만 아니라, 안무가, 무용 교육자, 발레 연구자 등 발레 예술의 다양한 분야에서 뛰어난 업적을 이룬 사람들에게 수여된다. 상의 수여를 통해 발레 예술의 중요성을 재확인하고, 전 세계적으로 발레 예술을 촉진하는 데 기여하고 있다.

낭만주의 발레의 특징과 영향

18 세기 말에서 19 세기 중반에 걸쳐 등장한 낭만주의(Romanticism)는 고전주의(Classicism)에 대한 반발로 형성된 예술적, 문학적 운동으로, 당시 사회적, 정치적 변화와 밀접하게 연관되어 있다. 프랑스 혁명과 산업 혁명은 사람들에게 급격한 변화를 체감하게 했고, 이로 인해 사람들은 이전의 질서와 이성에 기초한 고전주의적 가치에서 벗어나 감정과 개인의 내면 세계에 더 집중하게 되었다.

낭만주의 발레는 19 세기 초반부터 중반까지 유럽에서 유행한 예술적 운동으로, 현실을 초월한 주제와 환상적인 요소들이 두드러졌다. 이 시기의 발레는 종종 요정, 유령, 숲속의 마법 같은 초자연적 존재들과 환상적인 이야기를 다루며, 현실의 고통과 일상으로부터 도피하고자 하는 사람들의 욕구를 반영했다. 낭만주의 발레의 주요 특징 중 하나는 여성 무용수의 비중이 커졌다는 점이다. 발레리나는 가벼운 튀튀(tutu)를 입고 발끝으로 춤을 추며 공중을 떠다니는 듯한 모습으로, 요정이나 영혼 같은 역할을 주로 맡았다. 이를 통해 무대 위에서 인간의 범위를 넘어선 존재로 표현되었다.

또한, 낭만주의 발레는 감정의 표현을 중시하였다. 무용수들은 단순히 기술적인 동작을 넘어서, 깊은 감정과 이야기의 드라마를 몸짓으로 전달하려 했다. 이를 위해 보다 섬세하고 유연한 움직임이 강조되었고, 무대 연출 역시 이러한 감정을 극대화하는 방향으로 발전했다. 조명과 무대 장치 또한 낭만주의 발레의 중요한 요소로, 신비로운 분위기를 조성하는 데 중요한 역할을 했다. 예를 들어, "지젤(Giselle)"과 같은 작품에서는 무대 조명을 통해 무덤가의 윌리스를 표현하며 초자연적인 분위기를 자아냈다.

낭만주의 발레의 또 다른 특징은 음악과 춤의 긴밀한 결합이다. 음악은 무용수들의 감정과 이야기를 효과적으로 전달하는 도구로 사용되었으며, 발레 작곡가들은 무용수의 움직임을 최대한 살릴 수 있는 음악을 작곡했다. 이 시기의 대표적인 작곡가로는 아돌프 아당(Adolphe Adam)이 있으며, 그의 음악은 "지젤"과 같은 낭만주의 발레 작품에서 중요한 역할을 했다.
결론적으로, 낭만주의 발레는 초자연적이고 환상적인 주제를 다루며, 감정의 표현과 무대 연출, 음악과의 긴밀한 결합을 통해 관객들에게 깊은 인상을 남겼다. 이러한 요소들은 낭만주의 발레를 독특하고 매력적인 예술 형태로 만들어 주었으며, 오늘날까지도 많은 사람들에게 사랑받고 있다.

낭만주의 발레의 스타일 변화를 살펴보면 다음과 같다.

1. 감정과 상상력의 강조

낭만주의 발레는 인간의 내면 감정과 상상력을 중시하였다. 이는 발레의 주제와 스토리에 큰 변화를 가져와 사랑, 슬픔, 기쁨과 같은 감정을 더욱 풍부하게 표현하는 작품들이 주를 이루게 되었다.

2. 초자연적 요소

이 시기의 발레는 종종 요정, 유령, 영혼과 같은 초자연적 존재를 다루었다. 이러한 요소들은 당시 사람들의 현실 도피와 상상력에 대한 욕구를 반영한 것이다. 프랑스 혁명과 그 이후의 혼란스러운 사회적 분위기 속에서, 사람들
은 일상의 고난을 잊고 환상적이고 꿈같은 세계로 도피하고자 했다.

3. 여성 발레리나의 중심 역할

낭만주의 발레에서 여성 발레리나는 주도적인 역할을 맡았다. 발레리나는 종종 초

자연적 존재를 연기하며, 이는 그들의 우아함과 섬세함을 강조하는 데 기여하였다. 이러한 변화는 발레리나가 남성 무용수보다 더 많은 주목을 받는 계기가 되었다.

4. 포인트 슈즈의 도입

포인트 슈즈의 사용으로 발레리나들은 발끝으로 서는 동작을 통해 더욱 경쾌하고 비현실적인 무대를 선보일 수 있게 되었다. 이는 낭만주의 발레의 비현실적이고 꿈같은 분위기를 극대화하는 데 기여하였다.

5. 무대와 의상의 변화

낭만주의 발레는 무대 장치와 의상에서도 변화가 나타났다. 자연스러운 분위기를 조성하는 섬세한 무대 장치와, 발레리나의 우아함을 극대화하는 가벼운 튀튀가 대표적이다.

낭만주의 발레는 이러한 다양한 스타일 변화와 혁신을 통해 예술의 새로운 지평을 열었으며, 발레의 역사에서 중요한 시기를 대표하게 되었다.

낭만주의 시대의 발레 작품

낭만주의 발레의 대표적인 작품으로는 아돌프 아당(Adolphe Adam)의 "지젤(Giselle)"과 필리포 탈리오니(Filippo Taglioni)의 "라 실피드(La Sylphide)"가 있다. 이들 작품은 낭만주의 발레의 특징을 잘 보여주며, 초자연적 요소와 감정 표현을 중심으로 구성되어 있다.

낭만주의는 발레의 예술적, 기술적 측면에 큰 변화를 가져왔다. 감정과 상상력을 강조하고, 초자연적 요소를 도입하며, 여성 발레리나의 중심 역할을 부각시킨 낭만주의 발레는 발레의 발전에 중요한 전환점이 되었다. 이러한 변화는 오늘날의 발레에도 여전히 영향을 미치며, 낭만주의 발레 작품들은 고전 발레 레퍼토리의 중요한 부분으로 남아 있다.

낭만주의 배경과 발레의 스타일 변화는 당시 사람들의 현실 도피와 감정적 욕구를 반영한 결과로, 발레 예술의 깊이와 다양성을 더하는 데 큰 기여를 했다.

1. 지젤

낭만주의 발레의 대표작 중 하나인 "지젤(Giselle)"은 1841 년에 초연된 이후 현재까지도 많은 사랑을 받고 있는 작품이다. 아돌프 아당(Adolphe Adam)이 음악을 작곡하였으며, 테오필 고티에(Theophile Gautier)와 장 코랄리(Jean Coralli)가 대본을 작성하였다. 이 발레는 두 막으로 구성되어 있으며, 사랑과 배신, 용서와 초자연적 요소를 중심으로 전개된다.

지젤은 한적한 시골 마을에 사는 순수하고 젊은 농가의 딸이다. 그녀는 춤을 사랑하며, 심장이 약해도 춤추는 것을 멈추지 않는다. 지젤은 한 청년을 사랑하게 되는데, 그는 자신을 한스(가명)라고 소개하지만 실제로는 귀족인 알브레히트(Albrecht)

공작이다. 알브레히트는 지젤의 순수함에 끌려 그녀에게 사랑을 맹세하지만, 이미 약혼자가 있는 상태였다. 지젤을 사랑하는 또 다른 남자인 사냥꾼 힐라리온(Hilarion)은 알브레히트의 진짜 신분을 폭로하고, 충격과 배신감에 지젤은 결국 정신이 나가 무대 위에서 죽음을 맞이한다.

두 번째 막은 지젤의 죽음 이후, 무덤가에서 시작된다. 밤이 되면 윌리(Wilis)라는 영혼들이 나타나는데, 이들은 배신당해 죽은 신부의 영혼들로, 인간 남자를 춤추게 하여 죽음으로 몰고 가는 존재들이다. 지젤도 윌리가 되어 나타나고, 힐라리온은 윌리들에 의해 죽임을 당한다. 알브레히트 역시 윌리들에게 붙잡히지만, 지젤의 진

정한 사랑과 용서 덕분에 구원을 받는다. 지젤은 알브레히트를 밤새 춤추게 하지만, 그의 생명을 구하기 위해 자신의 사랑으로 윌리들을 설득하여 해가 뜨기 전 그를 풀어준다. 마지막으로 알브레히트는 지젤의 무덤 앞에서 그녀의 영혼에게 작별 인사를 한다.

"지젤"은 낭만주의 발레의 전형적인 특징을 잘 보여주는 작품으로, 초자연적인 요소와 인간의 감정을 심도 있게 다루고 있다. 지젤의 순수한 사랑과 희생, 윌리들의 환상적인 존재는 당시 사람들의 감정적 욕구와 환상에 대한 열망을 반영하며, 발레의 예술적 표현을 극대화한 걸작으로 평가받고 있다.

"지젤(Giselle)"이 사랑받은 이유는 낭만주의 요소들이 작품 전반에 걸쳐 깊이 녹아 있기 때문이다. 우선, 이 작품은 강렬한 감정 표현을 중심으로 전개되며, 지젤의 순수한 사랑과 그로 인한 비극적 운명은 관객들에게 깊은 감정적 공감을 불러일으킨다. 특히, 지젤이 배신을 알게 된 후 미쳐가는 장면은 사랑의 순수함과 배신의 고통을 극명하게 대비시키며 낭만주의 특유의 감정적 과장을 잘 보여준다. 초자연적 요소도 "지젤"이 사랑받는 중한 이유 중 하나이다. 두 번째 막에서 등장하는 윌리(Wilis)들은 낭만주의 발레의 환상성과 비현실성을 극대화하며, 배신당한 신부의 영혼으로서 남자들을 죽음으로 몰아가는 존재들로 묘사된다

이들은 관객들에게 신비로움과 미스터리함을 전달하며, 현실을 초월한 낭만주의적 상상력을 자극한다. 아돌프 아당(Adolphe Adam)의 음악은 이러한 감정과 분위기를 더욱 강조하며, 발레 동작과 완벽한 조화를 이루어 작품의 감동을 배가시킨다. 또한, 지젤과 윌리들이 입는 하얀 튀튀는 낭만주의 발레의 상징으로 자리 잡아, 발레리나의 우아함과 순수함을 극대화하고 무대 위에서 초자연적 분위기를 강조한다. 이러한 요소들이 결합되어 "지젤"은 관객들에게 감동적이고 환상적인 경험을 제공하며, 낭만주의 발레의 걸작으로서 많은 사랑을 받게 되었다.

2. 라 실피드

"라 실피드(La Sylphide)"는 낭만주의 발레의 대표작으로, 여러 낭만주의 요소들을 통해 관객들에게 깊은 인상을 남기며 사랑받았다. 우선, 이 작품은 초자연적 존재인 실피드를 중심으로 전개되며, 현실을 초월한 환상적인 분위기를 조성한다. 실피드라는 요정은 인간의 접근을 거부하며, 가벼움과 우아함을 상징하는 존재로 묘사된다. 이는 낭만주의가 추구하는 이상적이고 비현실적인 세계를 상징하며, 관객들에게 신비로움과 동경을 불러일으킨다. "라 실피드(La Sylphide)"에서 초자연적 요소와 환상적인 분위기는 작품 전체의 톤을 설정한다. 실피드라는 요정은 투명하고

경쾌한 존재로, 인간 세계와는 다른, 도달할 수 없는 이상을 상징한다. 이 요정은 인간 남성인 제임스를 유혹하며, 그에게 자유롭고 구속되지 않은 삶의 매력을 보여준다. 이런 설정은 낭만주의가 추구하는 이상화된 자연과 순수한 아름다움을 표현한다.

제임스의 이야기는 강렬한 인간 감정과 낭만적 비극을 극대화한다. 제임스가 실피드에게 매혹되어 자신의 약혼녀를 버리고 숲으로 떠나는 결정은 사랑과 욕망의 감정을 강조하며, 그 결과로 다가오는 비극적인 결말은 낭만주의 발레에서 중요한 요소인 운명과 비극을 드러낸다. 이러한 감정의 표현은 과장되게 연출되어 관객에게 강한 감정적 반응을 유도한다.

무대 및 설정 디자인도 이러한 테마를 강조하는데 기여한다. 숲은 자연의 신비로움을 상징하며, 마녀 마지 같은 캐릭터의 추가는 이야기에 마법적이고 신비로운 요소를 더한다. 이는 낭만주의 작품에서 자주 볼 수 있는 자연과 초자연 사이의 경계를 모호하게 만들며, 현실과 이상, 물질적인 것과 정신적인 것 사이의 대비를 극적으로 표현한다.

음악과 춤은 이 모든 요소를 하나로 묶는데 중요한 역할을 한다. 장 슈나이츠호퍼의 음악은 실피드의 신비로움과 가벼움을 반영하며, 발레 동작과의 완벽한 조화를 이루어 작품의 전체적인 분위기와 감정을 증폭시킨다. 특히 발레리나가 수행하는 우아한 춤과 포인트 슈즈 동작은 낭만주의 발레의 미학을 극대화하며, 관객에게 깊은 감동을 선사한다. 이러한 요소들의 조화는 "라 실피드"를 낭만주의 발레의 대표작으로 자리매김하게 한다.

낭만시대 대표적인 발레리나 4 명은 다음과 같다.

1. 마리 탈리오니(Marie Taglioni)

마리 탈리오니는 섬세하고 우아한 외모로 유명했다. 그녀는 가늘고 긴 팔다리와 날씬한 체형을 가지고 있어 발레리나로서 이상적인 신체 조건을 갖추고 있었다. 탈리오니의 금발 머리와 맑은 눈은 무대에서 빛나는 요정 같은 이미지를 더욱 부각시켰다. 이러한 외모는 그녀의 춤과 함께 낭만주의 발레의 신비로움과 환상성을 잘 표현해 주었다.

탈리오니는 발레 역사에서 중요한 인물로, 발끝으로 서서 춤추는 포인트 슈즈 기술을 대중화시킨 것으로 유명하다. 그녀는 1832 년 필리포 탈리오니(Filippo Taglioni)가 안무한 발레 "라 실피드(La Sylphide)"에서 주연을 맡아 엄청난 성공을 거두었다. 이 작품에서 그녀는 요정 실피드 역할을 맡아, 발끝으로 서서 춤추는 기술과 우아한 동작을 선보이며 관객들에게 깊은 인상을 남겼다. "라 실피드"는 낭만주의 발레의 상징적 작품으로 자리매김하였고, 탈리오니는 이 작품을 통해 발레리나로서의 명성을 확고히 했다.

탈리오니의 춤은 경쾌하면서도 우아했으며, 그녀의 뛰어난 기술과 감정 표현은 관객들에게 큰 감동을 주었다. 그녀는 무대 위에서 마치 공중에 떠 있는 듯한 가벼움을 표현하며, 요정이나 영혼과 같은 초자연적 존재를 연기하는 데 탁월한 능력을 보였다. 탈리오니의 춤 스타일은 낭만주의 발레의 이상을 잘 구현한 것이었다. 이러한 요소들은 마리 탈리오니를 낭만주의 발레의 아이콘으로 자리매김하게 했으며, 오늘날까지도 많은 발레리나들에게 영감을 주고 있다.
마리 탈리오니의 주특기는 그녀의 경이로운 발끝 기술과 함께 감정의 섬세한 표현이었다. 그녀는 발레리나로서 뛰어난 신체적 기술뿐만 아니라, 무대에서의 강력한 존재감과 감정적 깊이로도 큰 영향을 미쳤다. 이러한 이유로 탈리오니는 낭만주의 발레의 대표적 인물로 기억되고 있으며, 그녀의 업적은 발레 역사에 큰 족적을 남겼다.

2. 카를로타 그리지(Carlotta Grisi)

카를로타 그리지는 고전적인 아름다움과 우아함을 지닌 발레리나로, 그녀의 짙은 갈색 머리와 큰 눈, 그리고 표현력 있는 얼굴은 무대에서 관객들의 시선을 사로잡았다. 그녀는 날씬한 체형과 긴 팔다리를 가지고 있어 발레리나로서 이상적인 신체 조건을 갖추고 있었으며, 그리지만의 독특한 매력은 무대에서 더욱 빛났다.

그녀는 1841 년 초연된 발레 "지젤(Giselle)"에서 주연을 맡아 큰 성공을 거두었다.
작품에서 그녀는 순수하고 순진한 시골 처녀 지젤 역을 완벽하게 소화하며, 배신으로 인해 미쳐가는 장면과 죽은 후에도 사랑하는 사람을 지키려는 영혼의 역할을 탁월하게 표현했다. 그녀의 연기는 감동적이었고, "지젤"은 낭만주의 발레의 대표작으로 자리매김하게 되었다. 이를

통해 그리지는 발레리나로서의 명성을 확고히 했으며, 그녀의 이름은 발레 역사에 길이 남게 되었다.

그리지의 특징은 그녀의 뛰어난 기술과 감정 표현 능력이다. 그녀는 매우 유연하고 섬세한 동작을 구사하며, 발끝으로 서는 기술에서 탁월한 실력을 보였다. 또한, 그녀는 춤을 통해 깊은 감정을 전달하는 능력이 뛰어나, 관객들에게 강한 감동을 주었다.자신의 역할에 완전히 몰입하여 캐릭터의 감정을 섬세하게 표현 하는 데 능숙했다.

그리지는 그녀의 표현력 있는 얼굴과 감정 전달 능력, 그리고 뛰어난 기술적 완성도가 주특기였다. 그녀는 무대 위에서의 강력한 존재감과 함께, 발레의 섬세한 아름다움과 우아함을 잘 표현했다. 이러한 이유로 그리지는 낭만주의 발레의 상징적 인물로 기억되며, 오늘날까지도 많은 발레리나들에게 영감을 주고 있다.

카를로타 그리지는 당대에 매우 인기가 있었으며, 그녀의 공연은 많은 사람들에게 큰 감동을 주었다. "지젤"의 초연 이후 그녀는 유럽 전역에서 활발히 활동하며 큰 사랑을 받았다. 그녀의 무대는 항상 관객들로 가득 찼으며, 그녀의 춤과 연기는 많은 발레 팬들에게 깊은 인상을 남겼다. 그리지는 낭만주의 발레의 황금기를 대표하는 발레리나로서, 그녀의 예술적 업적과 인기는 오늘날까지도 많은 이들에게 회자되고 있다.

3. 파니 체리토(Fanny Cerrito)

페니 체리토(Fanny Cerrito)는 뛰어난 외모와 매력으로 발레 팬들에게 사랑받은 발레리나였다. 그녀는 활기차고 생동감 넘치는 무대를 선사하는 능력으로 유명했으며, 빛나는 금발 머리와 밝은 눈을 가진 체리토는 무대 위에서 눈에 띄는 존재감을 발휘했다. 그녀의 아름다운 외모와 날씬한 체형은 발레리나로서의 이상적인 신체 조건을 갖추고 있었으며, 무대에서 그녀의 매력은 관객들을 사로잡았다.

.페니 체리토는 낭만주의 발레의 황금기 동안 큰 성공을 거두며 다양한 업적을 남겼다. 그녀는 여러 유명 작품에서 주연을 맡아 뛰어난 기량을 선보였으며, 특히 1845 년 마리 탈리오니, 카를로타 그리지, 루실 그랑과 함께 공연한 "Pas de Quatre"에서 두드러진 활약을 했다. 이 작품에서 그녀는 동료 발레리나들과 함께 화려한 군무를 선보이며 큰 인기를 끌었다. 또한 체리토는 안무가로서도 활동하며, 그녀의 창의적이고 혁신적인 안무는 발레계에 큰 영향을 미쳤다.

체리토의 특징은 그녀의 활기차고 열정적인 춤 스타일에 있다. 그녀는 역동적이고 힘찬 동작을 구사하며, 뛰어난 테크닉과 함께 감정 표현에도 뛰어났다. 체리토는 무대에서의 강렬한 표현력과 에너지가 넘치는 춤으로 관객들에게 깊은 인상을 주었다. 그녀의 춤은 기술적 완성도와 예술적 표현의 조화를 이루었으며, 그녀만의 독특한 스타일로 많은 사람들에게 사랑받았다.

페니 체리토의 주특기는 그녀의 활기찬 춤과 강력한 무대 존재감이었다. 그녀는 뛰어난 점프와 회전 기술을 가지고 있었으며, 이러한 기술을 통해 무대 위에서의 에너지를 표현했다. 체리토는 또한 발레의 이야기와 감정을 전달하는 데 능숙했으며, 그녀의 연기는 관객들에게 큰 감동을 주었다.

페니 체리토는 당대에 매우 인기가 있었으며, 그녀의 공연은 항상 많은 관객들로 붐볐다. 그녀의 열정적이고 활기찬 무대는 많은 사람들에게 큰 인상을 남겼으며,

그녀의 이름은 발레 팬들 사이에서 널리 알려졌다. 체리토는 유럽 전역에서 활발히 활동하며 많은 사랑을 받았고, 그녀의 예술적 기여는 발레 역사에 큰 족적을 남겼다. 이러한 이유로 페니 체리토는 오늘날까지도 발레 역사에서 중요한 인물로 기억되고 있다.

4. 루실 그랑(Lucile Grahn)

루실 그랑(Lucile Grahn)은 독특한 외모와 강렬한 무대 존재감으로 유명했다. 그녀는 금발의 머리와 맑은 푸른 눈을 가지고 있어 무대에서 빛나는 모습을 보였다. 그랑은 날씬하고 긴 팔다리를 가지고 있었으며, 발레리나로서의 이상적인 신체 조건을 갖추고 있었다. 그녀의 외모는 당대 발레리나들 중에서도 돋보였으며, 고전적이면서도 우아한 아름다움을 지니고 있었다.

그랑의 가장 큰 업적은 그녀가 덴마크 출신으로 최초로 국제적인 발레리나로 성공을 거둔 점이다. 그녀는 아우구스트 부른노빌(August Bournonville)에게 발레를 배웠으며, 부른노빌의 "라 실피드(La Sylphide)"에서 주연을 맡아 그녀의 커리어를 크게 성장시켰다. 이후, 그랑은 파리 오페라 발레, 런던의 헤이마켓 극장 등 유럽의 주요 무대에서 활약하며 국제적인 명성을 얻었다. 그녀는 또한 안무가로서도 활동하였으며, 여러 작품에서 안무를 맡아 발레의 예술적 발전에 기여했다. 그랑의 춤의 특징은 그녀의 섬세하고 우아한 동작과 함께, 강렬한 감정 표현에 있었다. 그녀는 매우 유연하고 경쾌한 동작을 구사하며, 특히 뛰어난 발끝 기술과 회전 기술을 선보였다. 그랑은 춤을 통해 감정을 전달하는 능력이 뛰어나, 관객들에게 큰 감동을 주었다. 그녀는 자신의 역할에 완전히 몰입하여 캐릭터의 감정을 섬세하게 표현하는 데 능숙했다. 루실 그랑의 주특기는 그녀의 탁월한 발끝 기술과 회전 기술이었다. 그녀는 무대 위에서의 강력한 존재감과 함께, 발레의 섬세한 아름다움과 우아함을 잘 표현했다. 그랑의 춤은 기술적으로 완성도 높았으며, 감정적으로도 깊이 있는 표현을 통해 관객들에게 강한 인상을 남겼다.

그랑은 당대에 매우 인기가 있었으며, 그녀의 공연은 많은 사람들에게 큰 감동을

주었다. 특히 "라 실피드"의 성공 이후, 그랑은 유럽 전역에서 활발히 활동하며 큰

사랑을 받았다. 그녀의 무대는 항상 관객들로 가득 찼으며, 그녀의 춤과 연기는 많은 발레 팬들에게 깊은 인상을 남겼다. 루실 그랑은 낭만주의 발레의 황금기를 대표하는 발레리나로서, 그녀의 예술적 업적과 인기는 오늘날까지도 많은 이들에게 회자되고 있다.

낭만주의 발레는 19 세기 중반 이후로 점차 쇠퇴하게 되었는데, 이는 여러 복합적인 요인에 기인한다.

첫째, **발레의 형식과 주제의 변화**가 큰 영향을 미쳤다. 낭만주의 발레는 주로 초자연적이고 환상적인 주제를 다루었지만, 시간이 지나면서 이러한 주제들이 관객들에게 식상하게 느껴지기 시작했다. 관객들은 더 현실적이고 인간적인 이야기와 감정을 표현하는 새로운 형태의 예술을 원하게 되었다. 이러한 변화는 특히 리얼리즘과 자연주의 문학의 부상과 함께 발레에도 영향을 미쳤다 .

둘째, 낭만주의 발레는 **기술적으로 매우 어렵고 섬세한 춤을 요구**했기 때문에, 이를 완벽하게 소화할 수 있는 무용수들이 점점 줄어들었다. 특히, 발레리나들이 초자연적인 존재를 표현하기 위해 필요로 하는 가벼움과 유연성, 그리고 뛰어난 테크닉을 유지하는 것이 점점 더 어려워졌다. 이는 발레단의 질적 저하로 이어지면서 낭만주의 발레의 매력을 감소시켰다 .

셋째, 19 세기 후반에 들어서면서 발레는 오페라와 함께 공연되는 **부수적인 형태로 취급**되는 경우가 많아졌다. 이는 발레 자체의 독립적인 예술 형식으로서 위치를 약화시키는 결과를 초래했다. 특히, 오페라가 더욱 인기를 끌면서 발레의 중요성이 상대적으로 감소하게 되었다. 이로 인해 발레 작품의 제작과 공연 횟수가 줄어들었고, 발레의 전반적인 수준도 낮아지게 되었다 .

마지막으로, **러시아 발레의 부상**과 함께 발레의 중심지가 프랑스와 이탈리아에서 러시아로 이동하게 된 점도 중요한 원인 중 하나였다. 러시아 발레는 마리우스 쁘띠빠와 같은 안무가의 지도 아래 더욱 화려하고 기술적으로 뛰어난 작품들을 선보이며 전 세계적으로 큰 인기를 끌었다.

이러한 변화는 낭만주의 발레가 지닌 특징을 대체하는 새로운 스타일을 만들어내면서, 낭만주의 발레의 쇠퇴를 가속화시켰다. 결론적으로, 낭만주의 발레의 쇠퇴는 주제의 변화, 무용수의 기술적 한계, 발레의 부수적 취급, 그리고 러시아 발레의 부상 등 여러 요인이 복합적으로 작용한 결과였다. 이러한 요인들은 낭만주의 발레가 19 세기 중반 이후로 점차 무대에서 사라지게 되는 데 큰 영향을 미쳤다.

고전주의 발레의 특징과 영향

고전주의 발레는 19 세기 후반부터 20 세기 초반까지 러시아에서 주로 발전한 발레 양식으로, 예술적 엄격함과 기술적 정교함이 특징이다. 이 시기의 발레는 낭만주의 발레에서 발전하여 더욱 구조화되고 형식적인 측면에서 완성도를 추구하였다.

고전주의 발레의 주요 특징들은 다음과 같다.

1. 엄격한 구조와 형식

고전주의 발레는 철저히 규정된 형식과 구조를 따르며, 전통적인 발레 기법을 강조한다. 이는 주로 "그랑 파드되(Grand Pas de Deux)"와 같은 정형화된 구성에서 잘 드러난다. 이러한 형식은 춤의 서사와 기술을 명확하게 구분하여 표현한다. 고전 발레 작품은 일반적으로 전형적인 3 막 또는 4 막 구조를 갖추고 있다.

2. 화려한 기술과 동작

고전주의 발레는 무용수들의 뛰어난 기술을 요구한다. 이는 높은 도약,
빠르고 정교한 발 동작, 균형과 회전의 완벽함으로 나타난다. 무용수들은 긴 훈련을 통해 이러한 기술을 완성하며, 특히 여성 무용수들은 토슈즈를 신고 발끝으로 서는 "포인트" 기술을 주로 사용한다.

3. 화려한 무대와 의상

고전주의 발레는 무대 장치와 의상에서도 화려함을 추구한다. 정교한 무대 배경과 장식, 그리고 무용수들이 착용하는 다채롭고 세련된 의상은 무대의 시각적 아름다움을 극대화한다. 이러한 요소들은 이야기의 환상성을 강조하고 관객들에게 시각적 즐거움을 제공한다.

4. 이야기의 명확한 전개

고전주의 발레는 명확한 서사를 가지고 있으며, 줄거리는 대개 전통적인 동화나 신화, 전설에서 차용된다. 이야기의 전개는 춤과 음악을 통해 표현되며, 각 장면과 막은 서사적 흐름에 따라 구성된다. 이를 통해 관객들은 무대 위의 이야기에 쉽게 몰입할 수 있다.

5. 음악과의 긴밀한 연계

고전주의 발레는 음악과 춤의 긴밀한 조화를 중시한다. 작곡가와 안무가는 협력하여 춤과 음악이 완벽하게 어우러지도록 한다. 차이콥스키(Peter Ilyich Tchaikovsky)의 "백조의 호수", "잠자는 숲속의 미녀", "호두까기 인형" 등의 작품은 고전주의 발레의 음악적 완성도를 보여주는 대표적인 예이다.

6. 대표적인 작품과 안무가

고전주의 발레의 대표적인 작품으로는 마리우스 쁘띠빠(Marius Petipa)가 안무한 "백조의 호수", "잠자는 숲속의 미녀", "호두까기 인형" 등이 있다. 쁘띠빠는 고전주의 발레의 정수를 구현한 안무가로, 그의 작품들은 지금도 전 세계적으로 사랑받고 있다.

고전주의 발레는 엄격한 구조와 형식, 뛰어난 기술, 화려한 무대와 의상, 명확한 이야기 전개, 음악과의 긴밀한 연계 등이 특징이다. 이러한 요소들은 고전주의 발레를 예술적 완성도가 높은 장르로 자리매김하게 했으며, 오늘날까지도 많은 발레 팬들에게 사랑받고 있다.

<마리우스 쁘띠빠와 러시아 스타일>

마리우스 쁘띠빠(Marius Petipa)는 19 세기 러시아 발레의 중심 인물로, 그의 작품과 철학은 발레 역사에 큰 영향을 미쳤다. 1818 년 프랑스에서 태어나 어린 시절부터 발레를 배웠고, 성인이 되어 러시아로 이주했다. 러시아 황실 발레단의 수석 안무가로 임명된 쁘띠빠는 50 년 이상 그 자리를 지키며 수많은 명작을 창작했다. 그의 춤 철학은 고전 발레의 엄격한 기술과 형식을 강조하면서도, 무용수의 표현력과 드라마틱한 스토리텔링을 중요시했다. 대표작으로는 "잠자는 숲속의 미녀", "호두까기 인형", "백조의 호수" 등이 있으며, 이 작품들은 오늘날까지도 전 세계적으로 공연되고 있다. 쁘띠빠는 발레의 형식을 정교하게 다듬고, 대규모의 정교한 안무를 통해 무용수들이 기술적 한계를 뛰어넘을 수 있도록 했다. 그의 업적은 발레를 단순한 무용을 넘어 하나의 예술 장르로 확립하는 데 중요한 기여를 했다.

고전주의 발레의 러시아 스타일은 19 세기 후반과 20 세기 초반에 걸쳐 러시아에서 발전한 발레 형태로, 정교한 기술과 화려한 무대 연출, 서사적 이야기 구조가 특징이다. 이 스타일은 프랑스와 이탈리아의 발레 전통을 바탕으로 발전했으며, 러시아 황실 발레단의 안무가 마리우스 쁘띠빠(Marius Petipa)와 그의 후계자들이 큰 역할을 했다. 러시아 스타일의 고전주의 발레는 높은 수준의 기술적 완성도를 요구한다. 무용수들은 발끝 동작, 뛰어난 균형 감각, 유연성을 바탕으로 한 정교한 움직임을 선보이며, 포인트 워크와 회전, 도약 등의 기술이 특히 강조된다. 또한, 러시아 발레는 웅장하고 화려한 무대 디자인과 의상으로 유명하다. 세트와 의상은 작품의 배경과 시대를 생생하게 재현하며, 관객들에게 시각적 즐거움을 선사한다. 이러한 시각적 요소는 공연의 예술적 완성도를 높이는 중요한 요소다. 러시아 고전주의 발레는 서사적이고 드라마틱한 이야기를 중심으로 구성된다. 전형적인 발레 작품들은 왕자와 공주, 요정과 마법사, 선과 악의 대립 등 전통적인 이야기 구조를 따른다. 이러한 서사 구조는 관객들에게 강렬한 감정적 경험을 제공한다.

고전주의 발레의 대표적인 작품

고전주의 발레는 19세기 후반부터 20세기 초반까지 발달한 양식으로, 엄격한 형식, 정교한 기술, 화려한 무대 장치와 의상을 특징으로 한다. 이 시기의 대표적인 작품들은 주로 마리우스 쁘띠빠(Marius Petipa)와 표트르 일리치 차이콥스키(Pytor Ilyich Tchaikovsky)의 협업을 통해 탄생했다. 다음은 고전주의 발레의 대표적인 작품과 그 특징을 설명한 것이다.

1. 백조의 호수 (Swan Lake)

"백조의 호수(Swan Lake)"는 러시아 작곡가 표트르 일리치 차이콥스키(Pyotr Ilyich Tchaikovsky)가 작곡한 발레 작품으로, 1877 년 3 월 4 일 모스크바 볼쇼이 극장에서 초연되었다. 이 작품은 오늘날 고전 발레의 걸작 중 하나로 인정받고 있으며, 아름다운 음악과 정교한 안무로 전 세계에서 사랑받고 있다.

작품은 네 개의 막으로 구성된다. 제 1 막에서는 왕자 지그프리트(Prince Siegfried)의 생일을 축하하는 파티가 벌어진다. 왕자는 어머니로부터 결혼을 위해 신부를 선택해야 한다는 압박을 받는다. 생일 파티 후, 왕자는 숲으로 사냥을 나가게 된다.

제 2 막에서는 왕자가 숲 속 호숫가에서 백조 무리를 발견한다. 백조들은 마법에 걸린 소녀들로, 그 중 오데트(Odette)라는 아름다운 소녀가 백조 여왕이다. 오데트는 악당 로트바르트(Rothbart)에 의해 낮에는 백조로, 밤에는 인간으로 변하는 저주에 걸렸다. 왕자는 오데트와 사랑에 빠지며, 그녀를 구하기로 맹세한다.

제 3 막에서는 왕궁에서 무도회가 열린다. 로트바르트는 자신의 딸 오딜(Odile)을 오데트로 변장시켜 무도회에 보낸다. 왕자는 오데트로 착각하고 오딜과 춤을 추며 그녀에게 사랑을 맹세한다. 이를 통해 로트바르트의 계획이 성공하고, 왕자는 자신의 실수를 깨닫게 된다.

제 4 막에서는 오데트와 백조들이 저주에서 벗어날 수 없음을 알고 슬퍼한다. 왕자는 호숫가로 돌아와 오데트에게 용서를 구하며, 그녀와 함께 로트바르트를 물리치기로 결심한다."백조의 호수"는 차이콥스키의 풍부한 음악과 우아한 춤으로 유명하다. 특히 오데트/오딜 역할을 맡은 발레리나의 이중 역할은 고도의 기술과 표현력을 요구한다. 백조 군무는 발레의 미학적 완성도를 보여주는 장면으로, 대규모의 정교한 동작들이 일사불란하게 연출된다. 이 작품은 발레 역사에서 가장 사랑받는 레퍼토리 중 하나로, 전 세계의 발레단에서 꾸준히 공연되고 있다.

2. 잠자는 숲속의 미녀 (The Sleeping Beauty)

"잠자는 숲속의 미녀(The Sleeping Beauty)"는 러시아 작곡가 표트르 일리치 차이콥스키(Pyotr Ilyich Tchaikovsky)가 작곡한 발레 작품으로, 1890 년 1 월 15 일 상트페테르부르크의 마린스키 극장에서 초연되었다. 안무는 마리우스 쁘띠빠(Marius Petipa)가 맡았으며, 샤를 페로(Charles Perrault)의 동화를 바탕으로 한다. 이 작품은 고전 발레의 걸작으로 꼽히며, 화려한 무대 연출과 정교한 안무로 유명하다.

작품은 크게 세 개의 막으로 구성된다. 제 1 막은 오로라 공주의 탄생을 축하하는 왕궁에서 시작된다. 왕과 왕비는 딸 오로라 공주의 탄생을 기뻐하며, 요정들을 초대해 축하 파티를 연다. 그러나 초대받지 못한 요정 카라보스(Carabosse)가 나타나 오로라가 16 번째 생일에 물레 바늘에 찔려 죽을 것이라는 저주를 내린다. 이를 막기 위해 리라 요정(Lilac Fairy)은 오로라가 죽지 않고 깊은 잠에 빠질 것이며, 진정한 사랑의 키스로 깨어날 것이라고 예언한다.

제 2 막에서는 오로라 공주가 16 번째 생일을 맞이하며, 왕국 전체가 축하하는 장면이 펼쳐진다. 하지만 카라보스의 저주대로 오로라는 물레 바늘에 찔려 깊은 잠에 빠지게 된다. 왕국 전체도 그녀와 함께 잠에 든다. 제3막에서는 100년 후, 리라 요정의 안내로 왕자 데지레(Prince Désiré)가 잠든 오로라 공주를 발견하고 그녀에게 진정한 사랑의 키스를 한다. 오로라는 깨어나고, 왕국도 함께 깨어나며, 두 사람은 성대한 결혼식을 올리며 이야기가 끝난다.

"잠자는 숲속의 미녀"는 각 막마다 화려한 군무와 뛰어난 솔로 춤으로 구성되어 있다. 특히 오로라 공주의 "로즈 아다지오(Rose Adagio)"는 뛰어난 균형과 우아함을 요구하는 명장면이다. 차이콥스키의 아름다운 음악과 쁘띠빠의 정교한 안무가 어우러져, 이 작품은 고전 발레의 정수를 보여준다. 이 작품은 지금까지도 전 세계 발레단에서 꾸준히 공연되며 사랑받고 있다.

3. 호두까기 인형 (The Nutcracker)

"호두까기 인형(The Nutcracker)"은 러시아 작곡가 표트르 일리치 차이콥스키(Pyotr Ilyich Tchaikovsky)가 작곡한 작품으로, 크리스마스 시즌에 자주 공연되는 대표적인 작품이다. 1892 년 12 월 18 일, 러시아 상트페테르부르크의 마린스키 극장에서 초연되었으며, 안무는 마리우스 쁘띠빠(Marius Petipa)와 레프 이바노프(Lev Ivanov)가 맡았다. 이 작품은 E.T.A. 호프만의 동화 "호두까기 인형과 생쥐 왕"을 바탕으로 하고 있으며, 마법과 환상이 가득한 이야기와 아름다운 음악으로 사랑받고 있다.

작품의 이야기는 크리스마스 이브에 시작된다. 주인공인 어린 소녀 클라라(또는 마리)는 가족과 함께 크리스마스 파티를 즐기던 중, 대부 드로셀마이어(Drosselmeyer)로부터 호두까기 인형을 선물 받는다. 클라라는 이 인형을 매우 좋아하지만, 파티가 끝난 후 생쥐 왕의 군대와의 전투에서 호두까기 인형이 부서지고 만다. 그날 밤, 클라라는 잠에 들었다가 호두까기 인형이 살아 움직이고, 그와 함께 신비로운 모험을 떠나게 된다.

작품의 주요 특징 중 하나는 화려하고 다양한 춤이다. 1 막에서는 크리스마스 파티와 생쥐들과의 전투가 중심이 되며, 2 막에서는 클라라와 호두까기 인형이 사탕 요정(Sugar Plum Fairy)이 다스리는 사탕나라(Land of Sweets)로 여행을 떠난다. 이곳에서 다양한 나라의 춤을 선보이며, 차이콥스키의 아름다운 음악과 함께 다채로운 볼거리를 제공한다. 스페인 춤, 아라비아 춤, 중국 춤, 러시아 춤, 목동의 춤, 꽃의 왈츠 등 각기 다른 민속 춤과 음악이 등장하여 관객들에게 즐거움을 선사한다.

특히, 2 막에서 사탕 요정과 그녀의 기사인 호두까기 인형이 추는 파드되(pas de deux)는 이 작품의 백미로 꼽힌다. 사탕 요정의 춤은 발끝으로 추는 포인트워크와 우아한 움직임이 돋보이며, 호두까기 인형의 춤은 강렬하고 역동적인 점프와 회전으로 관객의 시선을 사로잡는다. 이러한 춤은 고난도의 기술과 표현력이 요구되며, 무용수들의 뛰어난 실력을 엿볼 수 있다.

"호두까기 인형"은 동화 같은 줄거리와 더불어, 환상적인 무대 장치와 의상, 그리고 차이콥스키의 감미롭고도 웅장한 음악으로 전 세계적으로 큰 사랑을 받고 있다. 크리스마스 시즌마다 수많은 발레단에서 이 작품을 공연하며, 가족 관객들에게 따뜻하고 환상적인 크리스마스의 추억을 선사하는 중요한 공연으로 자리 잡고 있다.

4. 돈키호테(Don Quixote)

"돈키호테(Don Quixote)"는 스페인의 작가 미겔 데 세르반테스

(Miguel de Cervantes)의 소설을 바탕으로 만들어진 작품이다. 러시아의 위대한 안무가 마리우스 쁘띠빠(Marius Petipa)와 작곡가 루드비히 밍쿠스(Ludwig Minkus)가 협력하여 1869 년 러시아 상트페테르부르크의 볼쇼이 극장에서 초연되었다. 이후 여러 번 수정되고 재해석되어 다양한 버전이 존재하

지만, 쁘띠빠와 밍쿠스의 오리지널 버전이 가장 널리 알려져 있다.

작품 "돈키호테"는 주로 사랑 이야기와 희극적인 요소를 중심으로 전개된다. 줄거리는 바르셀로나의 한 광장에서 시작된다. 주인공 키트리(Kitri)는 그녀의 연인 바실리오(Basilio)와 결혼하고 싶어하지만, 그녀의 아버지 로렌조(Lorenzo)는 돈이 많은 귀족 가마슈(Gamache)와 결혼시키려 한다. 이때 돈키호테와 그의 종자 산초 판사(Sancho Panza)가 바르셀로나에 도착하여 이야기에 개입한다.

작품의 춤은 정교한 기술과 활력 넘치는 에너지가 특징이다. 스페인의 전통 무용 스타일을 반영한 빠른 발놀림과 화려한 몸짓이 돋보이며, 플라멩코에서 영향을 받은 동작들이 자주 등장한다. 키트리와 바실리오의 듀엣은 뛰어난 테크닉과 강렬한

감정 표현이 결합되어 관객들에게 깊은 인상을 남긴다. 또한, 이 작품은 대규모 군무와 다채로운 솔로 파트가 어우러져 스펙터클한 무대를 연출한다.

돈키호테는 자신의 환상 속에서 키트리를 구해야 할 여인으로 착각하고 그녀를 돕기 위해 여러 가지 우스꽝스러운 행동을 벌인다. 이 과정에서 다양한 코믹한 장면과 화려한 춤이 펼쳐지며, 관객들에게 웃음을 선사한다. 마지막으로, 키트리와 바실리오는 여러 어려움을 극복하고 결국 결혼하게 된다. 돈키호테는 자신의 모험을 계속하기 위해 다시 길을 떠나고, 작품은 행복한 결말을 맞이한다. "돈키호테"는 정교한 안무와 경쾌한 음악, 유머러스한 줄거리로 관객들에게 즐거움을 선사하며, 오늘날까지도 전 세계적으로 사랑받는 작품으로 남아 있다.

고전주의 발레의 유명한 발레리나

고전주의 발레 시대에는 뛰어난 기량과 예술성으로 발레의 역사를 빛낸 여러 발레리나들이 있었다. 그 중에서도 특히 주목할 만한 인물들은 마틸다 크셰신스카야와 올가 스파슬레바이다. 이들은 각자의 특색과 업적으로 고전주의 발레의 전성기를 이끌었다.

(Mathilde Kschessinska)마틸다 크셰신스카야(1872-1971)는 우아하고 기품 있는 외모로 유명했으며, 뛰어난 표현력과 연기력으로 많은 이들에게 깊은 인상을 남겼다. 그녀는 러시아 제국 발레단의 주요 발레리나로 활동하면서 마리우스 쁘띠빠의 많은 작품에서 주역을 맡았다. 크셰신스카야는 쁘띠빠의 작품들을 완벽하게 소화하며, 발레의 기교와 예술성을 극대화했다. 특히, 그녀는 뛰어난 테크닉과 강한 카리스마를 바탕으로 피루엣과 도약 기술에서 탁월한 실력을 보였다. 쁘띠빠와의 협업을 통해 다수의 작품에서 인상 깊은 공연을 선보였으며, 발레의 발전에 기여했다.

올가 스파슬레바 (Olga Spessivtseva)

올가 스파슬레바(1895-1991)는 청순한 외모와 섬세한 연기력으로 유명했다. 그녀의 춤은 매우 감정적이고 표현력이 풍부하여 관객들에게 깊은 감동을 주었다. 스파슬레바는 특히 "지젤"에서 주역을 맡아 그녀의 뛰어난 연기력과 테크닉을 선보였으며, 이는 오늘날까지도 많은 이들에게 기억되고 있다. 그녀의 공연은 발레의 예술적 표현력을 극대화하며, 고전주의 발레의 정수를 보여주었다. 이 두 발레리나는 고전주의 발레의 전성기를 이끌며, 발레의 예술적 완성도를 높였다. 그들의 뛰어난 기량과 예술적 감각은 발레의 발전에 큰 기여를 했으며, 오늘날까지도 발레 역사에서 중요한 인물로 기억되고 있다.

새로운 춤

새로운 춤

19 세기 말에서 20 세기 초에 이르기까지 발레 형식에 대한 반발은 여러 가지 사회적, 문화적, 예술적 변화와 맞물려 나타났다. 이러한 반발은 새로운 예술적 표현을 추구하는 현대무용의 탄생으로 이어졌으며, 이는 고전 발레의 엄격한 형식과 규칙에 대한 도전이었다. 발레 형식에 대한 반발과 그 시대적 배경을 살펴보면 다음과 같다.

고전 발레는 철저한 규칙과 형식을 중시하였다. 발레리나들은 정해진 동작과 포즈를 정확하게 수행해야 했으며, 이로 인해 창의성과 개인적 표현이 제한되었다. 이러한 제한된 형식은 많은 예술가들에게 구속으로 다가왔고, 그들은 보다 자유로운 표현을 원하게 되었다.

19 세기 말에서 20 세기 초는 산업혁명과 도시화, 과학과 기술의 급속한 발전 등으로 인해 사회 전반에 걸쳐 큰 변화가 일어났다. 이 시기의 예술가들은 전통적인 형식과 가치에서 벗어나 새로운 시대에 맞는 표현 방식을 찾고자 했다. 이러한 변화는 예술 전반에 영향을 미쳤으며, 발레 역시 예외가 아니었다.

현대무용의 시작은 20 세기 초에 전통적인 발레 형식에 대한 반발로부터 출발하였다. 이 시기의 예술가들은 발레의 엄격한 규칙과 형식, 그리고 그로 인한 창의성의 제한에 반발하며, 보다 자유롭고 자연스러운 신체 표현을 추구하였다. 현대무용의 선구자들은 신체의 움직임이 단순한 기술적 숙련을 넘어 감정과 정신을 표현할 수 있는 예술적 매체임을 강조하였다. 이러한 현대무용의 정신은 인간의 내면과 감정을 강렬하게 표현하는 것을 중시하며, 예술적 자유와 혁신을 추구하는 데 있었다. 이로써 현대무용은 단순한 신체의 움직임을 넘어서 인간 존재의 깊이를 구하는 예술적 형태로 발전하게 되었다.

현대무용의 핵심 정신은 "자유"에 있다. 이는 고전 발레의 엄격한 규칙과 형식에서 벗어나려는 시도에서 비롯되었다. 20 세기 초, 예술가들은 고정된 틀과 기술적 요구에 얽매이지 않고, 인간의 감정과 내면을 자유롭게 표현하고자 했다.

현대무용의 정신

현대무용의 정신은 전통적인 발레와는 다른 철학과 접근 방식을 바탕으로 한다. 다음은 현대무용의 핵심 정신을 설명하는 주요 요소들이다:

1. 자유로운 표현

현대무용은 무용수의 개성과 창의성을 중요시한다. 전통적인 발레의 엄격한 형식과 규칙에서 벗어나, 무용수는 자신의 감정과 생각을 자유롭게 표현할 수 있다. 이를 통해 무용수는 자신만의 독특한 스타일과 움직임을 개발할 수 있다.

2. 감정과 내면세계 탐구

현대무용은 무용수를 통해 인간의 내면 감정과 심리를 탐구하는 것을 목표로 한다. 춤은 단순히 기술적인 동작이 아니라, 무용수의 내면을 표현하는 도구로 사용된다. 이는 무용이 단순한 신체적 활동을 넘어 예술적이고 철학적인 표현이 되는 데 중요한 역할을 한다.

3. 주제와 사회적 이슈

현대무용은 종종 사회적, 정치적, 철학적 주제를 다룬다. 무용수와 안무가는 현대 사회의 다양한 문제들, 예를 들어 인권, 평화, 환경 등의 이슈를 춤을 통해 표현하고 탐구한다. 이를 통해 관객과 깊이 있는 교감을 나누고, 사회적 메시지를 전달한다.

4. 신체의 자연스러운 움직임

현대무용은 신체의 자연스러운 움직임을 중시한다. 이는 발레와 달리, 신체의 다양한 가능성을 탐구하고 활용하는 데 초점을 맞춘다. 무용수는 바닥을 이용한 동작, 구르기, 점프 등 다양한 움직임을 통해 자신의 몸을 자유롭게 표현한다.

5. 다양한 음악과 무대 연출

현대무용은 다양한 음악과 무대 연출을 활용한다. 클래식 음악뿐만 아니라 재즈, 힙합, 전자 음악 등 다양한 음악 장르를 사용하며, 무대 연출에서도 실험적이고 창의적인 접근을 시도한다. 이는 무용수와 관객 모두에게 새로운 경험을 제공한다.

6. 융합과 협업

현대무용은 다른 예술 장르와의 융합과 협업을 중요시한다. 시각 예술, 연극, 영화, 문학 등 다양한 예술 형태와 결합하여 새로운 표현 방식을 창조한다. 이를 통해 현대무용은 예술의 경계를 넘어서며, 다양한 형태의 예술적 실험을 가능하게 한다.

7. 열린 해석

현대무용은 열린 해석을 지향한다. 이는 작품이 정해진 의미를 전달하기보다는, 관객 각자가 자신의 경험과 감정에 따라 작품을 자유롭게 해석할 수 있도록 한다. 이러한 접근은 관객과의 소통을 강화하고, 예술의 다양성을 존중한다.

현대무용의 정신은 자유로운 표현, 감정과 내면세계 탐구, 사회적 주제와의 연결, 신체의 자연스러운 움직임, 다양한 음악과 무대 연출, 예술 장르 간의 융합과 협업, 그리고 열린 해석을 포함한다. 이러한 요소들은 현대무용을 독특하고 매력적인 예술 형태로 만들며, 무용수와 관객 모두에게 깊은 감동과 영감을 제공한다.

로이 풀러(Loie Fuller, 1862-1928)

미국 출신의 무용가이자 안무가로, 현대무용의 선구자로 인정받는다. 그녀는 1862 년 일리노이주 풀턴에서 태어났으며, 초기에는 연극 배우로 활동하다가 무용에 눈을 돌렸다. 풀러는 기존 발레의 엄격한 형식에서 벗어나 자유롭고 창의적인 움직임을 탐구하였다. 그녀의 춤은 특히 긴 천과 조명을 활용한 독창적인 무대 연출로 유명했다.

풀러의 움직임 특징은 곡선적이고 유동적인 동작으로, 천을 휘날리며 빛과 그림자를 활용한 시각적 효과를 극대화하였다. 그녀는 화려한 의상과 조명 효과를 통해 춤의 예술적 표현을 확장시켰다. 이러한 혁신적인 접근은 그녀의 춤을 단순한 신체의 움직임을 넘어서 시각적 예술로 승화시켰다. 풀러는 자연스럽고 본능적인 움직임을 중요시하며, 신체의 유연성과 조화로움을 강조했다.

풀러의 철학은 무용이 단순히 동작의 연속이 아니라, 빛과 색채, 그리고 음악과의 조화를 통해 새로운 예술적 경험을 창출할 수 있다는 믿음에 기반하였다. 그녀는 무대 예술의 다양한 요소들을 결합하여 관객들에게 새로운 차원의 감동을 선사하고자 했다. 풀러는 기술적 규칙보다는 예술적 표현의 자유를 중시하였고, 이는 그녀의 무용이 현대무용의 시초로 여겨지는 이유 중 하나다.

그녀의 대표작으로는 "Serpentine Dance"가 있다. 이 작품에서 풀러는 긴 천을 사용하여 뱀과 같은 유연한 동작을 선보였으며, 다양한 색채의 조명을 활용하여 환상적인 무대를 연출하였다. 풀러는 또한 파리에서 활동하며 많은 예술가들에게 영향을 미쳤다. 특히, 그녀는 파리 만국박람회에서 공연하며 국제적으로 큰 주목을 받았다. 로이 풀러(Loie Fuller)는 개인적으로 매우 독립적이고 혁신적인 인물이었다. 그녀는 결혼하지 않았으며, 평생 동안 자신의 예술과 경력을 최우선으로 삼았다. 풀러는 파리로 이주하여 프랑스 예술계에서 큰 영향을 미쳤고, 특히 파리

만국박람회에서 공연하며 국제적인 명성을 얻었다.

풀러는 여성의 권리와 독립을 지지하는 강력한 인물이었으며, 이는 그녀의 예술적 표현과 삶의 방식에서 잘 드러난다. 그녀는 여성 무용가들이 독립적으로 활동할 수 있는 길을 열어주었으며, 무대 뒤에서의 기술 혁신에도 적극적으로 참여하였다. 풀러는 조명과 무대 장치의 사용에 있어 많은 특허를 보유하고 있었으며, 이는 그녀가 단순한 무용가가 아닌 발명가로서의 면모를 보여준다.

풀러의 말년은 건강 문제로 인해 다소 어려움을 겪었다. 1920 년대에 접어들면서 그녀의 활동은 점차 줄어들었으나, 그녀의 영향력은 여전히 강력했다. 표현의 자유와 창의성을 강조하며, 예술의 경계를 확장한 진정한 개척자였다 그녀는 1928 년 파리에서 사망하였으며, 사후에도 그녀의 혁신적인 무용 스타일과 무대 연출은 많은 예술가들에게 영감을 주고 있다.

.이사도라 던컨(Isadora Duncan, 1877-1927)

현대무용의 선구자로, 고전 발레의 엄격한 규칙과 형식에 반발하며 자유롭고 자연스러운 신체 표현을 추구하였다. 1877 년 미국 캘리포니아주 샌프란시스코에서 태어난 던컨은, 어린 시절부터 춤에 대한 남다른 열정을 보였다. 그녀는 고대 그리스 예술에서 영감을 받아 맨발로 춤을 추며, 헐렁한 튜닉을 입고 자연스럽고 본능적인 동작을 중요시하였다.
그녀는 무용을 통해 신체의 자연스러운 호흡과 흐름을 표현하고자 하였으며, 이는 발레의 정형화된 포즈와는 대조적이었다. 던컨은 수축을 통해 신체를 축소하고, 이완을 통해 에너지를 발산하며 감정의 깊이를 표현했다. 이러한 테크닉은 그녀의 춤을 더욱 생동감 있고 감정적으로 만들었다. 던컨의 철학은 무용이 인간의 영혼을 표현하는 도구라는 믿음에 뿌리를 두고 있었다. 그녀는 춤을 통해 인간의 본성과 자연의 아름다움을 조화롭게 표현하고자 했다. 던컨은 춤을 단순한 신체의 움직임이 아닌, 영혼의 언어로 보았다. 그녀는 자연스럽고 본능적인 움직임을 중요시하며, 음악의 리듬과 감정을 춤으로 표현하려 했다. 이러한 철학은 그녀의 작품에서도 잘 나타나며, 예술적 자유와 창의성을 중시하는 현대무용의 기초가 되었다.
던컨의 대표작으로는 "마르세이유의 노래" (The Marseillaise)와 "죽음의 춤" (Dance of the Furies)이 있다. 이들 작품은 그녀의 혁신적인 안무와 깊은 감정 표현으로 큰 찬사를 받았다. 던컨은 유럽과 미국에서 활발히 활동하며 많은 제자들을 양성하였고, 그녀의 무용 철학을 널리 전파했다.
사생활에서 던컨은 매우 독립적이고 자유로운 삶을 살았다. 결혼하지 않았지만, 여러 명의 애인과의 관계를 통해 두 아이를 낳았다. 그녀의 사생활은 종종 논란이 되었으나, 던컨은 자신만의 삶의 방식을 고수하며 예술적 자유를 추구했다. 그녀는 여성의 독립과 자유를 지지하며, 예술가로서의 삶을 중요시했다.

던컨의 말년은 개인적인 비극으로 얼룩졌다. 그녀의 두 아이가 자동차 사고로 사망하였고, 이는 그녀에게 큰 충격을 주었다. 1927 년, 던컨은 프랑스 니스에서 자동차 사고로 사망하였다. 그녀의 스카프가 자동차 바퀴에 걸려 목이 졸리는 사고였다. 이사도라 던컨은 비극적인 죽음을 맞이했지만, 그녀의 예술적 유산은 현대무용에 지대한 영향을 미쳤으며, 오늘날까지도 많은 무용가들에게 영감을 주고 있다.

던컨의 생애와 업적, 그녀의 독창적인 테크닉과 철학은 현대무용의 중요한 기초를 형성하였으며, 그녀의 자유롭고 창의적인 정신은 무용 예술의 새로운 가능성을 열어주었다.

루스 세인트 데니스(Ruth St. Denis, 1879-1968)와 테드 쇼운(Ted Shawn, 1891-1972)

현대무용의 중요한 인물들로, 이들은 함께 데니스쇼운 무용단(Denishawn School of Dancing and Related Arts)을 설립하여 무용 예술의 발전에 크게 기여했다. 그들의 생애, 움직임 특징, 테크닉, 사생활, 추구하는 바, 철학, 주요 작품, 그리고 마지막에 어떻게 되었는지에 대해 자세히 살펴보자.루스 세인트 데니스는 1879 년 미국 뉴욕에서 태어났다. 그녀는 젊은 시절부터 연극과 무용에 관심을 보였으며, 무대에서의 경력을 쌓기 시작했다. 세인트 데니스는 동양 문화와 종교에 깊은 관심을 가지게 되었고, 이는 그녀의 무용 스타일에 큰 영향을 미쳤다.

그녀는 인도, 이집트, 일본 등의 동양 문화에서 영감을 받아 춤을 구성하였다. 그녀의 춤은 주로 팔과 손의 섬세한 동작을 강조하였고, 이는 인도의 고전 무용에서 많은 영향을 받았다. 그녀의 작품은 종종 영적이고 종교적인 주제를 다루었으며, 이를 통해 춤을 통한 영적 메시지를 전달하고자 했다.

그녀의 대표작인 "라다라트리" (Radha)와 "이시스" (Isis)는 이러한 동양적 영감을 반영한 작품들이다.

테드 쇼운은 1891년 미주리주 캔자스시티에서 태어났다. 그는 대학에서 신학을 공부하다가 무용에 매료되어 무용가의 길을 걷기로 결심했다. 쇼운은 세인트 데니스를 만나 그녀의 무용단에 합류하였고, 이후 두 사람은 파트너가 되어 함께 작업하였다. 그들은 1914년에 결혼하였으며, 데니스쇼운 무용단을 설립하여 미국 전역을 순회하며 공연을 펼쳤다.

세인트 데니스와 쇼운의 움직임 특징은 동양적이고 영적인 요소를 강조한 것이었다. 그들의 춤은 정형화된 발레 동작에서 벗어나 자연스럽고 유연한 움직임을 중시하였다. 특히, 세인트 데니스는 팔과 손의 섬세한 동작을 강조하여 춤의 표현력을 높였다. 쇼운은 남성 무용수로서의 역할을 강화하고, 남성 무용의 기술적 발전에 기여하였다.

그들의 테크닉은 다양한 문화의 춤을 수용하고 융합하는 데 중점을 두었다. 데니스쇼운 무용단에서는 발레와 현대무용뿐만 아니라 인도, 일본, 이집트 등의 전통 춤을 교육하며, 무용수들이 다양한 춤 스타일을 익히도록 하였다. 이로 인해 데니스쇼운 무용단은 매우 독창적이고 다채로운 레퍼토리를 갖추게 되었다.

세인트 데니스와 쇼운의 사생활은 예술적 파트너십과 개인적 관계가 얽혀 있었다. 그들은 1914년에 결혼하였으나, 1931년에 별거하게 되었다. 그러나 그들의 예술적 협력은 계속되었으며, 데니스쇼운 무용단은 많은 무용수들에게 큰 영향을 미쳤다. 그들은 무용 예술의 교육과 보급에 헌신하였으며, 많은 제자들을 양성하였다.

그들의 철학은 무용이 단순한 신체적 운동이 아니라 영적이고 예술적인 표현이라는 믿음에 기반하였다. 세인트 데니스는 무용을 통해 영적인 메시지를 전달하고자 했으며, 이는 그녀의 작품에서 잘 나타난다. 쇼운은 남성 무용의 중요성을 강조하며, 남성 무용수들이 강하고 우아한 춤을 출 수 있도록 노력했다.

마지막으로, 루스 세인트 데니스는 1968년 캘리포니아주 헐리우드에서 사망하였고, 테드 쇼운은 1972년 플로리다주 올랜도에서 사망하였다. 그들의 유산은 오늘날에도 현대무용과 무용 교육에 큰 영향을 미치고 있으며, 데니스쇼운 무용단은 미국 현대무용의 기초를 닦는 데 중요한 역할을 했다. 그들은 무용을 통한 예술적 표현과 영적 탐구를 강조하며, 많은 예술가들에게 영감을 주었다.

루스 세인트 데니스와 테드 쇼운의 주요 테크닉은 그들이 추구한 예술적 철학과 밀접하게 연결되어 있다. 이들의 테크닉은 다양한 문화와 전통의 춤을 통합하여 독창적인 무용 스타일을 창조하는 데 중점을 두었다.

마사 그레이엄(Martha Graham, 1894-1991)

현대무용의 혁신자 마사 그레이엄(Martha Graham)은 무용의 역사를 새롭게 쓰며 예술적 경계를 확장시킨 인물이다. 1894 년 미국 펜실베니아주 알레게니에서 태어난 그녀는 어린 시절부터 무용에 관심을 보였다. 1916 년부터 데니샤운 무용단에서 훈련을 받은 후, 자신의 무용단인 마사 그레이엄 댄스 컴퍼니를 설립하여 독자적인 길을 걸었다.

그레이엄의 움직임 특징은 감정의 깊이와 강렬함을 강조한 독창적인 스타일에 있다. 그녀는 신체의 자연스러운 움직임을 중시하며, '수축과 이완(contraction and release)'이라는 독특한 테크닉을 개발했다. 이 테크닉은 근육의 긴장과 이완을 통해 감정의 표현을 극대화하는 방식으로, 신체를 통한 강렬한 감정 표현이 특징

이다. 이러한 움직임은 단순한 신체적 동작을 넘어, 인간의 내면과 감정을 깊이 탐구하고 표현하는 데 중점을 두었다.

그레이엄의 주요 테크닉은 그녀의 철학과 밀접하게 연관되어 있다. '수축과 이완'은 근육의 긴장과 이완을 통해 신체의 에너지를 전달하고, 이를 통해 감정을 표현하는 방식이다. 그녀는 이러한 테크닉을 통해 무용수들이 자신의 신체를 도구로 사용하여 감정과 이야기를 전달할 수 있도록 했다. 그레이엄의 테크닉은 또한 신체의 중심을 중요시하며, 이를 통해 무게중심을 이동하고 균형을 유지하는 동작을 포함한다.

수축과 이완(Contraction and Release)은 현대무용의 선구자인 마사 그레이엄이 개발한 독창적인 테크닉이다. 이 테크닉은 근육의 긴장과 이완을 통해 신체의 에너지를 전달하고, 이를 통해 감정과 내면의 이야기를 표현하는 방식을 중시한다.

마사 그레이엄의 테크닉: 수축과 이완

마사 그레이엄은 무용을 통해 인간의 내면과 감정을 강렬하게 표현하고자 했으며, 이를 위해 '수축과 이완'이라는 독창적인 테크닉을 개발했다. 이 테크닉은 두 가지 주요 특징을 가진다. 수축(Contraction)은 온 동작으로 근육을 긴장시키며 몸을 중심으로 끌어당기는 동작으로, 내면의 갈등, 고통, 긴장 등의 감정을 표현하는 데 사용된다. 반면, 이완(Release)은 근육을 풀어주며 에너지를 외부로 방출하는 동작으로, 해방감, 희망, 자유 등의 긍정적인 감정을 표현하는 데 사용된다.

마사 그레이엄은 무용을 단순한 신체의 움직임이 아닌, 인간의 영혼과 감정을 전달하는 도구로 보았다. 그녀의 '수축과 이완' 테크닉은 이러한 철학을 반영하며, 무용수들이 자신의 신체를 통해 깊은 감정과 이야기를 전달할 수 있도록 했다. 그레이엄의 작품은 종종 강렬한 드라마적 요소와 심리적 깊이를 가지며, 이는 그녀의 테크닉을 통해 더욱 효과적으로 표현되었다. 그레이엄의 유산은 오늘날에도 많은 무용수와 안무가들에게 영감을 주고 있으며, 그녀의 테크닉과 철학은 현대 무용의 중요한 기초로 자리잡고 있다. 그녀는 결혼하지 않았으며, 무용에 전념하는 삶을 살았다. 그녀의 연애 관계는 종종 창작 과정과 얽혀 있었으며, 이는 그녀의 작품에 영향을 미쳤다. 특히, 오랜 파트너였던 에릭 호킨스(Eric Hawkins)와의 관계는 그녀의 작품과 테크닉 발전에 큰 영향을 주었다.

그레이엄이 추구한 바와 철학은 무용을 통한 인간의 내면 탐구와 감정 표현에 있었다. 그녀는 무용이 단순한 신체의 움직임이 아니라, 인간의 영혼과 감정을 전달하는 도구라고 믿었다. 이러한 철학은 그녀의 작품에서도 잘 나타난다.

그레이엄의 대표작으로는 "Appalachian Spring", "Lamentation", "Night Journey" 등이 있으며, 이들 작품은 모두 그녀의 '수축과 이완' 테크닉을 잘 보여준다. 그녀의 혁신적인 접근은 현대무용의 표현력과 예술적 깊이를 확장하는 데 큰 기여를 하였다.

이들 작품은 그레이엄의 테크닉과 철학을 잘 반영하며, 강렬한 감정 표현과 내러티브 구조를 특징으로 한다. 마사 그레이엄은 1991년 뉴욕에서 사망하였으며, 그녀의 유산은 현대무용에 큰 영향을 미쳤다. 그녀는 수많은 무용수와 안무가들에게 영감을 주었으며, 오늘날에도 많은 무용단에서 그녀의 테크닉과 철학을 계승하고 있다. 그레이엄의 작품과 테크닉은 현대무용의 기초를 형성하였으며, 그녀의 혁신적인 접근은 무용 예술의 새로운 가능성을 열어주었다.

도리스 험프리(Doris Humphrey)

1895 년 10 월 17 일 미국 일리노이주 오크 파크에서 태어났다. 그녀는 어린 시절부터 음악과 춤에 깊은 관심을 가졌으며, 이러한 예술적 배경은 어머니가 피아니스트였던 점에서 큰 영향을 받았다. 1917 년에 덴샤운 무용단(Denishawn School of Dancing and Related Arts)에 입단하면서 그녀의 무용 경력은 본격적으로 시작되었다. 덴샤운에서 루스 세인트 데니스(Ruth St. Denis)와 테드 쇼운(Ted Shawn)과 함께 활동하면서 그녀는 무용에 대한 철학과 테크닉을 발전시키기 시

작했다.

험프리의 춤 철학은 중력의 법칙에 기초한 인간의 자연스러운 움직임을 중시했다. 그녀는 '폴 앤 리커버리(fall and recovery)' 테크닉을 개발하였고, 이는 균형과 불균형, 힘과 해방의 변화를 통해 인간 존재의 역동성을 표현하고자 하는 시도였다. 이 테크닉은 무용수의 신체가 중력에 반응하는 방식을 탐구하며, 험프리의 춤에서 중요한 요소로 작용했다.

험프리의 춤은 자연스러운 신체 움직임과 감정 표현, 그리고 집단적 조화에 중점을 두었다. 그녀의 대표작으로는 "Water Study" (1928), "The Shakers" (1931), "With My Red Fires" (1936) 등이 있으며, 이 작품들은 그녀의 혁신적인 춤 철학과 테크닉을 잘 보여준다. "Water Study"는 물의 흐름을 신체 움직임으로 표현하였고, "The Shakers"는 종교 집단의 열정을, "With My Red Fires"는 인간의 열망과 갈등을 다루었다.

험프리는 무용가 찰스 웨이드먼(Charles Weidman)과 긴밀한 협력 관계를 유지하면서 많은 작품을 공동으로 제작하였다. 1944 년에 그녀는 무용에서 은퇴하고 안무와 교육에 전념하기 시작했으며, 후에 줄리아드(Juilliard School) 무용부의 교수로 활동하면서 많은 후배 무용가들을 양성하였다. 그녀는 1958 년 12 월 29 일 세상을 떠났다.

오늘날 험프리의 영향은 현대 무용계에 깊이 뿌리내리고 있다. 그녀의 '폴 앤 리커버리' 테크닉은 여전히 무용 교육의 중요한 부분으로 자리 잡고 있으며, 그녀의 작품들은 현대 무용의 표현력을 확장시키는 데 큰 기여를 하였다. 험프리의 혁신적 접근법은 현대 무용의 발전에 큰 영향을 미치며, 많은 현대 무용가들에게 영감을 주고 있다.

루돌프 본 라반 (Rudolf von Laban)

루돌프 본 라반은 1879 년 헝가리에서 태어나 무용 예술의 혁신자로서 큰 발자취를 남겼다. 처음에는 건축을 공부했으나, 신체의 움직임과 공간의 상호작용에 대한 깊은 관심을 키우면서 춤의 세계로 들어서게 되었다. 라반의 예술적 배경과 건축적 시각은 그가 무용의 공간적 구성과 인간의 움직임을 분석하는 독창적인 접근 방식을 개발하는 데 큰 영향을 미쳤다.

라반의 춤 철학은 인간의 내면 세계와 정서를 자연스럽고 유기적으로 표현하는 데 중점을 두었다. 그는 전통적인 고전 발레의 엄격한 형식을 벗어나, 모든 인간의 움직임이 무용의 한 형태가 될 수 있다는 신념을 가졌다. 이를 바탕으로 라반은 무용을 단순한 신체적 활동이 아닌, 감정과 이야기를 전달하는 중요한 예술

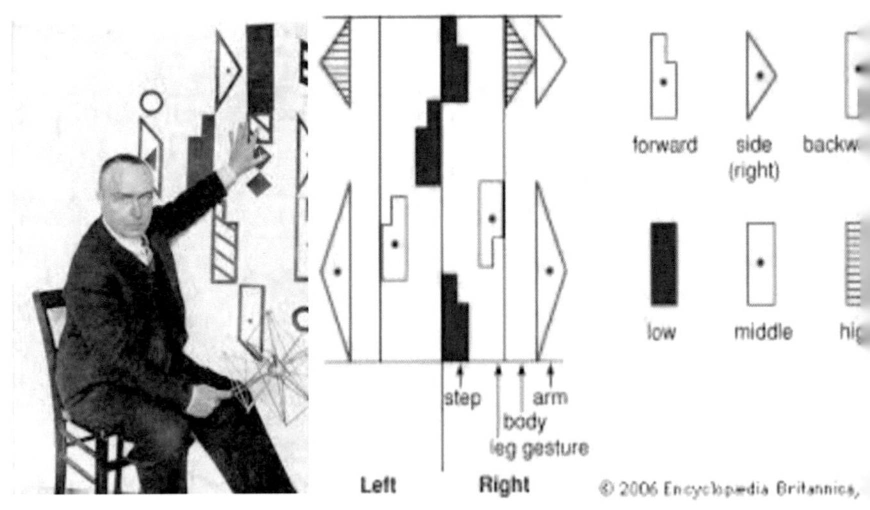

형식으로 발전시켰다.

라반은 1928 년, 인간의 움직임을 기록하고 분석하는 '라반운동기보법(Labanotation)'을 개발하였다. 이 기법은 무용뿐만 아니라 연극, 스포츠, 치료 등

다양한 분야에서 활용되며, 그의 '움직임 분석(Laban Movement Analysis)'은 신체의 움직임을 공간, 시간, 무게, 흐름의 네 가지 요소로 나누어 세밀하게 연구하는 것을 특징으로 한다. 그의 대표작으로는 강렬한 감정과 철학적 메시지를 담고 있는 "녹색 막대기(The Green Table)"가 있으며, 이는 전쟁과 죽음의 주제를 다루고 있다.

라반은 무용 학교와 무용단을 설립하여 수많은 제자를 양성하였고, 그의 교육 철학은 무용 교육에 큰 영향을 미쳤다. 1958 년 영국에서 사망한 그는 무용계에 깊은 유산을 남겼으며, 그의 영향력은 무용뿐만 아니라 다양한 예술과 학문 분야에 걸쳐 지속되고 있다.

라반운동기보법 (Labanotation)

라반운동기보법은 루돌프 본 라반이 개발한 신체 움직임의 체계적 기록 기법으로, 1928 년에 처음 선보였다. 이 기법은 무용가의 움직임을 정확하게 기록하고 재현할 수 있도록 돕는 도구로, 무용뿐만 아니라 신체 언어 연구, 연극, 스포츠 및 물리치료 등 다양한 분야에서 활용되고 있다.

라반운동기보법은 신체 움직임을 네 가지 주요 요소로 기록한다.

• 공간(Spatial): 움직임이 발생하는 공간의 방향과 경로를 기록한다. 라반은 움직임을 상하, 좌우, 앞뒤의 3 차원 공간으로 구분하여 기록하며, 각 방향은 고유한 기호로 표시된다.

• 시간(Temporal): 움직임의 속도와 리듬을 기록한다. 이는 길이와 위치로 표시되며, 특정 박자나 시간 단위 내에서의 움직임을 명확히 나타낸다.

•무게(Weight): 움직임의 힘과 강도를 기록한다. 이는 가벼운 움직임과 무거운 움직임을 구분하는 기호로 표현된다.

• 흐름(Flow): 움직임의 유연성 또는 긴장을 기록한다. 이는 자유롭게 흐르는 움직임과 통제된 움직임을 구분하는 기호로 표시된다.

라반운동기보법은 세로선으로 구분된 기호를 사용하여 신체의 중심선을 나타내고, 각 기호는 신체의 특정 부위와 연결된다. 예를 들어, 팔의 움직임은 중심선의 특정 위치에서 시작하여 팔의 방향과 경로를 나타내는 기호로 기록된다. 이 체계는 무용뿐만 아니라 신체의 움직임을 과학적으로 분석하고 체계화하는 데 중점을 두며, 복잡한 신체 움직임을 정밀하게 기록하고 분석할 수 있도록 설계되었다.

라반운동기보법은 무용 교육과 연구, 물리치료, 스포츠 과학 등 다양한 분야에서 널리 사용되며, 무용가와 안무가들은 이 기법을 통해 복잡한 춤 동작을 정확하게 기록하고 재현할 수 있다. 이는 새로운 작품의 창작과 교육 과정에서 중요한 도구로 사용되며, 인간의 신체 움직임을 과학적으로 이해하고 표현하는 데 큰 기여를 하고 있다. 라반운동기보법은 현대 무용과 신체 움직임 연구에 큰 영향을 미쳤으며, 오늘날에도 중요한 무용 예술의 한 부분으로 자리 잡고 있다.

마리 뷔그만(Mary Wigman)

1886 년 11 월 13 일 독일 하노버에서 태어났다. 그녀는 유년 시절부터 춤에 대한 열정을 품었지만, 본격적으로 춤을 추게 된 계기는 스위스의 무용가이자 교육자인 루돌프 폰 라반을 만나면서부터 였다. 라반의 자유롭고 표현적인 무용 스타일은 뷔그만에게 깊은 인상을 주었고, 그녀는 라반의 제자가 되어 춤을 배우기 시작했다.

마리 뷔그만은 독일 표현주의 무용의 선구자로, 그녀의 춤은 깊은 감정적 표현과 강렬한 신체 언어로 유명하다. 뷔그만의 춤은 전통적인 발레의 엄격한 형식에서 벗어나, 인간의 내면 세계와 본능적인 감정을 탐구하고자 했다. 뷔그만의 춤 철학은 인간의 감정과 내면의 표현에 중점을 두었다. 그녀는 춤을 통해 인간 존재의 깊은 고통, 기쁨, 두려움, 그리고 열정을 탐구했다. 그녀는 춤을 통해 인간의 깊은 감정과 본능적인 반응을 탐구하고자 했으며, 이를 위해 기존의 발레 테크닉에서 벗어나 보다 자유롭고 표현적인 움직임을 추구하였다. 그녀는 무용이 단순한 신체의 움직임을 넘어서 영혼의 표현이어야 한다고 믿었다.

뷔그만의 춤은 감정의 강렬함과 극적인 표현이 특징이다. 그녀는 신체의 긴장과 이완, 그리고 동작의 급격한 변화를 통해 강한 감정적 반응을 이끌어냈다. 뷔그만은 춤에서 전통적인 음악적 리듬 대신, 드럼이나 타악기를 사용하여 무겁고 강렬한 분위기를 조성하였다. 그녀의 춤은 마스크를 사용하여 익
명성과 감정의 표출을 극대화하였고, 이를 통해 관객에게 깊은 인상을 남겼다.
그녀의 춤은 무거운 발판, 갑작스러운 동작, 그리고 무겁고 끊어지는 리듬을 특징으로 한다. 이러한 스타일은 그녀의 대표작인 "Hexentanz" (마녀의 춤)에서 잘 드러난다. 이 작품은 어둡고 강렬한 분위기로 관객에게 강한 인상을 남겼다.
그녀는 드레스덴에 무용 학교를 설립하여 많은 제자를 양성하였고, 독일 표현주의 무용의 발전에 크게 기여하였다. 1942 년에 그녀는 건강 악화로 인해 무대에서 은퇴하였지만, 이후에도 무용 교육과 안무 활동을 계속하였다. 뷔그만의 춤은 단순한 신체의 움직임을 넘어, 인간의 내면과 감정을 깊이 탐구하는 예술적 시도로서, 현대 무용의 새로운 가능성을 열어주었다. 마리 뷔그만은 1973 년 독일 베를린에서 생을 마감하였다. 그녀의 사후에도 그녀의 영향력은 지속되었으며, 오늘날에도 현대 무용에 큰 영향을 미치고 있다. 그녀의 혁신적인 춤 철학과 표현 기법은 많은 무용가들에게 영감을 주었으며, 현대 무용의 표현력과 감정 전달 방식을 확장하는 데 중요한 역할을 하였다. 뷔그만의 유산은 그녀의 제자들과 현대 무용 커뮤니티를 통해 계속해서 이어지고 있다.

호세 리몬(José Limón, 1908-1972)

멕시코 출신의 무용가이자 안무가로, 현대 무용의 중요한 인물 중 하나로 평가받는다. 그는 1908 년 멕시코 쿠리디아칸에서 태어나 어린 시절 가족과 함께 미국으로 이주했다. 원래 미술을 공부하던 리몬은 1928 년에 도리스 험프리(Doris Humphrey)와 찰스 웨이드먼(Charles Weidman)의 공연을 보고 깊은 감명을 받아

무용의 길로 들어섰다. 리몬의 춤 철학은 인간의 감정과 경험을 깊이 있게 탐구하고 표현하는 데 중점을 두었다. 그는 춤을 통해 인간 존재의 복잡성과 아름다움을 표현하고자 했다.

리몬의 테크닉은 몸을 근육의 조절로 가능 해질 수 있는 신체의 명확성과 과감성을 연구하여 오케스트라에 비유한 것이 특징이다. 그 과정으로 그는 우선 인체의 각 부분을 분리시켜 부위마다 특별한 가능성을 찾아내었고 다음으로 조화로운 움직임을 위해 무게 중심의 이동과 힘에 대한 조절 능력으로 박자의 변화를 통하여 동작을 표현했다. 그는 신체의 각 부분이 서로 다른 악기처럼 협력하여 하

나의 조화로운 움직임을 만들어낸다고 보았다. 그는 우리 몸의 각 부분에 내재되어 있는 동작의 가능성을 끊임없이 찾아 내고자 했다. 그는 인간의 몸은 진실을 표현하기 위해서 존재한다고 생각했으며 절대로 잊어서는 안 될 가장 기본적이고 중요한 원리로써 힘과 아름다움과 다양함을 표현할 수 있는 동작들은 인간의 조직의 중심으로부터 나와야 한다는 점을 강조하였다. 머리가 움직일 수 있는 궤도 안에서 움직임으로써 복잡하고 끊임없는 다양성을 부여해 전체 춤에 창조성과 상상력을 주도록 해야 한다. 또한 가슴은 호흡을 들이마심으로써 공허하게 도리 수 있으며 호흡은 동작의 비옥한 원천이라고 했다. 골반은 신체 중에서 지구의 중력과 완벽한 조화를 이루는 강력하고 아름다운 기둥으로써 신체를 특화할 수 있다고 했으며 무릎은 춤의 극적언어에 있어서 굉장한 역설을 주고 발 사용은 춤은 모든 철학을 나타낸다고 하였다. 신체의 소리 중에서 가장 웅변적인 것 중 하나를 손이라고 보았으며 손의 기능은 동작에 완성을 부여한다 라고 하였다. 신체 사용은 춤 리몬 테크닉의 원리는 중력에 대한 신체의 반응과 균형, 그리고 신체의 무게를 활용한 자연스러운 움직임을 강조한다. 이 테크닉은 '폴 앤 리커버리(fall and recovery)'를 바탕으로 하여, 신체가 중력에 의해 떨어지고 다시 회복하는 과정을 통해 움직임의 시작과 끝을 자연스럽게 연결한다. 또한 레벨의 변화를 통해 움직임의 높낮이를 다양하게 활용하여 공간적 깊이와 역동성을 창출한다. 흐름과 힘의 변화를 통해 움직임의 흐름과 힘의 강도를 조절하여 감정의 강도를 표현한다.

리몬의 춤은 강렬한 감정 표현과 서사적 요소가 특징이다. 그는 무용을 통해 인간의 내면과 감정을 시각적으로 전달하고자 했으며, 이를 위해 신체의 자연스러운 움직임과 감정적 강도를 중요시했다. 리몬의 작품은 종종 인간의 본성과 갈등, 도덕적 딜레마 등을 주제로 삼았다. 대표작으로는 "The Moor's Pavane" (1949),

"There is a Time" (1956), "Missa Brevis" (1958) 등이 있으며, 이들 작품은 인간 감정의 복잡성을 춤으로 표현한 걸작들이다.

1946 년 자신의 무용단인 호세 리몬 댄스 컴퍼니(José Limón Dance Company)를 설립하여 많은 무용가들을 양성했다. 그는 무용 교육에도 열정을 쏟았으며, 줄리아드 학교에서 교수로 재직하며 많은 제자들에게 영향을 미쳤다. 리몬은 1972 년 12 월 2 일, 뉴욕에서 사망했다.

오늘날 리몬의 영향은 여전히 크다. 그의 독창적인 춤 철학과 테크닉은 현대 무용 교육의 중요한 부분으로 자리 잡고 있으며, 그의 작품들은 많은 무용단에 의해 지속적으로 공연되고 있다. 리몬의 유산은 무용 예술의 감정적 깊이와 표현력을 확장하는 데 큰 기여를 했으며, 그의 혁신적인 접근은 오늘날의 많은 무용가들에게 영감을 주고 있다.

에릭 호킨스(Erick Hawkins, 1909-1994)

미국 출신의 무용가이자 안무가로, 현대 무용의 발전에 큰 기여를 한 인물이다. 그는 1909 년 콜로라도주 트리니다드에서 태어났으며, 하버드 대학교에서 고전문학을 전공하던 중 무용에 대한 관심을 가지게 되었다. 졸업 후 뉴욕으로 이주하여 마사 그레이엄(Martha Graham)과 루이 호스트(Louis Horst)와 같은 주요 무용가들과 함께 훈련을 받으며 춤의 길로 들어섰다.
호킨스의 춤 철학은 자연스러운 신체 움직임과 내면의 표현을 중시하는 데 있었다. 그는 무용이 인간의 자연스러운 움직임과 조화를 이루어야 한다고 믿었으며, 이를 통해 신체의 에너지를 자유롭게 발산할 수 있어야 한다고 생각했다. 호킨스는 춤이 인위적이고 과장된 동작보다는 자연스러운 흐름과 리듬을 통해 진정한 감정을 표현할 수 있다고 보았다.
호킨스의 테크닉은 신체의 자연스러운 움직임을 강조하는 데 초점을 맞추었다. 그는 근육의 긴장과 이완, 신체의 유연성과 균형을 중요시하였으며, 이를 통해 무용수가 자신의 신체를 최대한 활용할 수 있도록 했다. 호킨스는 신체의 각 부분이 자연스럽게 움직이며 조화를 이루도록 하는 테크닉을 개발하였다.
그의 춤은 자연스러움과 유기적 움직임이 특징이다. 호킨스는 과장된 동작이나 극적인 표현을 피하고, 신체의 자연스러운 흐름과 리듬을 통해 무용의 아름다움을 추구하였다. 대표작으로는 "Plains Daybreak" (1979), "Early Floating" (1961), "Here and Now with Watchers" (1957) 등이 있으며, 이들 작품은 모두 호킨스의 철학과 테크닉을 잘 반영하고 있다.
에릭 호킨스의 작품 **"이제 감상자와 함께" (Here and Now with Watchers)**는 1957 년에 초연된 현대 무용 작품으로, 그의 독창적인 춤 철학과 테크닉을 잘 보여주는 대표작 중 하나이다. 이 작품은 신체의 자연스러운 움직임과 내면의 감정을 탐구하며, 관객과의 직접적인 상호작용을 통해 무용의 새로운 가능성을 모색하였다.

호킨스는 무용이 인위적이고 과장된 동작보다는 자연스러운 흐름과 리듬을 통해 진정한 감정을 표현할 수 있다고 믿었다. "이제 감상자와 함께"는 이러한 철학을 바탕으로, 무용수들이 자신의 신체를 자유롭게 움직이며 감정과 에너지를 표현하도록 한다. 호킨스의 테크닉은 근육의 긴장과 이완, 신체의 유연성과 균형을 중요시하며, 이를 통해 무용수들이 자연스럽고 유기적인 움직임을 보여줄 수 있게 한다.

"이제 감상자와 함께"는 신체의 자연스러운 움직임과 감정적 표현을 중심으로 한 작품이다. 호킨스는 이 작품에서 무대와 관객의 경계를 허물고, 관객을 무대의 일부분으로 끌어들이는 시도를 하였다. 이는 관객이 단순히 감상자가 아니라, 무용수와 함께 작품의 일원이 되는 경험을 제공한다.

이 작품은 무용수들의 자연스러운 움직임과 감정 표현을 해 관객과의 깊은 교감을 추구하였다.

작품은 여러 개의 에피소드로 구성되어 있으며, 각 에피소드에서는 무용수들이 다양한 감정과 이야기를 신체의 움직임을 통해 표현한다. 무용수들은 서로 상호작용하며, 공간을 자유롭게 이동하면서 다양한 레벨과 리듬을 사용하여 무대 위에서 다채로운 시각적 이미지를 만들어낸다. 호킨스는 이 작품을 통해 무용이 단순한 퍼포먼스가 아니라, 무용수와 관객 모두에게 깊은 감동과 통찰을 제공하는 예술적 경험임을 강조하였다.

에릭 호킨스는 1994 년 뉴욕에서 사망하였다. 그의 유산은 오늘날에도 현대 무용계에 큰 영향을 미치고 있다. "이제 감상자와 함께"는 그의 철학과 테크닉을 잘 보여주는 작품으로, 현대 무용의 새로운 가능성을 탐구하는 데 중요한 역할을 하였다. 호킨스의 자연스러운 움직임과 내면의 표현을 중시하는 철학은 많은 무용가들에게 영감을 주었으며, 그의 작품과 테크닉은 현대 무용 교육의 중요한 부분으로 자리잡고 있다.

호킨스는 마사 그레이엄과 결혼하여 그녀와 함께 많은 작품을 제작했으나, 1951 년 이혼하였다. 이후 그는 자신의 무용단인 에릭 호킨스 댄스 컴퍼니(Erick Hawkins Dance Company)를 설립하여 독립적인 예술 활동을 이어갔다. 호킨스는 자신의 무용 철학과 테크닉을 전파하며 많은 제자들을 양성하였다.

에릭 호킨스는 1994 년 뉴욕에서 사망하였다. 그의 유산은 오늘날에도 현대 무용계에 큰 영향을 미치고 있다. 호킨스의 자연스러운 움직임과 내면의 표현을 중시하는 철학은 많은 무용가들에게 영감을 주었으며, 그의 테크닉은 현대 무용 교육의 중요한 부분으로 자리잡고 있다. 호킨스의 작품과 철학은 오늘날에도 무용 예술의 다양성과 표현력을 확장하는 데 기여하고 있다.

찰스 웨이드먼(Charles Weidman, 1901-1975)

미국의 현대 무용가이자 안무가로, 도리스 험프리(Doris Humphrey)와 함께 현대 무용의 발전에 큰 기여를 했다. 그는 1901 년 네브래스카주 링컨에서 태어났다. 웨이드먼이 춤을 추게 된 계기는 어린 시절에 본 무용 공연에서 깊은 감명을 받은 후, 무용에 대한 열정을 키우게 된 것이었다. 그는 1920 년 덴샤운 무용단(Denishawn School of Dancing and Related Arts)에 입단하여 루스 세인트 데니스(Ruth St. Denis)와 테드 쇼운(Ted Shawn)에게서 무용을 배웠다.

웨이드먼의 춤 철학은 인간의 일상적인 움직임과 감정의 표현에 중점을 두었다. 그는 춤이 인간의 삶과 감정을 반영하는 자연스러운 예술 형태라고 믿었으며, 이를 바탕으로 독창적인 테크닉을 개발하였다. 그의 테크닉은 중력과 균형을 활용한 움직임, 그리고 감정 표현을 위한 신체의 자연스러운 사용을 강조하였다. 웨이드먼은 일상적인 동작을 예술적 움직임으로 승화시키는 데 탁월한 능력을 발휘하였다.

웨이드먼의 춤은 유머와 서사적 요소가 특징이다. 그는 종종 사회적 주제나 인간의 감정을 다룬 작품을 창작했으며, 그의 춤에는 풍자와 감정의 깊이가 녹아있다. 대표작으로는 "Lynchtown" (1936), "Flickers" (1941), "On My Mother's Side" (1940) 등이 있다. "Lynchtown"은 린치 폭력에 대한 강렬한 비판을 담고 있으며, "Flickers"는 무성 영화를 춤으로 재현한 작품이다. "On My Mother's Side"는 그의 개인적인 가족사와 감정을 탐구한 작품이다. 웨이드먼은 도리스 험프리와 오랫동안 파트너 관계를 유지하며 많은 작품을 공동으로 제작하였다.

그들은 1928 년 험프리-웨이드먼 무용단(Humphrey-Weidman Dance Company)을 설립하여 미국 전역을 순회하며 현대 무용을 보급하였다. 웨이드먼은 험프리가 건강 문제로 은퇴한 후에도 자신의 무용단을 운영하며 안무와 교육에 헌신하였다.

찰스 웨이드먼은 1975 년 뉴욕에서 사망하였다. 그의 유산은 오늘날에도 현대 무용계에 큰 영향을 미치고 있다. 웨이드먼의 자연스러운 움직임과 감정 표현을 중시하는 철학은 많은 무용가들에게 영감을 주었으며, 그의 작품과 테크닉은 현대 무용 교육의 중요한 부분으로 자리잡고 있다. 웨이드먼의 작품은 오늘날에도 무용 예술의 다양성과 표현력을 확장하는 데 기여하고 있으며, 그의 혁신적인 접근은 현대 무용의 발전에 중요한 기여를 하고 있다.

알빈 에일리(Alvin Ailey, 1931-1989)

미국의 무용가이자 안무가로, 현대 무용과 아프리카계 미국인 문화의 발전에 큰 기여를 한 인물이다. 그는 1931 년 텍사스주 로저에서 태어났다. 어린 시절 어머니와 함께 로스앤젤레스로 이주한 에일리는 카트린 던햄(Katherine Dunham)과 마사 그레이엄(Martha Graham) 등 선구적인 무용가들의 공연을 보며 춤에 대한 꿈을 키우게 되었다. 특히, 1949 년 로스앤젤레스의 레스터 호튼(Lester Horton) 무용단에 입단하면서 본격적으로 무용가의 길을 걷게 되었다.

에일리의 춤 철학은 자신의 문화적 뿌리와 정체성을 춤을 통해 표현하는 것이었

다. 그는 아프리카계 미국인의 역사와 문화를 무대 위에서 재현하고자 하였으며, 이를 위해 다양한 춤 스타일과 음악을 결합했다. 그의 테크닉은 호튼 테크닉을 바탕으로 하여, 강렬한 감정 표현과 역동적인 움직임을 강조하였다. 에일리는 춤을 통해 인간의 고통, 기쁨, 희망을 전달하고자 했다.

에일리의 춤은 강렬한 감정 표현과 스토리텔링이 특징이다. 그의 대표작인 "Revelations" (1960)은 아프리카계 미국인의 영적 여정을 주제로 하여, 복음성가와 블루스를 배경으로 한 강렬한 감동을 선사한다. 이 작품은 에일리의 가장 유명한 작품 중 하나로, 오늘날까지도 전 세계에서 공연되고 있다. 다른 대표작으로는 "Cry" (1971), "Blues Suite" (1958), "Night Creature" (1974) 등이 있다. 이들 작품은 모두 아프리카계 미국인의 경험과 문화를 깊이 있게 다루고 있다.

자신의 성적 지향을 밝히지 않았지만, 그는 동성애자로 알려져 있었다. 그의 개인적인 삶은 종종 그의 작품에 반영되었으며, 그의 정체성과 경험은 그의 안무에 중요한 영향을 미쳤다. 에일리는 평생 독신으로 지냈 으며, 무용과 안무에 전념하였다. 알빈 에일리는 1989 년 에이즈 관련 합병증으로 인해 58 세의 나이로 세상을 떠났다. 그의 사망 이후에도, 알빈 에일리 아메리칸 댄스 시어터(Alvin Ailey American Dance Theater)는 그의 유산을 이어받아 현대 무용과 아프리카계 미국인 문화를 세계에 알리고 있다. 오늘날 에일리의 영향은 여전히 크다. 그의 작품과 철학은 많은 무용가들에게 영감을 주었으며, 현대 무용의 중요한 부분으로 자리 잡고 있다. 에일리의 유산은 그의 무용단을 통해 지속되고 있으며, 그의 혁신적인 접근은 무용 예술의 다양성과 표현력을 확장하는 데 기여하고 있다.

머스 커닝햄(Merce Cunningham, 1919-2009)

머스 커닝햄(Merce Cunningham, 1919-2009)은 현대 무용의 혁신적인 선구자 중 한 명으로, 미국 워싱턴주 센트럴리아에서 태어났다. 커닝햄은 어린 시절부터 무용에 대한 열정을 가졌으며, 1937 년 시애틀 예술관에서 마사 그레이엄(Martha Graham)의 공연을 보고 깊은 인상을 받으면서 본격적으로 무용을 공부하게 되었다. 이후 코넬리아 포어학교에서 무용을 공부하고, 1939 년에는 마사 그레이엄 무용단에 합류하여 활동하기 시작했다.

커닝햄의 춤 철학은 무용과 음악의 독립성에 중점을 두었다. 그는 무용이 음악에 종속되지 않고 독립적으로 존재할 수 있어야 한다고 믿었으며, 이를 위해 작곡가 존 케이지(John Cage)와 협력하여 무작위성(chance)을 안무에 도입했다. 이 기법은 무용수들이 동작을 무작위로 선택하게 함으로써, 예술적 창의성을 극대화하는 방식이었다. 커닝햄의 테크닉은 근육의 사용, 균형, 신체의 정렬 등을 중시하며,

신체의 각 부분이 독립적으로 움직일 수 있도록 훈련하는 것이 특징이다.

그의 대표작으로는 "Summerspace" (1958), "RainForest" (1968), "BIPED" (1999) 등이 있으며, 이 작품들은 무용수의 움직임이 음악이나 무대 디자인과 독립적으로 존재하면서도 조화를 이루는 방식을 보여준다. 특히, "RainForest"는 앤디 워홀(Andy Warhol)의 무대 디자인과의 협업을 통해 시각 예술과 무용의 융합을 극대화한 작품으로 유명하다.

커닝햄의 우연기법은 현대 무용의 안무에서 무작위성과 우연을 도입하여 예술적 창의성을 극대화하는 혁신적인 접근이었다. 이 기법은 커닝햄과 그의 파트너였던 존 케이지에 의해 개발되었으며, 주사위나 동전 던지기와 같은 무작위 방법을 사용하여 안무의 순서, 동작, 공간적 배치를 결정하였다. 이를 통해 무용수들은 기존의 습관에서 벗어나 새로운 움직임을 탐구하고, 예측 불가능한 구성과 자연스러운 흐름을 만들어냈다.

커닝햄은 또한 무용과 음악을 독립적으로 창작하고 결합하는 방식을 사용하였다. 무용수들은 음악 없이 안무를 연습하고, 음악가들은 무용을 보지 않고 작곡함으로써, 무용과 음악이 각각 독립적으로 존재하면서도 함께 조화를 이루는 독특한 형태의 예술 작품을 만들어냈다. 그는 전통적인 서사 구조를 배제하고, 움직임 자체에 집중하여 관객이 무용의 순수한 형태를 감상할 수 있도록 했다.

머스 커닝햄의 혁신적인 접근은 현대 무용뿐만 아니라 음악, 연극, 비주얼 아트 등 다양한 예술 분야에 큰 영향을 미쳤다. 그의 작품과 우연기법은 예술가들이 새로운 가능성을 탐구하고, 전통적인 예술 창작 방식을 재고하는 데 중요한 영감을 제공했다. 커닝햄의 유산은 그의 작품과 교육을 통해 계속 이어지고 있으며, 그의 혁신적인 접근법은 무용 예술의 다양성과 표현력을 확장하는 데 기여하고 있다.

머스 커닝햄은 현대 무용의 경계를 넓힌 혁신적인 안무가로, 그의 우연기법과 무용-음악의 독립성 철학은 많은 무용가와 예술가들에게 지속적인 영향을 미치고 있다. 그의 작품들은 오늘날에도 현대 무용의 중요한 부분으로 자리 잡고 있으며, 커닝햄의 예술적 유산은 무용계와 예술계 전반에 걸쳐 깊은 영향을 주고 있다.

우연기법의 특징

1. **예측 불가능성**: 우연기법은 주사위나 동전 던지기와 같은 무작위 방법을 사용하여 안무의 순서, 동작, 공간적 배치를 결정한다. 이로 인해 예측할 수 없는 움직임과 구성이 나타나며, 무용수와 관객 모두에게 새로운 경험을 제공한다. 무작위적인 요소들은 관습적인 동작의 틀에서 벗어나, 무용수들이 새로운 움직임을 탐구하고 이를 통해 창의적인 표현을 극대화할 수 있게 한다.

2. **창의성의 극대화**: 정해진 틀과 규칙에서 벗어나 자유롭게 움직일 수 있도록 하는 것이 우연기법의 핵심이다. 무용수들은 무작위적인 결정에 따라 새로운 동작을 탐구하며, 이는 창의성을 극대화하고 안무에 독창적인 요소를 추가한다. 커닝햄은 이러한 방식으로 무용수들이 고정된 동작 패턴에서 벗어나, 보다 유연하고 창의적인 움직임을 표현할 수 있도록 장려했다.

3. **자연스러운 흐름**: 무작위적인 요소들이 결합되어 자연스럽고 유기적인 움직임을 만들어낸다. 커닝햄의 우연기법은 복잡한 구조와 기하학적 패턴을 통해, 무용수들이 신체의 각 부분을 독립적으로 움직이면서도 조화를 이루는 방식으로 구성된다. 이러한 접근법은 전통적인 안무와는 다
른 새로운 무용의 형태를 제시한다.

커닝햄의 우연기법은 무용과 음악의 독립성을 중시했다. 무용수들은 음악 없이 안무를 연습하고, 음악가들은 무용을 보지 않고 작곡함으로써, 무용과 음악이 독립적으로 존재하면서도 함께 조화를 이루는 작품을 창출했다. 이로 인해 무용과 음악이 각각 독립적으로 표현되면서도 상호 보완적인 관계를 형성하게 되었다.

우연기법의 영향

오늘날 커닝햄의 우연기법은 현대 무용뿐만 아니라 음악, 연극, 비주얼 아트 등 다양한 예술 분야에 큰 영향을 미치고 있다. 그의 접근법은 예술가들이 전통적인 창작 방식을 재고하고, 새로운 가능성을 탐구하는 데 중요한 영감을 제공했다. 커닝햄의 작품들은 그가 제시한 무작위성과 자유로운 표현을 통해 현대 무용의 다양성과 혁신을 추구하는 데 중요한 역할을 했다.

커닝햄의 유산은 그의 작품과 교육을 통해 지속적으로 이어지고 있으며, 그의 혁신적인 접근은 무용 예술의 표현력과 다양성을 확장하는 데 기여하고 있다. 커닝햄의 우연기법은 현대 예술에서 계속해서 새로운 길을 열어가며, 많은 예술가와 무용단들에게 영감을 주고 있다. 그의 기법은 전통적인 규범을 넘어 새로운 예술적 가능성을 모색하는 모든 분야에서 계속해서 중요한 역할을 하고 있다.

얼윈 니콜라이(Alwin Nikolais, 1910-1993)

미국의 무용가이자 안무가, 무대 디자이너, 작곡가로, 현대 무용의 혁신적인 인물로 평가받는다. 그는 1910년 코네티컷주 서드베리에서 태어났으며, 어린 시절 피아노를 배우면서 음악과 예술에 대한 관심을 키웠다. 무용에 대한 그의 관심은 1930년대 초, 연극 배우로 활동하던 중 마리 램버트(Marie Lambert)의 현대 무용 공연을 본 후 깊은 감명을 받으면서 시작되었다. 이후 니콜라이는 무용과 안무, 음악, 무대 디자인 등 다방면에서 예술적 재능을 발휘하게 되었다.

니콜라이의 춤 철학은 종합 예술(total theater) 개념을 바탕으로 한다. 그는 무용을 단순한 신체의 움직임이 아닌, 음악, 조명, 무대 디자인, 의상 등 모든 요소가 결합된 종합 예술로 보았다. 이러한 철학은 무용수의 신체를 확장하여 무대 전체를 하나의 시각적이고 청각적인 경험으로 만드는 데 중점을 두었다. 니콜라이는 무용수들이 신체를 통해 다양한 형상과 이미지를 창출하도록 지도하였다.

니콜라이의 테크닉은 움직임의 추상성을 강조하였다. 그는 무용수들이 특정 감정이나 서사를 표현하기보다는 신체의 형태와 움직임 자체에 집중하도록 했다. 이를 위해 그는 주로 근육의 긴장과 이완, 신체의 균형과 불균형, 그리고 공간 속에서의 움직임을 활용하였다. 그의 안무는 종종 조명과 영상, 혁신적인 무대 장치를 사용하여 시각적 효과를 극대화하였다.

얼윈 니콜라이(Alwin Nikolais)의 작품 세계는 초아방가르드적 특성을 띠며, 이는 그가 현대 무용과 무대 예술에 혁신적인 접근을 했기 때문이다. 그의 작품은 단순한 춤 이상의 종합 예술(total theater)을 지향하며, 무용, 음악, 조명, 무대 디자인, 의상 등을 하나로 통합하여 다채로운 시각적, 청각적 경험을 제공한다. 이러한 초아방가르드적인 작품 세계는 여러 요소의 창의적 결합을 통해 형성되었다. 니콜라이는 무용을 단순한 신체의 움직임으로 보지 않았다. 그는 음악, 조명, 무대 디자인, 의상 등 모든 요소가 결합된 종합 예술을 창조하였다. 이는 무용수의 신체를 확장하여 무대 전체를 하나의 시각적이고 청각적인 경험으로 만드는 데 중점을 두었다. 그는 무용수들이 특정 감정이나 서사를 표현하기보다는, 신체의 형태와 움직임 자체에 집중하도록 했다. 이러한 접근은 무용이 단순히 이야기를 전달하는 도구가 아닌, 예술적 표현의 한 형태로서의 가능성을 확장시켰다.

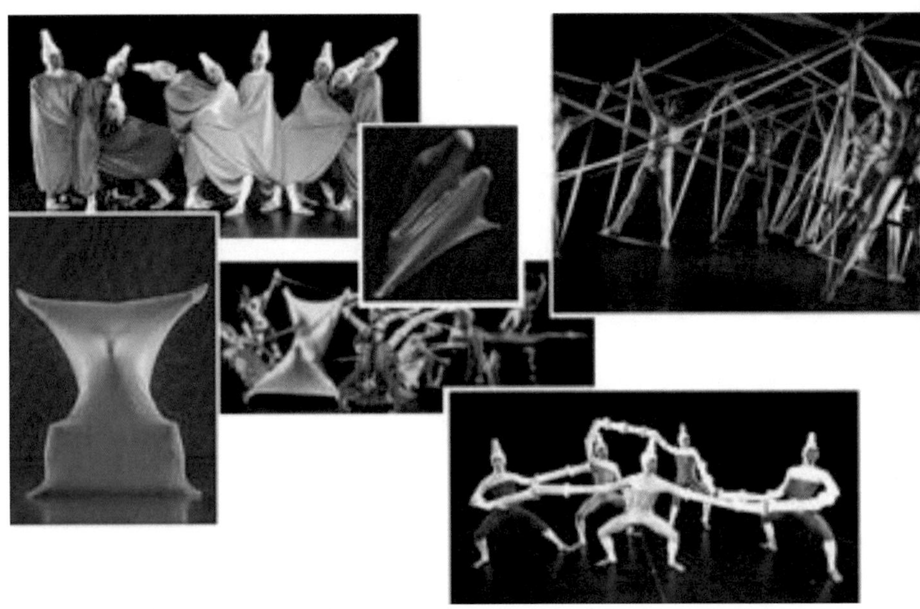

니콜라이는 조명과 무대 장치를 활용하여 무용의 시각적 효과를 극대화하였다. 그의 작품 "Tensile Involvement" (1955)은 무대에 설치된 다채로운 끈과 조명을 통해 무용수들의 움직임을 강조하고, 공간의 변화를 시각적으로 표현하였다. 또한, "Noumenon" (1953)에서는 무용수들이 천으로 감싸인 상태에서 움직이며, 인간의 형태를 추상적으로 변형시켜 표현하였다. 이러한 무대 장치와 조명의 활용은 그의 작품을 더욱 독창적이고 초아방가르드하게 만들었다.

니콜라이의 작품은 시각적이고 청각적인 풍부함이 특징이다. 그는 무용수들이 무대에서 다양한 소품과 함께 움직이며, 조명과 영상의 변화를 통해 다양한 이미지를 만들어내는 방식을 자주 사용하였다. 그의 작품은 추상적이고 비서사적인 구조를 지니며, 관객에게 다양한 해석의 여지를 남겼다. 이는 관객이 각자의 경험과 감정에 따라 작품을 해석할 수 있도록 하였다.

니콜라이는 평생 독신으로 지내며, 무용과 예술에 전념하였다. 그는 루이스 호르스트(Louis Horst)와 마사 그레이엄(Martha Graham) 등과 함께 일하며 현대 무용의 기초를 다졌고, 자신의 무용단인 니콜라이 댄스 시어터(Nikolais Dance Theatre)를 설립하여 많은 제자를 양성하였다.

얼윈 니콜라이는 1993 년 뉴욕에서 사망하였다. 그의 유산은 오늘날에도 현대 무용계에 큰 영향을 미치고 있다. 니콜라이의 종합 예술 철학과 추상적 움직임 테크닉은 많은 무용가와 안무가들에게 영감을 주었으며, 현대 무용의 중요한 부분으로 자리 잡고 있다. 그의 혁신적인 접근은 무용 예술의 다양성과 표현력을 확장하는 데 기여하였으며, 그의 작품과 교육은 오늘날에도 계속해서 현대 무용의 발전에 중요한 역할을 하고 있다.

오늘날 니콜라이의 영향은 현대 무용과 무대 예술에 깊이 뿌리내리고 있다. 그의 종합 예술 철학과 추상적 움직임 테크닉은 많은 무용가와 안무가들에게 영감을 주었으며, 현대 무용의 중요한 부분으로 자리 잡고 있다. 그의 혁신적인 접근은 무용 예술의 다양성과 표현력을 확장하는 데 기여하였으며, 그의 작품과 교육은 오늘날에도 계속해서 현대 무용의 발전에 중요한 역할을 하고 있다. 니콜라이의 작품 세계는 그가 추구했던 초아방가르드적 예술의 가능성을 여전히 탐구하게 한다.

포스트모더니즘

1. **모더니즘의 한계**와 이에 대한 반발이 주요 요인 중 하나였다. 모더니즘은 합리성과 진보, 과학적 사고를 중시하며 강한 규범성과 통일성을 추구했으나, 이는 점차 많은 이들에게 경직되고 독선적으로 느껴졌다. 이러한 배경에서 다양한 관점과 해석 가능성을 강조하는 포스트모더니즘이 대두되었다.

2. 제2차 세계대전 이후 **급격한 사회적, 정치적 변화**가 포스트모더니즘의 등장에 큰 영향을 미쳤다. 식민지의 독립, 시민권 운동, 페미니즘, 냉전의 긴장 등은 기존 이념과 체계가 더 이상 유효하지 않다는 인식을 확산시켰다. 포스트모더니즘은 이러한 다원적이고 복잡한 사회 현실을 반영하여 등장했다.

3. **기술과 매체의 발전**도 포스트모더니즘의 형성에 중요한 역할을 했다. 텔레비전, 영화, 인터넷 등 새로운 매체의 발전은 정보와 이미지의 대량 생산과 소비를 가능하게 했으며, 이는 현실과 가상의 경계를 모호하게 만들었다. 포스트모더니즘은 이러한 매체 환경에서 **다원적이고 혼합적**인 표현 방식을 채택하였다.

4. **자본주의와 소비문화의 확산**은 포스트모더니즘의 발생을 촉진시켰다. 대중문화와 상업예술이 주류 문화로 부상하면서 고급 예술과 대중 예술의 경계가 흐려졌다. 포스트모더니즘은 이러한 경계 허물기를 수용하며, 다양한 문화적 요소를 혼합하여 표현하는 방식을 채택했다.

5. **철학적 변화** 또한 포스트모더니즘의 발생에 큰 영향을 미쳤다. 구조주의는 인간의 문화와 사회를 체계적으로 분석하려는 시도였지만, 후기구조주의는

이러한 체계가 불완전하고 주관적일 수 있음을 강했다. 이러한 철학적 배경은 포스트모더니즘이 절대적 진리나 보편적 규칙을 부정하고, 다원적 관점과 해석을 중시하게 만든 중요한 요인이 되었다. 이러한 복합적인 이유들로 인해 포스트모더니즘은 현대 사회의 복잡성과 다변성을 반영하며, 예술과 문화에서 새로운 길을 모색하게 되었다.

포스트모더니즘은 예술 및 철학적 사조로, 모더니즘의 한계와 전통적 이념에 대한 반발로 형성되었다. 이 개념은 절대적 진리나 보편적 규칙을 부정하고, 다양한 관점과 다원주의를 중시한다. 포스트모더니즘은 구조적 통일성보다는 단편적이고 파편화된 서사를 선호하며, 복수의 해석 가능성과 혼합적 스타일을 특징으로 한다. 이는 예술에서 다양한 매체와 양식을 결합하거나, 기존의 형식을 해체하고 재구성하는 방식으로 표현된다. 예를 들어, 문학에서는 메타픽션이나 자기반영적 서술이 주를 이루고, 건축에서는 다양한 재료와 스타일의 혼합을 통해 비정형적 구조를 창출한다. 포스트모더니즘은 또한 고급 예술과 대중문화의 경계를 허물고, 다양한 문화적 요소를 수용하여 다원적이고 유동적인 예술 세계를 지향한다. 이러한 특징들은 포스트모더니즘이 현대 사회의 복잡성과 다변성을 반영하며, 끊임없는 변화와 재해석을 추구하는 시대정신을 담고 있음을 보여준다.

포스트모던댄스의 특징

1. 즉흥성과 자유로움

포스트 모던 댄스는 즉흥성과 자유로움을 중시한다. 무용수는 사전에 정해진 안무에 얽매이지 않고, 순간의 감정과 영감을 바탕으로 자유롭게 움직인다. 이는 관객과 무용수 모두에게 새로운 경험을 제공한다.

일상적 움직임의 활동적인 움직임을 예술적 표현으로 끌어들인다. 걷기, 달리기, 앉기 등의 일상적인 동작이 무대 위에서 예술적 가치로 재해석 된다. 이러한 접근은 무용이 특별한 기술이 아닌, 누구나 할 수 있는 자연스러운 표현임을 강조한다.

2. 다양한 공간 활용

무대라는 제한된 공간을 넘어 다양한 장소에서 공연을 진행한다. 공원, 거리, 건물 내부 등 일상적인 공간이 무대가 되며, 이는 무용이 관객의 일상에 더 가깝게 다가갈 수 있도록 한다.

3. 다양한 예술 형식과의 융합

포스트 모던 댄스는 음악, 연극, 비주얼 아트 등 다양한 예술 형식과 융합한다. 이를 통해 무용이 단일 예술 형태를 넘어, 종합 예술로서의 가능성을 탐구한다.

4. 비서사적 접근

전통적인 서사 구조를 거부하고, 비서사적 접근을 시도한다. 이는 무용이 특정 이야기를 전달하는 도구가 아닌, 움직임 자체의 아름다움과 의미만을 탐구하지 않는다.

5. 기술과 장비의 사용

조명, 영상, 음향 등의 기술을 적극적으로 활용하여 무용의 시각적, 청각적 경험을 확장한다. 이는 무용이 단순한 신체 표현을 넘어, 다감각적인 예술 경험을 제공하는 데 기여한다.

6; 무용수의 다양성 존중

무용수의 신체적, 문화적 다양성을 존중하고, 이를 작품에 반영한다. 다양한 체형과 배경을 가진 무용수들이 포스트 모던 댄스의 무대에 설 수 있으며, 이는 무용의 포용성과 다양성을 확대한다. 일반이도 가능하다.

7. 작품의 형태

작품의 시작과 끝을 요구하지 않는다. 인간이 만들어낸 어떠한 동작도 무용이 될 수 있다. 무용기법에 거부, 내용과 형식의 거부, 정서적이고 극적인 동작 제거, 와 같은 특징으로 무용의 영역과 가능성을 확장시켰다. 포스트 모던 스는 다양한 기법의 혼합된 총체적인 예술의 성격을 지닌다.

피나 바우쉬(Pina Bausch, 1940-2009)

독일 출신의 현대 무용가이자 안무가로 1940 년 독일에서 태어났으며, 어린 시절부터 무용에 대한 재능을 보였다. 에센 폴크방 예술학교에서 무용을 공부한 후, 뉴욕으로 이주하여 줄리아드 학교에서 마사 그레이엄(Martha Graham)과 호세 리몬(José Limón) 등과 함께 훈련을 받았다.

바우쉬의 춤 철학은 인간의 감정과 일상적인 경험을 깊이 탐구하는 데 중점을 두었다. 그녀는 무용이 단순한 신체적 표현을 넘어, 인간의 내면과 사회적 관계를 탐구하는 도구가 되어야 한다고 믿었다. 이를 위해 바우쉬는 무용수들에게 자신의 경험과 감정을 자유롭게 표현하도록 독려하였다. 그녀의 작품은 종종 무용수들의 개인적 이야기를 바탕으로 구성되었으며, 이는 무대 위에서 진솔한 감정과 생생한 이야기를 전달하는 데 기여하였다.

피나 바우쉬(Pina Bausch)는 현대 무용과 무용극(Tanztheater)을 결합하여 독창적이고 강렬한 예술적 표현을 창조한 혁신적인 예술가로, 그녀만의 매력은 여러 측면에서 찾을 수 있다.

1. 심오한 인간 탐구

피나 바우쉬의 작품은 인간의 감정과 경험을 깊이 탐구하는 데 중점을 둔다. 그녀는 무용수들에게 자신의 개인적 경험과 감정을 무대 위에서 자유롭게 표현하도록 격려하였다. 이러한 접근 방식은 그녀의 작품이 진정성 있고 감동적으로 느껴지게 한다. 바우쉬의 무용극은 사랑, 고통, 희망, 절망 등 인간의 보편적인 감정을 다루며, 관객에게 깊은 공감을 불러일으킨다.

2. 일상적인 움직임과 제스처의 예술화

바우쉬는 일상적인 동작과 제스처를 예술적으로 승화시키는 데 탁월했다. 그녀의 작품에서는 걷기, 앉기, 손짓 등 일상적인 움직임이 독창적인 예술적 표현으로 변모한다. 이러한 요소는 관객에게 친숙하면서도 새로운 경험을 제공하며, 무용이 특정한 기술적 동작에 국한되지 않고 누구나 공감할 수 있는 형태로 다가가게 한다.

4. 음악과 무대 디자인의 혁신

피나 바우쉬는 음악과 무대 디자인에서도 혁신적이었다. 그녀는 종종 클래식 음악부터 현대 음악까지 다양한 음악을 사용하여 작품의 분위기와 감정을 극대화하였다. 또한, 그녀의 무대 디자인은 극적인 조명, 소품, 그리고 비주얼 아트를 결합하여 시각적 충격을 주었다. 예를 들어, "카네이션(Carnation)"에서는 꽃잎으로 뒤덮인 무대가 등장하는데, 이는 시각적 아름다움과 함께 작품의 상징성을 극대화한다.

5. 무용수와 관객의 상호작용

바우쉬의 작품은 무용수와 관객 간의 상호작용을 중요시한다. 그녀는 무용수들이 관객과 직접적으로 소통하며, 무대와 객석의 경계를 허무는 방식을 자주 사용했다. 이러한 접근은 관객이 단순한 관람자가 아니라, 작품의 일부분으로 느끼게 만든다.

6. 문화와 전통의 융합

피나 바우쉬는 다양한 문화와 전통을 그녀의 작품에 융합시켰다. 전 세계를 여행하며 얻은 영감을 바탕으로 다양한 문화적 요소를 그녀의 무대에 반영하였고, 이는 그녀의 작품이 다채롭고 풍부한 텍스처를 가지게 만들었다. 이러한 문화적 융합은 그녀의 작품이 국제적으로도 큰 호응을 얻는 이유 중 하나이다.

피나 바우쉬의 매력은 이렇듯 다층적이다. 그녀는 인간의 본질을 깊이 탐구하고, 일상적인 움직임을 예술로 승화시키며, 혁신적인 음악과 무대 디자인을 통해 독창적인 예술 작품을 창조하였다. 이러한 요소들은 그녀의 작품이 관객에게 강렬한 인상을 남기고, 현대 무용의 경계를 확장하는 데 크게 기여한 이유이다.

피나 바우쉬의 대표작으로는 "카네이션(Carnation)"(1982), "비엔나 왈츠(Vienna Waltz)"(1985), "마츠카(Matshka)"(1987) 등이 있다. 이러한 작품들은 무용과 연극을 결합하여 강렬한 시각적 이미지를 창출하며, 인간의 복잡한 감정과 사회적 관계를 탐구한다. 그녀의 작품은 종종 일상적인 동작과 제스처를 포함하며, 무대 위에서 극적인 조명과 소품을 사용하여 강한 인상을 남긴다.

바우쉬의 움직임 특징은 자연스럽고 유기적인 동작, 일상적인 제스처, 그리고

감정의 강렬한 표현을 포함한다. 그녀는 무용수들이 자신의 신체와 감정을 최대한 활용하여 무대 위에서 진정성 있는 표현을 할 수 있도록 지도하였다. 바우쉬의 무용극은 종종 음악, 대사, 그리고 비주얼 아트를 결합하여 종합 예술의 형태를 띠었다.

바우쉬는 일생 동안 예술에 헌신하였으며, 그녀의 무용단인 피나 바우쉬 뷔페탈 무용단(Tanztheater Wuppertal Pina Bausch)을 이끌었다. 그녀는 결혼하여 아들 롤프 살로몬(Rolf Salomon)을 두었으나, 사생활에 대해선 비교적 조용히 지내며 예술적 활동에 집중하였다.

피나 바우쉬는 2009 년 세상을 떠났지만, 그녀의 영향력은 오늘날에도 여전히 강하게 남아있다. 그녀의 무용극은 현대 무용과 연극의 경계를 허물며, 예술적 표현의 새로운 가능성을 탐구하는 데 큰 기여를 했다. 많은 현대 무용가와 안무가들이 그녀의 작업에서 영감을 받았으며, 그녀의 작품들은 전 세계 무용단에 의해 지속적으로 공연되고 있다. 바우쉬의 혁신적인 접근과 깊이 있는 예술적 탐구는 현대 무용의 중요한 유산으로 자리 잡고 있다.

트리샤 브라운(Trisha Brown, 1936-2017)

미국의 현대 무용가이자 안무가로, 포스트모더니즘 무용의 대표적인 인물로 평가받는다. 그녀는 1936년 워싱턴주 애버딘에서 태어났으며, 어린 시절부터 춤과 예술에 관심을 가졌다. 브라운이 본격적으로 무용에 입문한 계기는 캘리포니아주 오클랜드의 밀스 칼리지에서 무용을 공부하면서부터 이다. 그곳에서 안나 할프린(Anna Halprin)과 함께 공부하며 무용에 대한 새로운 접근 방식을 배웠다. 이후 뉴욕으로 이주하여 저드슨 댄스 시어터(Judson Dance Theater)의 일원이 되면서 본격적인 활동을 시작했다.

브라운의 춤 철학은 일상적인 움직임과 즉흥성을 강조하며, 전통적인 무용의 틀을 벗어나 새로운 표현 방식을 탐구하는 데 중점을 두었다. 그녀는 무용이 반드시 극적이거나 기교적일 필요가 없다고 믿었으며, 일상적인 동작도 무대 위에서 예술적 가치가 있을 수 있다고 주장했다. 이를 통해 브라운은 무용의 경계를 넓히고, 무용수와 관객 모두에게 새로운 경험을 제공하였다. 그녀의 작품들은 무용 예술의 경계를 넓히고 새로운 표현 방식을 탐구한 것으로 유명하다. 그녀는 독창적이고 혁신적인 작품들을 통해 무용의 언어를 재정의하며, 다양한 형태의 움직임과 무대 공간을 실험했다..

트리샤 브라운의 작품들은 무용의 전통적인 틀을 깨고, 움직임과 공간의 새로운 가능성을 탐구했다. 그녀는 무용이 단순히 무대에서만 이루어지는 것이 아니라, 일상적인 공간에서도 가능하다는 것을 보여주었으며, 무용의 언어를 재정의했다. 브라운의 실험적 접근과 혁신적인 작품들은 현대무용의 발전에 큰 영향을 미쳤으며, 오늘날에도 여전히 강하게 남아 있다. 무용 예술의 다양성과 표현력을 확장하는 데 기여하였다. 브라운의 작품과 철학은 무용이 일상 속에서 자연스럽게 존재할 수 있음을 보여주었고, 무용 예술이 대중과 더욱 가까워질 수 있는 길을 열어

주었다. 그녀의 유산은 오늘날에도 전 세계 무용단에 의해 지속적으로 공연되고 있으며, 무용 교육과 예술적 탐구의 중요한 부분으로 자리 잡고 있다.

이본 레이너(Yvonne Rainer, 1934-)

이본 레이너(Yvonne Rainer, 1934-)는 미국의 무용가이자 안무가, 영화감독으로, 포스트모더니즘 무용의 선구자 중 한 명으로 평가받는다. 그녀는 1934 년 캘리포니아주 샌프란시스코에서 태어났다. 레이너는 처음에는 연극과 시각 예술을 공부했지만, 1956 년 뉴욕으로 이주하면서 본격적으로 무용을 시작했다. 마사 그레이엄(Martha Graham)과 머스 커닝햄(Merce Cunningham)의 영향을 받아 춤을 배우기 시작한 레이너는 1960 년대 초반 저드슨 댄스 시어터(Judson Dance Theater)의 공동 설립 멤버가 되었다. 이 단체는 기존의 무용 형식을 탈피하고 혁신적인 실험을 추구한 무용가들의 모임이었다.

레이너의 춤 철학은 전통적인 무용의 형식과 감정적 표현을 배제하고, 일상적이고 자연스러운 움직임을 예술적 표현으로 승화시키는 데 중점을 두었다. 그녀는 무용이 반드시 극적이거나 서사적일 필요가 없다고 주장하며, 단순한 움직임 자체가 예술적 가치가 있다고 믿었다.

레이너의 춤은 다음과 같은 특징을 가진다.

비서사적 접근: 이본 레이너(Yvonne Rainer)는 전통적인 서사 구조를 거부하고, 움직임과 제스처 자체에 집중하는 비서사적 접근 방식을 채택했다. 그녀의 작품은 특정한 이야기나 플롯을 전달하기보다는, 춤의 동작과 형식 그 자체에 초점을 맞춘다. 이를 통해 관객은 동작의 순수한 형태와 흐름에 주목하게 되고, 무용의 서사적 틀에서 벗어난 새로운 예술적 경험을 제공받는다. 레이너는 이를 통해 무용의 본질에 대해 질문을 던지고, 기존의 무용 관습에 도전했다.

일상적 움직임의 예술적 승화: 레이너는 걷기, 앉기, 일어나기 등 일상적인 동작을 무용의 주요 요소로 사용했다. 그녀는 일상 생활에서 흔히 볼 수 있는 평범한 동작들을 무대 위에서 예술적 가치로 승화시켰다. 이러한 접근은 무용이 고도로 훈련된 기술적 동작 뿐만 아니라, 누구나 할 수 있는 일상적 움직임도 예술적 표현의 중요한 도구가 될 수 있음을 강조한다. 레이너의 작품에서는 평범한 동작들이 어떻게 새로운 시각적 경험을 제공하고, 관객의 시선을 사로잡는지를 탐구한다.

즉흥성과 우연성: 레이너는 공연마다 다른 움직임을 시도하며, 즉흥적이고 무작위적인 요소를 도입했다. 그녀의 작품에서는 사전에 정해진 동작 외에도 무용수들이 순간적인 영감과 반응에 따라 움직일 수 있는 자유를 허용했다. 이러한 즉흥성과 우연성은 매 공연마다 독특한 경험을 창출하며, 무용이 예측 불가능하고 새로운 가능성으로 가득 찬 예술 형태임을 강조한다. 이를 통해 레이너는 무용의 동적인 본질과 무대에서의 실시간 창작 과정을 부각시킨다.

레이너의 춤은 이와 같은 특징들을 통해 무용 예술의 경계를 넓히고, 기존의 무용 관습에 도전하며 새로운 예술적 가능성을 탐구한다. 그녀의 접근 방식은 현대 무용에 큰 영향을 미쳤으며, 무용이 단순한 기술적 동작을 넘어서 인간의 일상과 감정을 표현하는 강력한 매체임을 보여주었다.

안네 테레사 드 케이르스마커(Anne Teresa De Keersmaeker, 1960-)

벨기에 출신의 현대 무용가이자 안무가로, 그녀의 작품과 춤 철학은 현대 무용계에서 중요한 위치를 차지하고 있다. 그녀는 1960 년 벨기에 메헬렌에서 태어났으며, 1980 년대부터 현대 무용의 선구자로서 활동하고 있다.

드 케이르스마커는 브뤼셀의 무용학교 파르트너스(PARTS)의 창립자이자 예술 감독으로 유명하다. 그녀는 1982 년 뉴욕에서 무용을 공부한 후 벨기에로 돌아와 자신의 무용단인 로사스(Rosas)를 설립하였다. 그녀의 초기 작업은 루카스 헌트스와 같은 작가들과 협력하여 이루어졌으며, 이는 그녀의 춤에 깊은 철학적 기반을 제공하였다.

드 케이르스마커의 춤 철학은 반복적인 패턴과 기하학적 구조, 그리고 음악과의 긴밀한 관계에 중점을 둔다. 그녀는 춤을 통해 신체의 움직임이 음악과 공간과 상호작용하는 방식을 탐구하며, 이를 통해 감정과 이야기를 전달하고자 한다. 드 케이르스마커는 "움직임은 존재의 기본"이라는 **반복성과 기하학적 구조:** 드 케이르스마커의 작품은 종종 반복적이고 기하학적인 패턴으로 구성된다. 이러한 접근은 그녀의 무용이 단순한 동작의 나열이 아니라, 심오한 철학적 탐구의 결과임을 보여준다.

음악과의 조화: 그녀는 작품에서 음악과의 긴밀한 상호작용을 중시한다.
스티브 라이히(Steve Reich), 바흐(J.S. Bach), 브라이언 이노(Brian Eno) 등의

작곡가들과 협력하여, 음악과 춤이 상호 보완적으로 작용하는 작품을 만들어낸다.

공간과 시간의 활용: 드 케이르스마커는 무대 공간과 시간의 활용을 통해 독특한 무대 경험을 창출한다. 그녀는 무용수들이 공간을 탐색하고, 무대 위에서 다양한 시간적 리듬을 만들어내도록 지도한다.

"Rosas danst Rosas" (1983):

이 작품은 드 케이르스마커의 대표작 중 하나로, 반복적인 움직임과 기하학적 패턴이 특징이다. 여성 무용수들의 강렬한 에너지가 돋보이며, 일상적인 동작을 예술적으로 승화시킨다.

"Fase" (1982):

스티브 라이히의 음악에 맞춰 안무된 이 작품은 단순한 움직임의 반복을 통해 관객에게 강한 시각적, 감정적 경험을 제공한다.

"Rain" (2001):

스티브 라이히의 "Music for 18 Musicians"에 맞춰 제작된 이 작품은 드 케이르스마커의 반복성과 구조적 아름다움이 극대화된 작품으로, 무용수들의 동작이 음악과 완벽한 조화를 이루며 공간을 채운다.

그녀의 삶은 대부분 예술과 춤에 대한 헌신으로 이루어져 있다. 그녀는 자신의 무용단과 파르트너스(PARTS)를 통해 많은 제자들을 양성하며, 현대 무용의 발전에 기여하고 있다.

안네 테레사 드 케이르스마커는 현대 무용계에서 중요한 인물로 자리잡고 있다. 그녀의 작품은 전 세계적으로 공연되며, 많은 현대 무용가와 안무가들에게 영감을 주고 있다. 드 케이르스마커의 접근법은 무용과 음악, 공간의 상호작용을 탐구하는 데 중점을 두며, 이는 무용 예술의 표현력을 확장하는 데 큰 기여를 하고 있다. 그녀의 유산은 현대 무용의 중요한 부분으로 남아 있으며, 앞으로도 많은 예술가들에게 영감을 줄 것이다.

컨템포러리 댄스(Contemporary Dance)

20세기 중반 이후에 발전한 춤의 한 장르로, 현대 무용과 다른 다양한 무용 양식을 통합하고 혼합하여 새로운 표현 방식을 추구하는 춤 스타일이다. 이 장르는 전통적인 발레와 모던 댄스의 기술을 기반으로 하지만, 그것을 넘어서 다양한 움직임과 표현을 실험하고 탐구한다.

컨템포러리 댄스는 고전 발레, 모던 댄스, 재즈, 힙합, 라틴 댄스 등 다양한 춤 장르에서 영감을 받아 발전된 현대적인 춤 형식이다. 이 춤은 특정한 테크닉에 얽매이지 않고 자유롭게 움직임을 표현하며, 감정과 내면의 이야기를 전달하는 데 중점을 둔다.

1, 다양한 테크닉의 혼합:

컨템포러리 댄스는 발레의 우아함과 모던 댄스의 자유로움, 재즈 댄스의 리듬감, 힙합의 에너지 등을 혼합하여 다채로운 움직임을 창출한다. 이로 인해 무용수는 다양한 움직임을 통해 자신을 표현할 수 있다.

2. 즉흥성과 창의성:

즉흥적인 요소가 강하게 나타나며, 무용수의 개인적인 해석과 창의성이 강조된다. 즉흥 무용(improvisation)은 무용수가 순간의 영감에 따라 자유롭게 움직이는 것을 의미한다.

3. 감정 표현:

감정과 내면의 이야기를 신체의 움직임을 통해 표현하는 데 중점을 둔다. 이는 종종 무용수와 관객 사이에 강한 감정적 교감을 형성한다.

4. 자연스러운 움직임:

신체의 자연스러운 움직임과 흐름을 중시하며, 종종 신체의 중심을 사용하여 움직임을 시작한다. 이는 중력과 신체의 무게를 활용한 동작을 포함한다.

5. 다양한 공간 활용:

무대 위뿐만 아니라 다양한 공간에서 공연이 이루어질 수 있으며, 무용수는 공간을 창의적으로 활용한다. 이는 종종 관객과의 물리적 거리를 줄여 친밀감을 형성한다.

6. 내러티브의 부재:

특정한 이야기나 서사를 따르지 않고, 추상적인 주제와 개념을 탐구하는 경우가 많다. 이는 관객이 자신의 경험과 감정을 바탕으로 작품을 해석할 수 있는 여지를 제공한다.

• 메르스 커닝햄 (Merce Cunningham)

컨템포러리 댄스의 선구자로, 무작위성(chance operations)을 도입하여 춤과 음악의 독립성을 강조했다. 대표작: "Summerspace" (1958)

• 피나 바우쉬 (Pina Bausch)

현대 무용과 연극을 결합한 무용극(Tanztheater)의 창시자. 대표작: "카네이션" (1982), "봄의 제전" (1975)

• 빌리 티 존스 (Bill T. Jones)

사회적 이슈와 개인적 경험을 강렬하게 표현하는 작품으로 유명하다.

대표작: "Still/Here" (1994), "D-Man in the Waters" (1989)

• 안네 테레사 드 케이르스마커 (Anne Teresa De Keersmaeker):
기하학적 패턴과 반복적인 움직임을 통해 음악과 춤의 상호작용을 탐구.대표작: "Rosas danst Rosas" (1983)

컨템포러리 댄스는 오늘날 전 세계 무용계에서 중요한 위치를 차지하고 있다. 다양한 무용 장르와 테크닉을 통합하고 혁신적인 표현 방식을 탐구함으로써, 무용 예술의 경계를 넓히고 새로운 가능성을 열어주고 있다. 또한, 컨템포러리 댄스는 무용수와 안무가들에게 자유로운 창작의 기회를 제공하며, 관객에게는 깊은 감정적 경험과 다양한 해석의 여지를 준다. 이 장르는 끊임없이 변화하고 발전하며, 현대 예술의 중요한 부분으로 자리 잡고 있다.

컨템포러리 댄스의 현재 동향

컨템포러리 댄스(Contemporary Dance)는 끊임없이 변화하고 진화하는 예술 형태로, 전통적인 무용의 경계를 넘어 다양한 요소와 기술을 통합하고 있다. 최근의 동향을 살펴보면, 다음과 같은 주요 특징들을 관찰할 수 있다.

1. 융합과 하이브리드 스타일

현대 컨템포러리 댄스는 다양한 무용 스타일과 장르의 융합을 강조하고 있다. 발레, 힙합, 재즈, 스트리트 댄스 등 서로 다른 춤의 요소들이 컨템포러리 댄스 작품 안에 자연스럽게 결합되고 있다. 이러한 융합은 무용수들에게 더 넓은 표현의 스펙트럼을 제공하며, 다양한 문화적 배경과 전통을 존중하는 방향으로 발전하고 있다. 특히, 아프리카, 아시아, 라틴 아메리카 등 다양한 지역의 전통 춤들이 현대 무용에 통합되는 경향이 두드러지고 있다.

2. 기술과의 결합

디지털 기술과 멀티미디어가 컨템포러리 댄스에서 중요한 역할을 하고 있다. 프로젝션 맵핑, 인터랙티브 비디오, 가상 현실(VR) 등 다양한 기술이 무대 공연에 사용되며, 춤과 기술의 경계를 허물고 새로운 관객 경험을 창출하고 있다. 무용수들은 종종 디지털 환경과 상호작용하며, 이로 인해 무대와 스크린 간의 경계가 점점 모호해지고 있다.

3. 사회적 및 정치적 메시지

최근 컨템포러리 댄스 작품들은 사회적, 정치적 이슈를 다루는 경향이 강하다. 무용은 단순한 예술적 표현을 넘어, 사회적 변화와 인식을 촉진하는 수단으로 사용되고 있다. 인종, 성, 환경 문제 등 다양한 주제가 무용을 통해 탐구되며, 관객에게 강한 메시지를 전달하고 있다. 이러한 작품들은 종종 관객과의 직접적인 상호작용을 포함하여, 더 깊은 공감과 참여를 유도한다.

4. 즉흥성과 공동 창작

즉흥 춤(Improvisation)과 공동 창작(Collaborative Creation)은 현대 컨템포러리 댄스의 중요한 요소로 자리 잡았다. 무용수들은 안무가와 함께 작업하며, 즉흥적인 움직임을 통해 새로운 안무를 창출한다. 이 과정은 무용수 개인의 창의성과 독창성을 강조하며, 결과적으로 더욱 다양하고 예측 불가능한 작품들이 탄생한다. 이러한 접근법은 무용이 더욱 살아있고 역동적인 예술 형태로 발전하는 데 기여하고 있다.

5. 신체의 자연스러운 움직임과 감정 표현

현대 컨템포러리 댄스는 신체의 자연스러운 움직임과 감정 표현에 중점을 둔다. 이는 고도로 훈련된 기술적 움직임보다 개인의 신체 언어와 감정적 진실성을 중요시한다. 무용수들은 자신의 경험과 감정을 움직임으로 표현하며, 이를 통해 관객과 깊이 있는 소통을 이끌어낸다. 이러한 접근은 무용수와 관객 모두에게 더욱 친밀하고 직관적인 예술적 경험을 제공한다.

6. 공공 공간과 비전통적 무대

컨템포러리 댄스는 전통적인 공연장을 넘어 공공 공간으로 확장되고 있다. 거리, 공원, 갤러리 등 다양한 장소가 무대가 되며, 관객들이 무용을 일상 속에서 자연스럽게 접할 수 있는 기회를 제공한다. 이러한 접근은 무용의 접근성을 높이고, 더 많은 사람들이 무용의 매력을 경험할 수 있도록 한다.

7. 지속 가능한 공연 예술

환경에 대한 의식이 높아짐에 따라, 지속 가능한 공연 예술이 점점 더 중요한 이슈로 부상하고 있다. 무용 단체들은 재활용 가능한 무대 장치와 의상, 에너지 효율적인 조명 시스템 등을 도입하며, 공연의 환경적 영향을 줄이기 위해 노력하고 있다. 이는 무용계 전반에 걸쳐 더 큰 사회적 책임감을 반영하는 움직임으로 볼 수 있다.

8. 글로벌 협업

컨템포러리 댄스는 국경을 넘어선 글로벌 협업을 통해 새로운 작품을 창출하고 있다. 무용수와 안무가들은 전 세계의 다양한 문화적 배경을 가진 예술가들과 협력하여 독창적이고 다채로운 작품을 만들어낸다. 이러한 국제적 협력은 문화 간의 상호작용을 촉진하며, 무용 예술의 발전에 기여한다.

이러한 최신 동향들은 무용이 현대 사회에서 어떻게 의미를 찾고, 새로운 방식으로 관객과 소통하는지를 보여준다. 앞으로도 컨템포러리 댄스는 지속적으로 혁신하며, 예술적 표현의 새로운 가능성을 탐구할 것이다.

무용창작

창작

"창작"이라는 단어는 새로운 것을 만들어 내는 창조적인 행위를 의미한다. 이는 예술, 문학, 음악, 무용 등 다양한 분야에서 적용될 수 있다. 창작은 기존의 지식, 경험, 자료 등을 바탕으로 새로운 형태나 내용을 만들어 내는 과정을 포함하며, 창의성, 기술, 과정, 표현, 독창성 등의 요소가 중요하다. 창의성은 기존의 틀을 벗어나 새로운 아이디어와 개념을 도출해 내는 능력을 의미하며, 기술은 특정 분야에서 필요한 능력으로 창작자의 아이디어를 구체화하는 데 필수적이다. 창작 과정은 아이디어의 형성, 계획의 수립, 실행, 수정 및 완성의 단계를 거치며, 이를 통해 창작자는 자신의 작품을 점점 더 완성된 형태로 만들어 간다. 표현은 창작의 결과물이 다양한 형태로 나타나는 것을 의미하며, 이를 통해 창작자는 자신의 생각과 감정을 구체화한다. 독창성은 기존의 것과 다른 새로운 아이디어와 형태를 만들어 내는 것을 의미하며, 창작물이 다른 작품과 구별되는 중요한 요소이다.

창작은 자기 표현, 문화적 가치, 사회적 영향, 지식과 기술의 발전 등 다양한 의미를 지닌다. 자기 표현으로서 창작은 창작자가 자신의 감정, 생각, 경험을 표현하는 도구이며, 이는 개인의 정체성을 반영하고 타인과 소통하는 수단이 된다. 문화적 가치로서 창작은 특정 시대와 사회의 가치를 반영하며, 이를 통해 문화적 유산이 형성되고 다음 세대에 전달된다. 사회적 영향으로서 창작은 사회에 영향을 미치는 힘을 지니며, 사회적 이슈를 반영하고 변화를 촉구하며 새로운 사회적 담론을 형성한다. 지식과 기술의 발전으로서 창작은 새로운 지식과 기술을 발전시키는 원동력이 되어 혁신과 발전을 촉진하고 다양한 분야에서 진보를 이끌어낸다. 이러한 점에서 창작은 인간의 표현, 문화의 형성, 사회적 변화, 지식과 기술의 발전에 중요한 역할을 하는 복합적인 행위이다.

무용창작(舞踊創作)은 무용가와 안무가가 움직임을 통해 새로운 작품을 창조하는 과정을 의미한다. 이는 단순히 신체의 움직임을 구성하는 것을 넘어서, 예술적 표현과 의미를 담아내는 복합적인 과정이다. 무용창작은 다양한 요소와 단계를 포함하며, 그 의미와 중요성은 다각적으로 해석될 수 있다.

무용창작의 주요 요소는 다음과 같다.

1. 아이디어와 영감:

무용창작의 첫 단계는 아이디어와 영감을 얻는 것이다. 이는 자연, 사회적 이슈, 개인적 경험, 문학, 음악 등 다양한 원천에서 비롯될 수 있다. 창작자는 자신의 내면적 감정과 생각을 움직임으로 표현하려는 동기를 가지고 작품을 구상한다.

2. 주제와 컨셉:

작품의 주제와 컨셉을 정하는 것은 무용창작의 중요한 단계이다. 이는 작품이 전달하고자 하는 메시지나 이야기를 결정하는 과정으로, 관객에게 어떤 감정과 생각을 불러일으킬지에 대한 청사진을 그린다.

3 움직임 개발

창 작자는 주제와 컨셉을 바탕으로 움직임을 개발한다. 이는 다양한 움직임 실험과 즉흥적 연습을 통해 이루어진다. 무용수들은 자신의 신체를 통해 다양한 동작을 탐구하며, 이를 반복하고 수정하는 과정을 거친다.

4. 구조와 구성:

개발된 움직임을 구조화하고 구성하는 단계로, 작품의 흐름과 리듬을 정한다. 이는 음악, 조명, 무대 디자인 등과 결합하여 전체 작품의 형식을 완성하는 과정이다. 이 단계에서는 작품의 전반적인 구성뿐만 아니라 세부적인 부분도 조정된다.

5. 리허설과 피드백:

작품의 완성도를 높이기 위해 리허설을 진행하며, 동료나 관객으로부터 피드백을 받는다. 이를 통해 작품의 흐름과 전달력이 강화되고, 필요한 수정이 이루어진다.
무용창작은 신체의 움직임을 통해 예술적, 문화적, 사회적 의미를 창조하고 전달하는 복합적인 과정이다. 이는 무용가와 안무가의 창의성과 표현력을 극대화하며, 관객에게 새로운 감동과 인식을 제공한다. 무용창작은 예술의 중요한 한 분야로서, 무용 예술의 발전과 다양성에 기여하고 있다.

무용창작의 의미와 중요성은 다음과 같다.

1. 예술적 표현의 도구:

무용창작은 예술가가 자신의 내면을 표현하는 강력한 도구이다. 이는 말이나 글로 표현할 수 없는 감정과 생각을 신체의 움직임을 통해 전달할 수 있게 한다.

2. 문화적 전달과 보존:

무용은 특정 문화와 시대의 사회적, 정치적, 예술적 맥락을 반영한다. 무용창작은 이러한 맥락을 작품에 담아내어, 문화적 유산을 보존하고 전파하는 역할을 한다.

3. 개인과 사회의 반영:

무용작품은 개인의 경험과 정체성을 반영함과 동시에, 사회적 이슈와 변화를 담아낼 수 있다. 이를 통해 관객은 작품을 통해 자신의 경험과 사회를 재해석하고 성찰할 수 있다.

4. 교육적 가치:

무용창작은 교육적 측면에서도 중요한 의미를 가진다. 무용수는 창작 과정을 통해 신체적 능력뿐만 아니라 창의적 사고와 협력 능력을 발전시킬 수 있다. 또한, 관객은 무용작품을 감상하며 예술적 감수성과 비판적 사고를 함양할 수 있다.

창작 움직임의 요소는 무용 및 안무에서 창의적이고 독창적인 동작을 개발하고 표현하는 데 중요한 구성 요소들이다. 이러한 요소들은 무용수와 안무가가 자신의 생각과 감정을 신체의 움직임으로 전달하는 데 필수적이다. 다음은 창작 움직임의 주요 요소들에 대한 설명이다.

1. 시간 (Time)

'시간'은 무용에서 움직임의 속도, 리듬, 지속성 등을 정의하는 요소로, 무용의 흐름과 에너지를 조절하는 중요한 역할을 한다. 시간은 무용수의 동작이 언제, 얼마나 빠르게, 그리고 얼마나 오래 지속되는지를 결정하며, 다음과 같은 하위 요소들로 구분된다:

- **템포** (Tempo): 움직임의 빠르기나 느림을 결정한다. 템포는 무용의 전체적인 속도를 설정하며, 동작이 빠르게 진행될 때는 긴박감이나 흥분을, 느리게 진행될 때는 차분함이나 숙고를 표현한다. 예를 들어, 빠른 템포의 춤은 에너제틱하고 역동적인 분위기를 조성하며, 느린 템포의 춤은 우아함과 감정적 깊이를 강조할 수 있다. 템포의 변화는 무용의 분위기와 긴장감을 조절하는 데 중요한 요소이다.
- **리듬** (Rhythm): 움직임의 규칙적 또는 불규칙한 패턴을 의미한다. 리듬은 무용의 구조와 질감을 형성하며, 일정한 간격으로 반복되는 패턴이나

예상치 못한 불규칙한 흐름으로 나타날 수 있다. 규칙적인 리듬은 질서와 일관성을 제공하며, 무용수들이 동작을 함께 맞추어 움직일 때 사용된다. 반면, 불규칙한 리듬은 예측 불가능성과 창의성을 표현하는 데 사용된다. 리듬은 무용에서 음악과의 조화를 이루거나, 독립적으로 움직임의 흐름을 형성하는 중
요한 역할을 한다.

- **지속성** (Duration): 특정 움직임이 지속되는 시간을 말한다. 지속성은 동작이 얼마나 길게 또는 짧게 유지되는지를 결정하며, 무용의 강도와 감정적 표현을 강화한다. 긴 지속성의 움직임은 무게감과 숙고를 전달할 수 있으며, 짧고 급격한 움직임은 긴장감과 즉각적인 반응을 나타낸다. 예를 들어, 손을 천천히 올리는 동작은 집중과 신중함을 강조할 수 있으며, 빠르게 팔을 휘두르는 동작은 강렬한 에너지를 전달한다. 지속성은 무용에서 움직임의 드라마틱한 효과를 극대화하는 요소이다.
- **타이밍** (Timing): 움직임이 음악이나 다른 요소와 어떻게 조화를 이루는지를 결정한다. 타이밍은 무용수들이 음악의 박자나 리듬에 맞춰 동작을 수행하는 방식으로, 이를 통해 무용과 음악이 조화를 이루며 하나의 일관된 예술 작품을 형성한다. 또한, 타이밍은 무용수들 간의 상호작용에서 중요한 역할을 하며, 동작이 정확한 순간에 일치하거나 서로 보완되도록 한다. 이는 무용의 전체적인 유기성과 일관성을 유지하는 데 필수적이다.

'시간'은 무용에서 동작의 리듬과 흐름을 조절하고, 관객에게 전달되는 에너지와 감정을 형성하는 핵심적인 요소이다. 템포, 리듬, 지속성, 타이밍은 무용의 움직임을 구조화하고, 무대 위에서의 동작이 어떻게 표현되고 느껴지는지를 결정한다. 이

를 통해 무용수는 움직임을 통해 이야기를 전달하고, 관객과의 정서적 연결을 형성하며, 무용의 예술적 깊이를 더할 수 있다.

2. 공간 (Space)

'공간'은 무용에서 움직임이 일어나는 물리적 영역을 의미하며, 무용수의 동작이 어떻게 배치되고 이동하는지를 정의한다. 공간은 무용의 시각적 구성과 움직임의 질감을 결정하는 중요한 요소로, 다음과 같은 하위 요소들로 구성된다:

- **방향** (Direction): 움직임이 향하는 특정 방향을 의미한다. 이는 앞, 뒤, 옆, 위, 아래 등 다양한 방향을 포함한다. 방향은 무용에서 관객의 시선을 유도하고, 동작의 흐름을 형성하는 중요한 역할을 한다. 예를 들어, 무용수가 앞쪽으로 빠르게 이동하면 진보나 공격성을 표현할 수 있고, 뒤쪽으로 천천히 움직이면 회상이나 후퇴를 나타낼 수 있다. 방향은 무용의 의미를 강화하고, 무대에서의 공간 활용을 극대화한다.
- **수준** (Level): 움직임이 일어나는 높이를 나타낸다. 무용에서는 높은 수준, 중간 수준, 낮은 수준의 움직임을 통해 다양한 시각적 효과와 의미를 전달한다. 높은 수준의 움직임은 공중 점프나 팔을 들어 올리는 동작처럼 무용수가 몸을 최대한 확장하는 것을 포함하며, 이를 통해 활력과 자유를 표현한다. 반면, 낮은 수준의 움직임은 무용수가 바닥에 가까이 있거나 굽히는 동작으로, 안정감과 기초를 나타낸다. 중간 수준의 움직임은 이러한 두 극단 사이에서 균형과 조화를 표현하는 데 사용된다.
- **경로** (Pathway): 움직임이 공간에서 이동하는 경로를 의미한다. 이는 직선, 곡선, 지그재그 등으로 다양하게 나타날 수 있다. 직선 경로는 결단력과 목표 지향성을 표현하며, 곡선 경로는 부드러움과 유연성을 나타낸다. 지그재그 경로는 복잡함과 불확실성을 전달할 수 있다. 경로는 무용

에서 무용수의 동작을 시각적으로 연결하고, 무대 공간을 효과적으로 활용하는 데 중요한 역할을 한다.

- **범위** (Range): 움직임이 차지하는 공간의 크기를 의미한다. 좁은 범위의 움직임은 작은 공간 내에서의 세밀한 동작을 포함하며, 집중과 내면적 표현을 강조한다. 넓은 범위의 움직임은 큰 공간을 사용하여 몸을 크게 확장하는 동작을 포함하며, 개방감과 외향적 표현을 나타낸다. 범위는 무용에서 무용수의 에너지와 동작의 크기를 조절하는 요소로, 무대 위에서의 존재감을 강화하고 움직임의 힘을 전달한다.

'공간'은 무용에서 단순한 물리적 영역을 넘어서, 무용수의 동작이 어떻게 배치되고 이동하는지를 정의하는 핵심적인 요소이다. 방향, 수준, 경로, 범위는 무용의 시각적 구성을 형성하고, 동작의 의미와 감정을 강화하는 중요한 도구이다. 이러한 공간 요소들을 통해 무용수는 무대에서의 동작을 효과적으로 구성하고, 관객과의 감정적 연결을 더욱 깊게 만든다.

3. 에너지 (Energy)

에너지는 무용에서 움직임의 질과 힘을 정의하는 요소로, 무용수의 동작이 관객에게 어떻게 전달되는지를 크게 좌우한다. 에너지는 무용의 다이나믹을 형성하며, 다양한 감정과 분위기를 표현하는 데 중요한 역할을 한다. 에너지는 다음과 같은 하위 요소들로 구분된다:

- **강도** (Force): 움직임이 수행되는 힘의 정도를 말한다. 이는 강한, 약한, 부드러운, 날카로운 등의 방식으로 나타난다. 강한 동작은 힘차고 단호하며, 흔히 드라마틱한 긴장감을 표현하는 데 사용된다. 반면, 약한 동작은 부드럽고 유연하며, 부드러운 흐름과 감정적인 섬세함을 전달할 수 있다.

강도는 무용의 에너지 수준을 설정하고, 무용수의 감정과 표현을 강조하는 중요한 도구이다.

- **흐름** (Flow): 움직임이 얼마나 연속적이거나 단절되어 있는지를 나타낸다. 유연한 흐름은 부드럽고 끊기지 않는 움직임으로, 움직임이 자연스럽게 이어지며 흐르는 것을 의미한다. 이는 흔히 고요함, 평온함, 자유로움을 표현하는 데 사용된다. 단속적인 흐름은 동작이 갑작스럽게 멈추거나 변하는 것을 의미하며, 에너지의 단절과 급격한 전환을 통해 긴장감이나 역동성을 전달한다. 흐름의 조절은 무용의 분위기와 리듬을 형성하는 데 중요한 역할을 한다.
- **무게** (Weight): 움직임이 얼마나 무겁게 또는 가볍게 수행되는지를 의미한다. 무거운 동작은 지구 중력에 저항하며, 압도적이고 강렬한 느낌을 줄 수 있다. 이러한 동작은 보통 힘과 결단력을 나타내며, 드라마틱한 효과를 자아낸다. 반대로, 가벼운 동작은 공중에 떠오르는 듯한 가벼운 느낌을 주며, 우아함과 경쾌함을 표현하는 데 사용된다. 무게의 조절은 무용수의 몸짓을 통해 관객에게 다양한 감정을 전달하는 핵심 요소이다.

에너지는 무용에서 동작의 다이나믹을 조절하고, 무용수의 표현력을 강화하는 데 중요한 역할을 한다. 강도, 흐름, 무게의 조합을 통해 무용수는 다양한 감정과 이야기를 전달할 수 있으며, 관객에게 강렬하고 깊은 인상을 남길 수 있다. 이러한 에너지의 조절은 무용의 예술적 표현을 풍부하게 만들고, 무용의 내러티브와 감정적 깊이를 강화하는 데 필수적이다.

4. 형태 (Shape)

형태는 무용에서 신체의 모양과 그 변화 과정을 의미하며, 움직임이 공간에서 어떻게 나타나는지를 정의한다. 이는 무용수의 신체가 만들어내는 다양한 구조와 패턴을 포함하며, 다음과 같은 하위 요소들로 구체화된다:

- **직선과 곡선** (Lines and Curves): 신체가 직선적이거나 곡선적인 형태를 이루는 방식이다. 직선적인 동작은 강하고 명확한 느낌을 주며, 보통 힘과 긴장감을 나타낸다. 반면, 곡선적인 동작은 부드럽고 유연한 느낌을 주며, 우아함과 흐름을 표현한다. 무용수의 팔다리, 몸통의 각 부분이 만드는 이러한 선들은 무용의 시각적 아름다움과 의미를 강화한다.
- **대칭과 비대칭** (Symmetry and Asymmetry): 움직임이 대칭적이거나 비대칭적인 형태로 나타나는지를 말한다. 대칭적인 움직임은 균형과 조화를 표현하며, 안정감을 준다. 반면, 비대칭적인 움직임은 긴장감과 불균형을 나타내며, 보다 동적인 에너지를 전달할 수 있다. 이러한 대칭성과 비대칭성은 무용에서 감정과 이야기를 전달하는 중요한 도구가 된다.
- **확장과 축소** (Expansion and Contraction): 신체가 공간에서 확장되거나 축소되는 움직임을 의미한다. 확장은 신체가 공간을 차지하는 범위를 넓히는 동작으로, 개방감과 활력을 표현한다. 반대로, 축소는 신체가 공간에서 수축하는 동작으로, 집중과 내면화를 나타낸다. 이러한 움직임은 무용에서 감정의 강도와 극적인 효과를 강조하는 데 사용된다.

형태는 무용에서 시각적, 감정적 표현의 핵심 요소로, 무용수의 신체가 공간에서 어떻게 배치되고 변화하는지를 통해 무용의 메시지와 주제를 전달한다. 무용수들은 이러한 형태의 요소들을 활용하여 움직임의 다양성과 깊이를 창출하며, 관객과의 감정적 연결을 강화한다.

5. 관계 (Relationship)

무용에서 '관계'는 무용수 간의 상호작용, 또는 무용수와 물체, 무대와의 상호작용을 의미하며, 무용의 내러티브와 감정적 깊이를 강화하는 중요한 요소이다. 관계는 무용의 다양한 구성 요소가 어떻게 상호작용하고 조화를 이루는지를 정의하며, 다음과 같은 하위 요소들로 구성된다:

- **대비** (Contrast): 두 가지 이상의 움직임이 서로 어떻게 대비되는지를 말한다. 대비는 움직임의 강도, 속도, 방향, 형태 등이 상반될 때 발생한다. 예를 들어, 한 무용수는 느리고 부드러운 동작을 수행하는 반면, 다른 무용수는 빠르고 날카로운 동작을 할 수 있다. 이러한 대비는 무용에서 드라마틱한 긴장감을 형성하고, 시각적 흥미를 더하는 역할을 한다.
- **모방** (Imitation): 한 무용수가 다른 무용수의 움직임을 따라하거나 복제하는 방식이다. 모방은 무용에서 유사한 움직임을 통해 동질감을 형성하고, 무용수들 간의 연결성을 강조한다. 이는 종종 대화나 질문과 같은 상호작용을 나타내며, 무용의 서사 구조에 기여할 수 있다. 예를 들어, 두 무용수가 서로의 동작을 거울처럼 따라 하는 장면은 협력이나 공감을 표현하는데 효과적이다.
- **보완** (Complement): 움직임이 서로 보완하여 조화를 이루는 방식을 의미한다. 보완은 무용수들이 서로의 움직임을 강화하거나 대조를 통해 균형을 이루는 방법이다. 예를 들어, 한 무용수가 원을 그리며 회전하는 동안, 다른 무용수가 이를 중심으로 포물선을 그리는 동작을 수행할 수 있다. 이러한 보완적인 움직임은 무용의 구성 요소들이 서로를 지원하고 강화하면서 더욱 풍부한 시각적, 감정적 경험을 제공한다.
- **접촉** (Contact): 무용수 간의 신체적 접촉을 포함한 상호작용을 의미한다. 접촉은 파트너워크(partner work)에서 중요한 역할을 하며, 무용수들

이 서로의 동작에 직접적인 영향을 미치고 함께 움직이는 방법이다. 이는 들어 올리기(lifting), 잡기(grabbing), 지지하기(supporting) 등의 다양한 형태로 나타날 수 있다. 접촉은 무용수들 간의 신뢰와 유대를 표현하며, 무대 위에서 강력한 감정적 순간을 창출할 수 있다.

'관계'는 무용에서 단순한 개인의 움직임을 넘어서, 무용수들 간의 복잡한 상호작용과 조화를 강조한다. 무용수들이 서로 또는 무대와 어떻게 관계를 맺느냐에 따라, 무용의 메시지와 감정 전달이 크게 달라질 수 있다. 이러한 관계 요소들은 무용의 서사와 정서를 풍부하게 만들며, 관객과의 깊은 감정적 연결을 형성하는 데 중요한 역할을 한다.

이러한 요소들은 무용 창작 과정에서 다양하게 활용될 수 있으며, 각각의 요소는 독립적이거나 상호 결합하여 움직임의 표현을 풍부하게 만든다. 무용수와 안무가는 이들 요소를 통해 신체의 표현력과 예술적 가능성을 극대화할 수 있다. 창작 움직임의 요소들은 무용 예술의 다양한 장르와 스타일에서 핵심적인 역할을 하며, 독창적이고 감동적인 작품을 만들어내는 데 기여한다.

무용 창작 과정은 아이디어의 발상부터 완성된 공연에 이르기까지 여러 단계를 거치며, 각 단계는 작품의 발전과 완성에 중요한 역할을 한다. 다음은 무용 창작 과정을 단계별로 자세히 설명한 것이다.

1. 아이디어와 영감

창작의 첫 단계로, 무용 작품의 주제나 콘셉트를 떠올리는 과정이다. 영감은 자연, 사회적 이슈, 개인적 경험, 문학, 음악 등 다양한 원천에서 비롯될 수 있다. 이 단계에서는 무용가나 안무가가 작품의 방향과 메시지를 구상한다.
예를 들어, 한 안무가가 최근 환경 문제에 관심을 가지게 되었다고 가정하자. 그는 지구 온난화와 그로 인한 자연 재해를 주제로 무용 작품을 만들기로 결정한다.

2. 연구와 자료 수집

연구와 자료 수집 단계에서는 선택한 주제에 대해 깊이 있는 조사를 한다. 이는 책, 기사, 다큐멘터리, 인터뷰 등을 통해 주제에 대한 배경 지식을 쌓고, 작품에 반영할 아이디어를 구체화하는 과정이다.
환경 문제를 주제로 한 작품을 만들기 위해, 안무가는 환경 전문가와 인터뷰를 하고, 관련 다큐멘터리를 시청하며, 기후 변화에 대한 최신 연구를 읽는다.

3. 주제와 컨셉 설정

안무가는 작품의 주제를 "지구 온난화로 인한 자연의 고통과 인류의 책임"으로 설정하고, 이를 표현하기 위해 자연의 아름다움과 파괴를 대조적으로 표현하는 방식을 선택한다.

4. 움직임 개발

움직임 개발 단계에서는 창작자가 주제와 컨셉을 바탕으로 다양한 움직임을 실험하고 개발한다. 이는 즉흥적 연습(improvisation)을 통해 새로운 동작을 탐구하고, 이를 반복하며 다듬어 나가는 과정이다.

안무가는 무용수들과 함께 다양한 즉흥적 연습을 통해 자연의 움직임을 표현할 동작을 개발한다. 예를 들어, 물의 흐름을 표현하는 유연한 움직임과 나무가 쓰러지는 강렬한 동작을 탐구한다.

5. 구조와 구성

구조와 구성 단계에서는 개발된 움직임을 바탕으로 작품의 전체적인 흐름과 구성 요소를 정리한다. 이는 작품의 시작, 중간, 끝을 정하고, 각 부분의 움직임을 배열하여 전체적인 이야기와 리듬을 형성하는 과정이다.

6. 음악과 무대 디자인

음악과 무대 디자인 단계에서는 작품의 분위기를 강화하기 위해 적절한 음악과 무대 디자인을 선택하고 결합한다. 이는 작품의 감정적 강도를 높이고, 시각적, 청각적 경험을 풍부하게 만든다.

안무가는 자연의 소리와 현대 음악을 결합한 사운드트랙을 선택하고, 무대는 자연의 풍경을 연상시키는 디자인으로 꾸민다. 예를 들어, 배경에는 숲의 이미지가 투사되고, 바닥에는 물을 연상시키는 반사 물질이 사용된다.

7. 리허설과 피드백

리허설과 피드백 단계는 작품을 연습하고, 동료나 관객으로부터 피드백을 받아 수정하고 개선하는 과정이다. 이는 작품의 완성도를 높이는 중요한 단계이다.

안무가는 무용수들과 함께 반복적인 리허설을 통해 동작의 일관성과 정확성을 높이고, 동료 안무가들과 관객들에게 작품을 시연하여 피드백을 받는다. 이를 바탕으로 필요한 부분을 수정하고 보완한다.

8. 공연 준비

공연 준비 단계에서는 최종 리허설을 통해 작품의 모든 요소를 점검하고, 실제 공연을 위한 준비를 완료한다. 이는 조명, 음향, 의상 등의 세부 사항을 확인하는 과정이다.안무가는 무대 감독과 협력하여 조명과 음향의 최종 세팅을 확인하고, 무용수들의 의상과 소품을 점검한다. 마지막 리허설을 통해 모든 요소가 원활하게 작동하는지 확인한다.

9. 공연

공연 단계는 최종적으로 관객 앞에서 작품을 선보이는 과정이다. 이는 무용수와 안무가가 긴 시간 동안 준비해온 작품을 공개하고, 관객과 소통하는 순간이다.

10. 평가와 반성

평가와 반성 단계에서는 공연 후 작품의 성과를 평가하고, 향후 개선할 점을 찾는다. 이는 무용가와 안무가가 자신의 작품을 객관적으로 돌아보고, 다음 작품을 위한 교훈을 얻는 과정이다.

안무가는 공연 후 무용수들과 함께 작품에 대한 평가를 나누고, 관객의 반응을 분석한다. 이를 통해 무엇이 효과적이었고, 어떤 부분이 개선될 수 있는지 논의한다.

무용 창작 과정은 각 단계마다 창의성과 기술, 협업이 필요한 복합적인 과정이다.

이를 통해 무용가와 안무가는 독창적이고 감동적인 작품을 만들어내며, 관객과 깊이 있는 소통을 이룰 수 있다.

무용 창작 과정에서 창작 기반을 형성하는 다양한 요소들은 작품의 질과 창의성을 결정짓는 중요한 역할을 한다. 이러한 요소들 중에서 심리적 욕구, 동기, 주제, 대상, 관찰, 그리고 즉흥은 각각 고유한 방식으로 창작 과정에 기여한다. 다음은 이들 요소들에 대한 상세한 설명이다.

1. 심리적 욕구

심리적 욕구는 무용가가 창작 활동을 통해 자신의 내면적 요구를 충족시키고자 하는 동기를 말한다. 이는 창작의 근원적 동기 중 하나로, 예술가의 개인적인 경험, 감정, 갈등 등을 표현하려는 욕구에서 비롯된다. 예술적 표현은 무용가가 자신의 정체성을 탐구하고, 내면의 갈등을 해소하며, 자아를 실현하는 수단이 된다.

예를 들어, 무용가는 개인적인 상실이나 트라우마를 무대 위에서 표현함으로써 심리적 치유를 경험할 수 있다. 이러한 심리적 욕구는 무용 창작의 깊이를 더하며, 작품에 진정성을 부여한다. 무용가는 자신의 감정을 춤을 통해 표현하며, 이를 통해 관객과 감정적 교감을 이루게 된다.

심리적 욕구는 또한 무용가가 창작의 과정에서 끊임없이 새로운 도전을 시도하고, 창의적인 한계를 확장하는 동기가 된다. 예술가는 무대 위에서 자신의 내면을 표현하는 동시에, 새로운 표현 방식을 탐구하고, 이를 통해 무용 예술의 발전에 기여하게 된다.

2. 동기

동기는 무용가가 창작 활동을 시작하고 지속하게 만드는 원동력이다. 이는 개인적, 사회적, 예술적 목표와 관련이 있으며, 무용가의 창작 과정 전반에 영향을 미친다. 개인적 동기는 무용가의 개인적 경험이나 열망에서 비롯되며, 사회적 동기는 사회적 이슈나 변화에 대한 반응에서 기인한다. 예술적 동기는 예술 자체에 대한 열정과 헌신에서 나온다.

무용 창작에서 동기는 작품의 방향과 내용을 결정하는 데 중요한 역할을 한다. 예를 들어, 사회적 불평등이나 환경 문제에 대한 강한 감정적 반응이 무용가의 창작 동기가 될 수 있다. 이러한 동기는 작품에 강력한 메시지와 목적을 부여하며, 관객에게 깊은 인상을 남긴다.

동기는 또한 창작 과정의 지속성과 완성도에 영향을 미친다. 무용가는 창작 과정에서 어려움과 도전에 직면할 때, 자신의 동기를 되새기며 이를 극복할 힘을 얻는다. 동기는 무용가가 끊임없이 새로운 아이디어를 탐구하고, 자신의 예술적 능력을 발전시키는 데 중요한 역할을 한다.

3. 주제

주제는 무용 작품이 다루는 주요 개념이나 메시지를 의미한다. 이는 작품의 중심 내용으로, 무용가가 전달하고자 하는 생각이나 감정을 표현한다. 주제는 무용가의 개인적 경험, 사회적 이슈, 철학적 탐구 등 다양한 원천에서 비롯될 수 있다.

무용 창작에서 주제는 작품의 구조와 내용을 결정하는 데 중요한 역할을 한다. 예를 들어, 사랑, 상실, 사회 정의, 자연 등 다양한 주제가 무용 작품의 중심 내용이 될 수 있다. 무용가는 이러한 주제를 표현하기 위해 다양한 동작과 안무를 개발하며, 이를 통해 주제의 깊이를 탐구한다.

주제는 또한 관객과의 소통을 강화하는 역할을 한다. 무용가는 주제를 통해 관객에게 특정 메시지를 전달하고, 이를 통해 관객의 감정적 반응과 성찰을 이끌어낸다. 주제는 무용 작품의 의미와 목적을 부여하며, 관객과의 깊은 감정적 교감을 형성하게 한다.

4. 대상

무용 창작의 대상은 작품을 통해 전달하고자 하는 주제, 감정, 메시지 등을 포괄하는 개념이다. 이는 무용수와 안무가가 어떤 이야기를 전달하고자 하는지, 어떤 감정을 표현하고자 하는지, 또는 관객에게 어떤 영향을 주고자 하는지를 포함한다. 무용 창작의 대상은 작품의 방향성과 목적을 설정하며, 이를 통해 무용은 단순한 움직임을 넘어선 예술적 표현으로 완성된다.

• 인간의 감정과 내면 세계

많은 무용 작품들은 인간의 깊은 감정과 내면 세계를 탐구하고 표현하는 것을 대상으로 삼는다. 사랑, 고통, 기쁨, 슬픔, 희망 등 복잡한 감정들은 신체의 움직임을 통해 구체화된다. 무용수는 자신의 몸을 사용하여 이러한 감정들을 생생하게 표현하며, 관객과의 깊은 감정적 교감을 형성한다. 예를 들어, 마사 그레이엄의 작품들은 그녀의 '수축과 이완' 테크닉을 통해 인간의 내면 갈등과 감정의 표현을 극대화하였다.

• 사회적 및 정치적 메시지

무용은 사회적 이슈나 정치적 메시지를 전달하는 강력한 도구로 사용될 수 있다. 이러한 작품들은 사회적 불의, 정치적 갈등, 인권 문제, 환경 위기 등을 주제로 삼아 관객들에게 중요한 메시지를 전달한다. 무용수는 몸짓을 통해 이러한 이슈를 시각적으로 표현하고, 관객에게 강렬한 인상을 남기며, 사회적 변화를 촉구할 수 있다. 피나 바우쉬의 작품들은 종종 사회적 문제를 다루며, 이를 통해 무용을 통한 사회적 대화와 변화를 이끌어냈다.

•. 문화적 전통과 역사

무용 창작의 대상은 특정 문화나 지역의 전통, 역사적 사건, 신화와 전설 등에서 영감을 받을 수 있다. 이러한 작품들은 문화적 정체성을 탐구하고, 전통을 현대적으로 재해석하여 새로운 무용 작품으로 발전시킨다. 예를 들어, 많은 현대 무용 작품들은 전통적인 춤 동작이나 의식을 현대적인 시각으로 재해석하여 독창적인 무대 예술로 구현된다. 이는 무용이 문화적 유산을 보존하고 발전시키는 중요한 역할을 한다는 것을 보여준다.

•. 인간과 자연의 상호작용

자연과 인간의 관계를 탐구하는 것도 무용 창작의 중요한 대상이다. 자연의 아름다움, 환경 문제, 생태계의 복잡한 상호작용 등을 주제로 하는 작품들은 관객에게 자연과의 연결을 상기시키고, 환경 보존의 중요성을 강조한다. 이러한 작품들은 자연의 요소를 무대에 도입하거나, 자연의 리듬과 형태를 모방하는 방식으로 무용수의 움직임을 통해 표현된다.

•. 추상적 개념과 철학적 주제

추상적 개념이나 철학적 주제도 무용 창작의 대상이 될 수 있다. 이는 무용이 단순한 이야기나 감정 표현을 넘어, 심오한 철학적 질문이나 추상적 아이디어를 탐구할 수 있는 예술적 매체임을 의미한다. 예를 들어, 공간과 시간의 개념, 인간 존재의 의미, 자유와 억압 등의 주제는 무용 작품을 통해 깊이 있게 탐구 될 수 있다. 이러한 작품들은 종종 비구상적이며, 관객에게 다양한 해석의 가능성을 제공한다.

•. 예술적 융합과 상호작용

다른 예술 형식과의 융합과 상호작용도 무용 창작의 중요한 대상이다. 무용은 음악,

미술, 문학, 영화 등 다양한 예술 형식과 결합하여 새로운 표현 방식을 탐구할 수 있다. 이러한 융합은 무용 작품에 다층적인 의미와 깊이를 더하고, 관객에게 풍부한 예술적 경험을 제공한다. 예를 들어, 무용과 비주얼 아트의 결합은 무대 위에 새로운 시각적 차원을 추가하며, 음악과의 결합은 무용의 리듬과 감정을 강화한다. 무용 창작의 대상은 인간의 감정과 내면 세계, 사회적 및 정치적 메시지, 문화적 전통과 역사, 인간과 자연의 상호작용, 추상적 개념과 철학적 주제, 그리고 예술적 융합과 상호작용 등으로 매우 다양하다. 이러한 다양한 대상들은 무용을 단순한 체적 움직임을 넘어선 깊이 있는 예술적 표현으로 만들어주며, 무용 예술의 무한한 가능성을 열어준다.

5. 관찰

관찰은 무용가가 외부 세계를 주의 깊게 살펴보고, 이를 통해 영감을 얻는 과정이다. 이는 자연, 사회, 인간 행동 등을 포함한 다양한 대상을 관찰하는 것을 의미한다. 관찰은 무용가가 새로운 아이디어를 발견하고, 이를 창작 과정에 반영하는 데 중요한 역할을 한다.

무용 창작에서 관찰은 새로운 동작과 표현 방식을 개발하는 데 필수적이다. 예를 들어, 자연을 관찰하는 무용가는 바람에 흔들리는 나무나 물의 흐름을 보고 이를 동작으로 표현할 수 있다. 이러한 관찰은 무용가가 창의적인 아이디어를 발견하고, 이를 통해 독창적인 작품을 만들어내는 데 기여한다.

관찰은 또한 무용가가 현실 세계의 이슈와 변화를 반영하는 작품을 창작하는 데 중요한 역할을 한다. 사회적 이슈나 인간 행동을 관찰하는 무용가는 이를 주제로 한 작품을 통해 관객에게 강력한 메시지를 전달할 수 있다. 관찰은 무용가가 외부 세계와 연결되고, 이를 통해 의미 있는 작품을 창작하는 데 기여한다.

6. 즉흥

즉흥은 무용 창작에서 중요한 요소로, 무용가가 순간의 영감에 따라 자유롭게 움직이는 과정을 의미한다. 이는 정해진 동작 없이 즉석에서 만들어지는 움직임으로, 무용가의 창의성과 표현력을 극대화한다. 즉흥은 무용가가 자신의 감정과 내면을 자유롭게 표현하는 데 중요한 역할을 한다.

즉흥은 무용 창작 과정에서 새로운 동작과 아이디어를 발견하는 데 필수적이다. 무용가는 즉흥 연습을 통해 다양한 움직임을 탐구하고, 이를 통해 독창적인 동작을 개발한다. 즉흥은 무용가가 자신의 신체를 자유롭게 사용하고, 새로운 표현 방식을 발견하는 데 기여한다.

즉흥은 또한 무용 작품의 생동감과 자연스러움을 높이는 데 중요한 역할을 한다. 무용가는 즉흥 연습을 통해 움직임의 유연성과 흐름을 개선하며, 이를 통해 작품의 표현력을 극대화한다. 즉흥은 무용가가 자신의 감정과 내면을 진정성 있게 표현하고, 관객과 깊은 감정적 교감을 형성한다.

미적원리

다음은 두블러, 헤이즈, 호킨스, 험프리, 더피가 제시한 무용 구성의 미적 원리에 대한 설명이다.

• **베르나르드 두블러** (Bernard Dobler)

균형과 조화: 두블러는 움직임의 균형과 조화를 중요시했다. 이는 무용수의 신체와 동작이 공간에서 어떻게 상호작용하는지에 대한 것이다. 균형과 조화는 시각적으로 아름답고 안정감을 주는 동작을 창출한다.

리듬과 타이밍: 무용에서 리듬과 타이밍은 매우 중요하다. 두블러는 음악과 움직임의 동기화, 그리고 동작의 속도와 강약 조절을 통해 감정과 이야기를 전달할 수 있다고 보았다.

다양성과 대비: 다양한 동작과 그들 간의 대비를 통해 시각적 흥미를 유발하는 것을 중시했다. 이는 무용 작품이 단조롭지 않고 생동감 있게 만드는 요소이다.

• **루돌프 폰 라반** (Rudolf von Laban)

신체 공간: 헤이즈는 무용수가 공간을 활용하는 방식에 대해 깊이 탐구했다. 그는 무용수의 신체가 어떻게 공간을 채우고, 이동하며, 다양한 높이와 방향으로 움직이는지를 중시했다.

동작의 흐름: 동작의 연속성과 흐름을 강조하며, 각 동작이 어떻게 자연스럽게 연결되는지를 중요하게 여겼다.

표현과 의도: 무용이 단순한 신체적 움직임을 넘어서, 감정과 이야기를 전달하는 매체가 되어야 한다고 보았다. 이는 무용수가 자신의 의도를 명확하게 표현하는 데 중점을 둔다.

• 에릭 호킨스 (Erick Hawkins)

자연스러운 움직임: 호킨스는 무용수의 신체가 자연스럽게 움직여야 한다고 주장했다. 이는 인위적인 동작보다는 신체의 자연스러운 리듬과 흐름을 중시하는 것이다.
신체의 자유: 신체의 모든 부분이 자유롭게 움직이며, 고정된 틀에 얽매이지 않는 자유로운 표현을 강조했다 감각과 직관: 무용수의 감각과 직관을 통한 움직임 탐구를 중요시했으며, 이는 즉흥성과 창의성을 강화하는 원리이다.

• 도리스 험프리 (Doris Humphrey)

상승과 하강: 험프리는 동작의 상승과 하강, 균형과 불균형을 통해 동작의 에너지를 조절하는 것을 중요시했다. 이는 무용의 드라마틱한 요소를 강조한다.
양극성: 움직임의 양극성, 즉 팽팽한 긴장과 이완의 반복을 통해 무용의 리듬과 흐름을 만들어낸다.
형태와 공간: 험프리는 신체의 형태와 공간에서의 위치를 중요하게 생각했으며, 이는 동작의 시각적 효과를 극대화하는 방법이다.

•리처드 더피 (Richard Dufy)

통합과 일관성: 더피는 모든 동작이 통합되고 일관성 있게 연결되는 것을 중요시했다. 이는 작품 전체의 통일성을 유지하는 데 필수적이다.
창의적 표현: 무용수가 자신의 창의성과 개성을 충분히 발휘할 수 있도록 격려했다. 이는 독창적인 동작과 안무를 개발하는 데 기여한다.
협업과 상호작용: 무용수들 간의 협업과 상호작용을 중시하여, 팀워크를 통해 더욱 풍부한 작품을 만들어낸다.
이들 미학 교육자들이 제시한 무용 구성의 미적 원리는 무용 창작과 교육에서 중요한 지침을 제공하며, 무용 예술의 깊이와 표현력을 극대화하는 데 기여한다.

★ **무용의 미적 원리**는 무용 작품의 창작과 감상에 있어 중요한 요소들로, 작품의 아름다움과 예술성을 결정짓는다. 이들 원리는 무용가와 안무가가 움직임을 통해 감정과 이야기를 효과적으로 전달하는 데 필수적이다. 다음은 **통일, 변화, 반복, 대비, 변이, 연속, 절정, 비례, 균형, 조화**에 대한 상세한 설명이다.

1. 통일 (Unity)

통일은 무용 작품에서 모든 요소가 일관된 전체로 통합되는 것을 의미한다. 이는 동작, 음악, 의상, 무대 디자인 등이 하나의 주제나 아이디어를 중심으로 조화롭게 결합되는 것을 포함한다. 통일된 작품은 관객에게 명확한 메시와 일관된 경험을 제공하며, 작품의 완성도를 높인다.

통일은 무용 작품의 구조와 흐름을 결정하는 데 중요한 역할을 한다. 예를 들어, 각 동작이 이전 동작과 자연스럽게 연결되며, 전체 작품이 하나의 연속적인 이야기로 이어지는 방식이다. 이는 무용가와 관객 모두에게 일관된 방향성과 목적을 제공한다.

통일된 무용 작품은 감정적 깊이와 의미를 더할 수 있다. 무용가는 통일된 주제를 통해 관객과 깊은 감정적 교감을 형성할 수 있으며, 이는 작품의 감동을 극대화하는 데 기여한다. 예를 들어, 사랑을 주제로 한 작품에서 모든 동작과 음악이 사랑의 다양한 측면을 표현한다면, 관객은 이를 통해 사랑에 대한 깊은 이해와 감정을 느낄 수 있다.

통일을 이루기 위해서는 모든 요소가 서로 조화를 이루도록 세심한 계획과 조정이 필요하다. 안무가는 각 동작의 의도와 의미를 명확히 하고, 이를 전체 작품의 주제와 일치시키는 작업을 한다. 이는 작품의 일관성을 유지하고, 관객에게 강렬한 인상을 남기는 데 필수적이다.

2. 변화 (Variety)

변화는 무용 작품에서 다양한 동작, 리듬, 속도, 강약 등을 통해 생동감과 흥미를 유발하는 원리이다. 변화는 작품을 단조롭지 않게 만들고, 관객의 관심을 지속적으로 유지하는 데 중요한 역할을 한다.

변화는 작품의 각 부분이 독특하면서도 전체와 조화를 이루도록 한다. 예를 들어, 작품의 시작은 느리고 부드러운 동작으로 시작하고, 중간 부분에서는 강렬하고 빠른 동작으로 전환하며, 끝부분에서는 다시 부드럽고 느린 동작으로 마무리할 수 있다. 이러한 변화는 작품에 동적인 에너지를 부여하고, 관객의 시선을 사로잡는다.

변화는 또한 무용수의 기술과 표현력을 다양하게 보여줄 수 있는 기회를 제공한다. 무용수는 다양한 스타일과 기법을 통해 자신의 능력을 발휘하며, 작품의 풍부함과 깊이를 더할 수 있다. 예를 들어, 발레, 현대 무용, 재즈 댄스 등을 결합하여 다양한 동작을 표현할 수 있다.

변화를 통해 무용 작품은 감정의 다양한 측면을 효과적으로 전달할 수 있다. 무용가는 변화하는 동작과 리듬을 통해 감정의 흐름과 변화를 표현하며, 관객에게 강한 감정적 반응을 이끌어낼 수 있다. 이는 작품의 감동을 극대화하고, 관객의 기억에 오래 남는 인상을 남기는 데 기여한다.

3. 반복 (Repetition)

반복은 특정 동작이나 움직임을 반복하여 무용 작품의 구조를 강화하고, 주제를 강조하는 원리이다. 반복은 관객이 특정 동작이나 주제를 쉽게 인식하고 기억할 수 있도록 돕는다.

반복은 무용 작품의 일관성과 통일성을 유지하는 데 중요한 역할을 한다. 동일한 동작이나 패턴을 반복함으로써 작품의 주제나 메시지를 강화할 수 있다. 예를 들어, 특정 동작이 여러 번 반복되면, 그 동작이 작품의 중심 주제나 중요한 메시지를 나타낸다는 것을 관객이 인식하게 된다.

반복은 또한 작품의 리듬과 구조를 강화하는 데 기여한다. 반복되는 동작은 작품의 리듬을 일정하게 유지하고, 관객에게 안정감을 제공한다. 이는 특히 복잡한 작품에서 중요한 역할을 한다. 복잡한 동작 사이에 반복되는 단순한 패턴을 삽입함으로써 관객이 작품을 더 쉽게 이해하고 따라갈 수 있게 된다.

반복은 감정의 강도를 높이는 데도 사용될 수 있다. 특정 감정이나 분위기를 나타내는 동작을 반복함으로써, 그 감정이나 분위기를 더욱 강렬하게 표현할 수 있다. 예를 들어, 슬픔을 나타내는 동작을 반복하면, 그 슬픔의 감정이 점점 더 깊어지고 강렬해진다.

4. 대비 (Contrast)

대비는 두 가지 이상의 동작이나 요소가 서로 다른 특성을 지니고 있을 때 생기는 차이점을 활용하는 원리이다. 대비는 무용 작품에 시각적, 감정적 깊이를 더하고, 관객의 관심을 끌며, 작품의 다채로움을 극대화한다.

대비는 작품의 구성에서 중요한 역할을 한다. 예를 들어, 빠른 동작과 느린 동작, 강한 동작과 부드러운 동작을 교차시키는 방식으로 대비를 사용할 수 있다. 이러한 대조는 작품에 리듬과 에너지를 부여하며, 관객의 흥미를 지속적으로 유지시킨다.

대비는 감정의 표현에서도 중요한 역할을 한다. 예를 들어, 평화로운 장면과 긴장된 장면을 교차시키는 방식으로 감정의 강도를 극대화할 수 있다. 이러한 감정적 대비는 관객에게 강한 인상을 남기고, 작품의 감정적 여정을 더욱 생생하게 만든다.

대비는 또한 무대 디자인과 의상에서도 활용될 수 있다. 예를 들어, 무대의 밝은 부분과 어두운 부분, 단순한 의상과 화려한 의상을 교차시키는 방식으로 시각적 대비를 사용할 수 있다. 이러한 시각적 대비는 무용 작품의 시각적 아름다움을 극대화하고, 관객의 시선을 사로잡는다.

5. 변이 (Variation)

변이는 기본적인 동작이나 패턴을 약간씩 변화시키는 것을 의미한다. 변이는 작품에 새로움과 창의성을 더하고, 관객의 관심을 지속적으로 유지시키는 데 중요한 역할을 한다.

변이는 동일한 기본 동작이나 패턴을 사용하되, 각 반복에서 약간씩 다르게 표현하는 것을 포함한다. 예를 들어, 동일한 기본 동작을 여러 번 반복하되, 각 반복에서 동작의 속도, 방향, 강약 등을 약간씩 변화시키는 것이다. 이러한 변이는 작품에 다양성을 부여하고, 관객의 흥미를 유지시킨다.

변이는 무용가의 창의성과 표현력을 발휘하는 데 중요한 역할을 한다. 무용가는 기본적인 동작을 다양한 방식으로 변형하여 자신만의 독창적인 스타일을 표현할 수 있다. 이는 무용 작품에 독특한 개성과 창의성을 더하는 데 기여한다.

변이는 또한 작품의 리듬과 구조를 더욱 풍부하게 만든다. 동일한 패턴이 약간씩 변형되면서 반복되면, 작품의 리듬이 단조롭지 않고 생동감 있게 느껴진다. 이는 관객에게 더욱 흥미롭고 다채로운 시각적 경험을 제공한다.

6. 연속 (Continuation)

연속은 무용에서 동작이 자연스럽게 이어지는 흐름을 의미한다. 이는 무용 작품의 유동성과 일관성을 유지하는 데 중요한 역할을 한다. 연속적인 동작은 관객에게 자연스럽고 매끄러운 경험을 제공하며, 작품의 흐름을 방해하지 않는다. 예를 들어, 발레에서 한 동작이 자연스럽게 다음 동작으로 이어지는 방식은 연속의 원리를 잘 보여준다.

연속은 작품의 구조와 리듬을 강화하는 데 기여한다. 각 동작이 자연스럽게 이어지면서, 작품의 전체적인 흐름이 끊기지 않고 계속된다. 이는 무용가와 관객 모두에게 일관된 경험을 제공하며, 작품의 완성도를 높인다. 특히 현대 무용에서는 이러한 연속성을 통해 무용의 흐름과 리듬이 강조된다.

연속은 감정의 표현에서도 중요한 역할을 한다. 감정의 흐름이 자연스럽게 이어지면서, 관객은 무용가의 감정을 더욱 깊이 공감할 수 있다. 이는 특히 감정적인 작품에서 중요한 역할을 한다. 감정의 변화가 자연스럽게 이어지면, 관객은 무용가의 감정을 더 쉽게 이해하고 공감할 수 있다.

연속은 또한 무용수의 기술적 능력을 보여주는 데 중요한 역할을 한다. 무용수는 각 동작을 자연스럽게 이어가면서, 자신의 기술과 표현력을 극대화할 수 있다. 이는 작품의 미적 아름다움을 극대화하고, 관객에게 깊은 인상을 남긴다. 연속적인 동작은 무용수의 기술적 완성도와 표현력의 깊이를 보여주는 중요한 요소이다.

7. 절정 (Climax)

절정은 무용 작품에서 감정적, 극적 최고조를 나타내는 순간이다. 이는 작품의 하이라이트로, 관객의 주목을 끌고 강렬한 감정적 반응을 이끌어내는 역할을 한다. 절정은 작품의 흐름에서 중요한 변곡점이며, 전체 이야기를 결정짓는 핵심 요소이다.

절정은 작품의 구조를 강화하고, 감정적 여정을 완성하는 데 기여한다. 예를 들어, 작품의 초기 부분에서 점진적으로 감정적 긴장이 고조되다가 절정에서 폭발적으로 표현되는 방식이다. 이는 관객에게 깊은 감동을 주고, 작품의 메시지를 강렬하게 전달한다.

절정은 무용수의 기술적 역량을 극대화하는 기회이기도 하다. 무용수는 절정 부분에서 가장 인상적인 동작과 표현을 선보이며, 자신의 기량을 최대한 발휘할 수 있다. 이는 관객에게 강한 인상을 남기고, 작품의 완성도를 높인다.

절정을 효과적으로 구현하기 위해서는 전체 작품의 흐름과 조화를 이루어야 한다. 절정은 작품의 다른 부분과 자연스럽게 연결되며, 관객이 절정에 도달할 때까지의 과정을 충분히 이해하고 공감할 수 있도록 설계되어야 한다. 이는 절정의 강렬함과 감동을 극대화하는 데 필수적이다.

8. 비례 (Proportion)

비례는 무용 작품에서 동작과 요소 간의 적절한 크기와 관계를 의미한다. 이는 동작의 크기, 속도, 강약 등이 전체 작품과 조화를 이루는 것을 포함한다. 비례는 무용의 시각적 아름다움과 균형을 유지하는 데 중요한 역할을 한다.

비례는 동작의 크기와 범위에서 중요한 역할을 한다. 예를 들어, 큰 동작과 작은 동작을 적절히 배치하여 시각적 다양성과 균형을 유지할 수 있다. 이는 관객에게 다양한 시각적 자극을 제공하고, 작품의 시각적 완성도를 높인다.

비례는 또한 동작의 속도와 리듬에도 영향을 미친다. 빠른 동작과 느린 동작의 조화를 통해 작품의 리듬과 흐름을 조절할 수 있다. 이는 관객에게 자연스럽고 매끄러운 경험을 제공하며, 작품의 일관성을 유지한다.

비례는 무용수의 신체적 표현력과도 깊이 관련되어 있다. 무용수는 자신의 신체를 통해 적절한 비례를 표현함으로써, 작품의 미적 아름다움을 극대화할 수 있다. 이는 무용 작품의 감동과 인상을 깊게 만드는 중요한 요소이다.

9. 균형 (Balance)

균형은 무용 작품에서 동작과 요소 간의 평형 상태를 의미한다. 이는 시각적, 감정적 안정감을 제공하며, 작품의 구조와 리듬을 강화하는 데 중요한 역할을 한다. 균형은 무용 작품의 일관성과 완성도를 유지하는 데 필수적이다.

균형은 동작의 대칭성과 비대칭성을 포함한다. 대칭적 동작은 시각적으로 안정감을 제공하며, 비대칭적 동작은 시각적 흥미를 유발한다. 무용 작품에서 이 둘의 적절한 조합은 작품의 시각적 다양성과 안정감을 동시에 제공한다.

균형은 또한 감정적 표현에서도 중요한 역할을 한다. 감정적 균형을 통해 작품의 감정적 여정을 조절할 수 있다. 예를 들어, 강렬한 감정 표현 후에 평온한 감정을 표현함으로써 감정적 균형을 유지할 수 있다. 이는 관객이 작품을 더 쉽게 공감하고 이해할 수 있도록 돕는다.

균형은 무용수의 기술적 능력과도 관련이 있다. 무용수는 동작의 균형을 유지함으로써 자신의 기술을 최대한 발휘할 수 있다. 이는 동작의 정확성과 아름다움을 극대화하며, 관객에게 깊은 인상을 남긴다. 균형은 무용 작품의 일관성과 완성도를 유지하는 데 중요한 역할을 한다.

10. 조화 (Harmony)

조화는 무용 작품에서 모든 요소가 일관된 전체로 결합되는 것을 의미한다. 이는 동작, 음악, 의상, 무대 디자인 등이 하나의 주제나 아이디어를 중심으로 조화롭게 결합되는 것을 포함한다. 조화는 작품의 완성도와 일관성을 유지하는 데 중요한 역할을 한다. 조화는 무용 작품의 구조와 흐름을 강화하는 데 기여한다. 각 동작이 자연스럽게 이어지면서, 작품의 전체적인 흐름이 끊기지 않고 계속된다. 이는 무용가와 관객 모두에게 일관된 경험을 제공하며, 작품의 완성도를 높인다.

조화는 감정의 표현에서도 중요한 역할을 한다. 감정의 흐름이 자연스럽게 이어지면서, 관객은 무용가의 감정을 더욱 깊이 공감할 수 있다. 이는 특히 감정적인 작품에서 중요한 역할을 한다. 감정의 변화가 자연스럽게 이어지면, 관객은 무용가의 감정을 더 쉽게 이해하고 공감할 수 있다.

조화는 또한 무용수의 기술적 능력을 보여주는 데 중요한 역할을 한다. 무용수는 각 동작을 자연스럽게 이어가면서, 자신의 기술과 표현력을 극대화할 수 있다. 이는 작품의 미적 아름다움을 극대화하고, 관객에게 깊은 인상을 남긴다. 조화는 무용 작품의 일관성과 완성도를 유지하는 데 중요한 요소이다.

무용 창작 과정에서 **통일, 변화, 반복, 대비, 변이, 연속, 절정, 비례, 균형, 조화** 등의 미적 원리를 효과적으로 적용하면 작품은 예술적 완성도와 감동을 극대화할 수 있다. 이러한 요소들은 각각 작품의 구성과 감정적 표현을 풍부하게 하며, 관객에게 강렬하고 잊을 수 없는 경험을 제공한다.

첫째, **통일**과 **조화**는 작품의 일관성과 완성도를 높인다. 모든 동작과 음악, 무대 디자인, 의상이 하나의 주제를 중심으로 일관되게 결합되면, 작품은 명확한 메시지를 전달할 수 있다. 통일된 작품은 관객에게 일관된 감정적 흐름을 제공하며, 감정적 깊이를 더한다. 조화로운 결합은 무용의 시각적 아름다움을 극대화하여 관객의 시선을 사로잡는다.

둘째, **변화**와 **변이**는 작품의 다채로움을 더하여 관객의 관심을 지속적으로 유지하게 한다. 동일한 동작이나 패턴을 다양한 방식으로 변화시키고 변형하면, 작품은 단조롭지 않고 생동감 있게 느껴진다. 이러한 요소는 관객에게 끊임없이 새로운 시각적 자극을 제공하며, 작품의 전체적인 흐름에 다채로움을 더한다.

셋째, **반복**과 **대비**는 작품의 주제와 메시지를 강조하는 데 효과적이다. 특정 동작이나 주제를 반복하면, 그 중요성을 관객이 쉽게 인식할 수 있다. 대비를 통해 서로 다른 동작이나 감정을 교차시키면, 작품에 드라마틱한 요소를 추가하고 감정적 깊이를 더할 수 있다. 이는 관객에게 강렬한 인상을 남기며, 작품의 메시지를 명확하게 전달한다.

넷째, **연속**과 **비례**는 작품의 자연스러움과 시각적 안정감을 유지하게 한다. 동작이 자연스럽게 이어지면서 작품의 흐름이 끊기지 않고 계속되면, 관객은 더 몰입하여 감상할 수 있다. 비례는 동작과 요소 간의 적절한 크기와 관계를 유지하여 시각적 균형을 제공하고, 작품의 시각적 완성도를 높인다.

마지막으로, **절정**과 **균형**은 작품의 감정적 여정을 완성하고, 시각적 안정감을 제공한다. 절정은 작품의 극적인 최고조를 나타내며, 관객에게 강렬한 감정적 반응을 유도한다. 균형은 동작과 요소 간의 평형 상태를 유지하여 시각적 안정감을 제공하며, 작품의 전체적인 조화를 이루게 한다. 이러한 미적 원리들이 조화롭게 결합된 작품은 관객에게 깊은 감동과 잊을 수 없는 예술적 경험을 선사한다.

무용 창작은 단순히 예술 교육을 넘어서, 학생들의 **창의력, 신체 표현력, 정서적 발달, 사회적 상호작용, 문화적 이해와 감수성, 자기 표현과 자아 존중감, 학문적 성취와 통합적 학습을 촉진**하는 중요한 교육 수단이다. 이러한 다각적인 교육적 가치는 학생들이 전인적 성장을 이루고, 미래 사회에서 성공적으로 살아갈 수 있는 기반을 마련해 준다.

교육에 있어서 무용창작의 중요성

1. 창의력 개발

무용 창작은 학생들이 자신의 아이디어를 표현하고 새로운 동작을 만들어 내는 과정에서 창의력을 개발하는 데 중요한 역할을 한다. 학생들은 무용을 통해 자신만의 독창적인 스타일과 표현 방법을 탐구하며, 이는 창의적 사고를 촉진시킨다. 이러한 과정은 문제 해결 능력과 혁신적인 사고를 길러주며, 학습자들이 다양한 상황에서 창의적인 접근 방식을 적용할 수 있도록 돕는다.

또한, 창의력 개발은 단순히 예술 분야에 국한되지 않고, 전반적인 학습과 일상 생활에서도 중요한 역할을 한다. 무용 창작을 통해 습득한 창의적 사고는 학업 성취와 직업적 성공에 기여할 수 있다. 학생들이 자신의 생각을 자유롭게 표현하고, 새로운 아이디어를 시도해보는 경험은 창의력을 더욱 풍부하게 한다.

2. 신체 표현력 향상

무용 창작은 학생들이 자신의 신체를 이해하고, 이를 통해 감정과 이야기를 표현하는 능력을 향상시킨다. 이는 신체 인식과 조절 능력을 강화하며, 학생들이 자신의 신체를 효과적으로 사용하는 법을 배우게 한다. 무용을 통해 학생들은 다양한 동작을 연습하고, 이를 통해 신체 표현력을 극대화할 수 있다.

신체 표현력은 무용 외에도 연기, 발표, 대중 연설 등 다양한 분야에서 중요한 역할을 한다. 학생들은 무용 창작을 통해 자신감 있게 몸을 사용하고, 감정과 의도를 명확하게 전달하는 능력을 기를 수 있다. 이는 학생들의 전반적인 표현력과 커뮤니케이션 능력을 향상시키는 데 기여한다.

3. 정서적 발달

무용 창작은 학생들이 자신의 감정을 이해하고 표현하는 데 도움을 준다. 무용을 통해 학생들은 기쁨, 슬픔, 분노, 두려움 등 다양한 감정을 표현할 수 있으며, 이는 정서적 발달에 긍정적인 영향을 미친다. 무용 창작 과정에서 학생들은 감정을 신체적으로 표현함으로써 스트레스를 해소하고, 감정조절 능력을 기를 수 있다.
정서적 발달은 학생들의 정신 건강과 직결된다. 무용 창작을 통해 감정을 표현하고, 이를 통해 내면의 갈등을 해소하는 경험은 학생들의 정서적 안정감을 높이는 데 기여한다. 이는 학업 성취와 사회적 관계 형성에도 긍정적인 영향을 미친다.

4. 사회적 상호작용

무용 창작은 그룹 작업을 통해 학생들이 협력하고 소통하는 능력을 기르는 데 도움을 준다. 학생들은 무용 작품을 함께 만들고 연습하면서 팀워크와 협동심을 배울 수 있다. 이는 학생들이 다른 사람들과 효과적으로 상호작용하고, 협력하는 방법을 배우는 데 중요한 역할을 한다.
사회적 상호작용 능력은 학생들의 전반적인 사회 생활에 큰 영향을 미친다. 무용 창작을 통해 학생들은 다양한 배경과 의견을 가진 사람들과 함께 작업하는 법을 배우며, 이는 사회적 기술을 향상시키는 데 기여한다. 이러한 경험은 학생들이 미래에 다양한 사회적 상황에서 성공적으로 대처할 수 있도록 돕는다.

5. 문화적 이해와 감수성

무용 창작은 학생들이 다양한 문화적 배경과 전통을 이해하고 존중하는 데 도움을 준다. 학생들은 다양한 문화적 요소를 포함한 무용 작품을 창작하고 감상하면서, 문화적 다양성을 경험할 수 있다. 이는 학생들이 글로벌 시민으로 성장하는 데 중요한 역할을 한다.

문화적 이해와 감수성은 현대 사회에서 필수적인 덕목이다. 무용 창작을 통해 학생들은 다양한 문화적 관점을 존중하고, 이를 통해 포용성과 개방성을 기를 수 있다. 이는 다문화 사회에서 평화롭고 협력적인 관계를 형성하는 데 기여한다.

6. 자기 표현과 자아 존중감

무용 창작은 학생들이 자신의 생각과 감정을 자유롭게 표현할 수 있는 기회를 제공한다. 이는 학생들의 자기 표현 능력을 향상시키고, 자아 존중감을 높이는 데 도움을 준다. 무용을 통해 학생들은 자신이 가진 능력을 발견하고, 이를 통해 자신감을 얻을 수 있다.

자기 표현과 자아 존중감은 학생들의 전반적인 삶의 질에 큰 영향을 미친다. 무용 창작을 통해 자신을 표현하는 경험은 학생들의 자기 인식을 높이고, 긍정적인 자아상을 형성하는 데 기여한다. 이는 학생들이 자신감 있게 도전하고, 성공을 추구하는 동기를 부여한다.

7. 학문적 성취와 통합적 학습

무용 창작은 다양한 학문적 영역과의 통합적 학습을 촉진한다. 무용은 음악, 미술, 문학 등 다른 예술 분야와 자연스럽게 연결되며, 이를 통해 종합적인 학습 경험을 제공한다. 또한, 무용 창작 과정에서 수학적 개념(예: 리듬, 비례)과 과학적 원리(예: 신체의 움직임과 균형)를 적용할 수 있다.

학문적 성취와 통합적 학습은 학생들의 전반적인 학습 경험을 풍부하게 한다. 무용 창작을 통해 다양한 학문적 개념을 경험하고, 이를 실제로 적용하는 과정은 학생들의 이해력을 높이고, 창의적 사고를 촉진시킨다. 이는 학생들의 전반적인 학업 성취를 향상시키는 데 기여한다.

안무

안무(Choreography)는 춤의 동작과 흐름을 계획하고 구성하는 예술적 과정이다. 이는 무용 작품의 구조를 설계하고, 무용수들의 움직임을 조율하며, 음악과 무대 디자인을 통합하는 것을 포함한다. 안무가는 이 과정을 통해 무용수의 움직임을 예술적 표현으로 승화시켜, 관객에게 전달하고자 하는 메시지나 이야기를 구체화한다.

안무가는 무용수의 신체적 가능성과 한계를 이해하고, 이를 최대한 활용하여 작품의 예술적 완성도를 높이는 데 주력한다. 안무는 무용 작품의 구조와 흐름을 결정짓는 핵심 요소로, 무용가의 창의성과 표현력이 집약된 결과물이라 할 수 있다.

안무의 첫 번째 요소는 **동작의 창작**이다. 안무가는 작품의 주제와 감정선을 기반으로 적절한 동작을 창작한다. 이 과정에서 안무가는 다양한 무용 기법과 스타일을 결합하여 독창적인 동작을 만들어낸다. 예를 들어, 발레의 우아한 동작과 현대 무용의 자유로운 움직임을 조합하여 새로운 표현 방식을 개발할 수 있다. 이러한 동작의 창작은 무용 작품의 기본 뼈대를 형성하며, 작품의 메시지를 명확하게 전달하는 데 기여한다.

두 번째 요소는 **동작의 구성**이다. 안무가는 창작한 동작들을 어떻게 배열하고 연결할지 결정한다. 이는 작품의 전체적인 흐름과 리듬을 형성하는 중요한 과정이다. 동작의 구성은 무용 작품의 서사 구조와 감정적 여정을 설계하는 데 중요한 역할을 한다. 예를 들어, 서정적인 장면과 극적인 장면을 어떻게 배치할지, 동작의 속도와 강약을 어떻게 조절할지 등을 고민하게 된다. 이러한 구성을 통해 작품은 관객에게 일관된 감정경험을 제공할 수 있다.

세 번째 요소는 **음악과의 결합**이다. 안무가는 음악과의 조화를 통해 동작의 표현력을 극대화한다. 음악은 무용 작품의 분위기와 감정을 강화하는 중요한 요소로, 안무가는 음악의 리듬, 멜로디, 템포에 맞춰 동작을 구성한다. 음악과 동작이 완벽하게 결합되면, 작품은 시청각적으로 더욱 풍부하고 감동적으로 느껴진다. 또한, 음악은 무용수의 동작에 에너지를 부여하고, 관객의 감정적 반응을 유도하는 데 중요한 역할을 한다.

네 번째 요소는 **무대 디자인과 의상의 활용**이다. 안무가는 무대 공간을 효과적으로 활용하고, 의상을 통해 시각적 아름다움을 극대화한다. 무대 디자인은 작품의 배경과 분위기를 형성하며, 무용수의 동작을 더욱 돋보이게 하는 역할을 한다. 의상은 무용수의 움직임을 강조하고, 작품의 주제와 스타일을 시각적으로 표현하는 데 사용된다. 안무가는 이러한 시각적 요소들을 고려하여 동작을 구성하고, 작품의 전체적인 완성도를 높인다.

다섯 번째 요소는 **무용수와의 협업**이다. 안무가는 무용수와의 긴밀한 협력을 통해 작품을 완성한다. 무용수는 안무가의 지시에 따라 동작을 수행하지만, 동시에 자신의 해석과 표현을 통해 동작을 완성한다. 안무가는 무용수의 신체적 특성과 개성을 고려하여 동작을 수정하고, 무용수의 창의성을 최대한 반영하려고 노력한다. 이러한 협업은 작품의 표현력을 극대화하고, 무용수와 안무가 간의 예술적 교감을 통해 작품의 깊이를 더한다.

마지막으로, 안무는 **관객과의 소통을 위한 중요한 매개체**이다. 무용 작품은 안무를 통해 감정과 이야기를 전달하고, 관객과의 감정적 교감을 형성한다. 안무가는 관객의 시선을 사로잡고, 작품의 메시지를 명확하게 전달하기 위해 다양한 기법을 사용한다. 이를 통해 무용 작품은 단순한 신체적 움직임을 넘어, 예술적 표현과 감동을 전달하는 강력한 매체로 자리잡게 된다. 안무는 무용 작품의 예술적 가치를 결정짓는 핵심 요소로, 무용가의 창의성과 표현력을 극대화하는 중요한 역할을 한다.

안무의 요소

안무는 무용 창작의 핵심 과정으로, 신체, 공간, 시간, 에너지라는 네 가지 주요 요소를 통해 이루어진다. 신체는 무용수의 동작을 통해 감정과 이야기를 전달하는 도구로, 안무가는 무용수의 신체적 특성과 능력을 최대한 활용하여 작품을 창작한다. 공간은 무용수의 움직임이 이루어지는 물리적 영역으로, 안무가는 공간의 활용을 통해 작품의 시각적 구성을 결정한다. 시간은 동작의 속도, 리듬, 지속성을 의미하며, 안무가는 이를 통해 작품의 감정적 흐름과 표현을 조절한다. 에너지는 동작의 질과 강도를 나타내며, 무용수의 움직임에 생명력을 부여한다. 이 네 가지 요소들은 무용 작품의 완성도와 예술적 가치를 극대화하는 데 중요한 역할을 한다.

신체 (Body)

신체는 안무의 가장 기본적인 요소로, 무용수의 신체는 무용 작품의 주된 표현 도구이다. 신체의 움직임은 감정과 이야기를 전달하는 중요한 수단이며, 각 무용수의 신체적 특성과 능력은 안무의 형태와 스타일에 큰 영향을 미친다. 안무가는 무용수의 근력, 유연성, 균형감각 등을 고려하여 동작을 창작한다.

무용수의 신체는 다양한 방식으로 사용될 수 있다. 예를 들어, 손과 팔의 움직임은 섬세한 감정을 표현하는 데 효과적이며, 다리와 발의 움직임은 힘과 에너지를 나타낸다. 또한, 신체의 전체적인 움직임은 공간을 채우고, 시각적인 아름다움을 창출한다. 안무가는 이러한 신체적 움직임을 통해 무용 작품의 메시지를 명확하게 전달할 수 있다.

신체의 움직임은 또한 리듬과 템포에 따라 변할 수 있다. 빠르고 강한 동작은 긴장감과 에너지를 표현하며, 느리고 부드러운 동작은 평온함과 유연성을 나타낸다.

안무가는 이러한 움직임의 변화를 통해 작품의 감정적 흐름을 조절하고, 관객의 감정적 반응을 유도할 수 있다.
무용수의 신체적 표현력은 안무의 완성도에 큰 영향을 미친다. 무용수는 자신의 신체를 통해 감정과 이야기를 전달하며, 이를 통해 관객과 깊은 감정적 교감을 형성한다. 안무가는 무용수의 신체적 특성과 능력을 최대한 활용하여 작품의 예술적 가치를 극대화할 수 있다.

공간 (Space)

공간은 무용 작품에서 무용수의 움직임이 이루어지는 물리적 영역을 의미한다. 공간은 무용 작품의 시각적 구성을 결정짓는 중요한 요소로, 안무가는 무용수가 공간을 어떻게 활용하는지를 신중하게 계획한다. 공간의 활용은 무용 작품의 분위기와 메시지를 전달하는 데 중요한 역할을 한다.
공간은 다양한 방식으로 사용될 수 있다. 예를 들어, 무용수의 동작이 넓은 공간을 차지하면 자유로움과 개방감을 나타내며, 좁은 공간에서의 움직임은 제한된 느낌과 긴장감을 표현할 수 있다. 또한, 무용수의 이동 경로는 작품의 흐름과 리듬을 강화하는 데 중요한 역할을 한다.
공간의 활용에는 수직적 요소와 수평적 요소가 포함된다. 수직적 요소는 무용수가 높이, 중간, 낮은 수준에서 움직이는 것을 의미하며, 이는 무용 작품에 다양한 차원을 부여한다. 수평적 요소는 무용수가 무대의 좌우, 앞뒤로 이동하는 것을 의미하며, 이는 작품의 동적 에너지를 창출한다.
안무가는 또한 공간의 배치와 무대 디자인을 고려하여 동작을 구성한다. 무대 디자인은 무용수의 움직임을 더욱 돋보이게 하며, 작품의 시각적 효과를 극대화한다. 예를 들어, 특정 배경이나 소품을 활용하여 무용수의 동작을 강조할 수 있다. 이러한 공간의 활용은 무용 작품의 완성도를 높이는 데 기여한다.

시간 (Time)

시간은 무용 작품에서 동작의 속도, 리듬, 지속성을 의미하는 중요한 요소이다. 시간은 무용의 감정적 흐름과 표현을 조절하는 데 중요한 역할을 하며, 동작의 템포와 리듬은 작품의 분위기와 감정을 전달하는 데 필수적이다. 시간은 질적 요소와 양적 요소로 나눌 수 있다.

- **질적 요소**는 동작의 성격과 감정적 표현을 의미한다. 예를 들어, 느리고 유연한 동작은 평온함과 우아함을 나타내며, 빠르고 강한 동작은 긴장감과 에너지를 표현한다. 안무가는 이러한 질적 요소를 통해 작품의 감정적 흐름을 조절하고, 관객의 감정적 반응을 유도할 수 있다.
- **양적 요소**는 동작의 길이와 속도를 의미한다. 동작이 얼마나 빠르게 또는 느리게 수행되는지, 얼마나 오랫동안 지속되는지가 여기에 포함된다. 안무가는 동작의 양적 요소를 통해 작품의 리듬과 템포를 조절하며,

이를 통해 관객의 주의와 흥미를 지속적으로 유지할 수 있다.

시간의 활용은 무용 작품의 구조와 흐름을 결정짓는 중요한 요소이다. 안무가는 동작의 속도와 리듬을 조절하여 작품의 전개와 클라이맥스를 효과적으로 표현할 수 있다. 또한, 동작의 지속성을 통해 감정의 깊이와 강도를 조절할 수 있다. 이러한 시간의 활용은 작품의 완성도를 높이는 데 기여한다.

에너지 (Energy)

에너지는 무용 작품에서 동작의 질과 강도를 의미하는 요소로, 무용수의 움직임에 생명력을 부여하는 중요한 역할을 한다. 에너지는 무용 작품의 감정적 표현과 동적 특성을 강화하며, 동작의 성격과 분위기를 결정짓는 데 중요한 역할을 한다. 에너지는 강한 힘과 부드러운 흐름, 갑작스러운 폭발과 점진적인 움직임 등 다양한 형태로 나타날 수 있다.

에너지는 동작의 강약과 질감을 조절하는 데 중요한 역할을 한다. 예를 들어, 강한 에너지는 강렬하고 역동적인 동작을 만들어내며, 부드러운 에너지는 유연하고 우아한 동작을 형성한다. 안무가는 이러한 에너지의 변화를 통해 작품의 감정적 강도를 조절하고, 관객에게 다양한 감정적 경험을 제공할 수 있다.

에너지는 또한 무용수의 표현력과 기술적 능력을 극대화하는 데 기여한다. 무용수는 자신의 신체를 통해 에너지를 효과적으로 전달하며, 이를 통해 동작의 생동감을 극대화할 수 있다. 안무가는 무용수의 에너지를 최대한 활용하여 작품의 감정적 깊이와 시각적 아름다움을 극대화한다.

에너지의 활용은 무용 작품의 전체적인 분위기와 메시지를 전달하는 데 중요한 역할을 한다. 에너지가 동작의 강약과 리듬을 조절함으로써, 작품의 감정적 흐름과 구조를 강화할 수 있다. 에너지는 무용 작품의 생명력과 감동을 전달하는 핵심 요소로, 작품의 예술적 가치를 높이는 데 기여한다.

안무의 형태

안무의 형태는 다양한 무용 스타일과 기법을 통해 표현될 수 있으며, 그 종류에 따라 무용 작품의 성격과 표현 방법이 크게 달라진다.

1. 내러티브 안무 (Narrative Choreography)

내러티브 안무는 이야기를 전달하는 데 중점을 둔 형태로, 연극적 요소와 스토리텔링을 결합한 무용이다. 이 형태는 특정한 줄거리나 캐릭터의 감정과 행동을 중심으로 전개된다. 발레와 현대 무용에서 흔히 사용되며, 동작을 통해 명확한 서사를 전달하는 것을 목표로 한다.

예를 들어, 차이콥스키의 발레 "백조의 호수"는 내러티브 안무의 대표적인 예로, 오데트와 왕자의 이야기를 통해 사랑과 배신, 희망과 절망을 표현한다. 이러한 작품은 관객에게 감정적 공감을 이끌어내고, 무용수의 연기력을 강조한다.

2. 추상적 안무 (Abstract Choreography)

추상적 안무는 명확한 이야기나 줄거리를 따르지 않고, 동작 자체의 미적 가치와 감정 표현에 중점을 둔다. 이 형태는 주로 감각적 경험과 미적 즐거움을 제공하며, 무용수의 신체적 표현력을 극대화한다. 추상적 안무는 종종 음악이나 시각적 요소와의 상호작용을 통해 감정을 전달한다. 를 들어, 조지 발란신의 발레 작품들은 종종 추상적인 형태를 띠며, 동작의 순수한 아름다움과 음악과의 조화를 강조한다. 이러한 작품은 관객에게 다양한 해석의 여지를 남기며, 동작의 형태와 흐름을 통해 감정을 전달한다.

3. 절차적 안무 (Procedural Choreography)

절차적 안무는 특정한 규칙이나 절차에 따라 동작을 구성하는 형태로, 주로 실험적 무용에서 사용된다. 이 형태는 무용수의 즉흥성과 창의성을 강조하며, 동작의 규칙성을 통해 독특한 표현을 창출한다. 절차적 안무는 무용수와 안무가의 협력을 통해 즉석에서 만들어지는 경우가 많다.

예를 들어, 메르스 커닝햄의 작품들은 절차적 안무의 예로, 무작위성(Chance Operations)을 통해 동작의 순서를 결정한다. 이러한 접근은 무용 작품에 예측 불가능성과 다양성을 부여하며, 관객에게 독특한 시각적 경험을 제공한다.

4. 테마적 안무 (Thematic Choreography)

테마적 안무는 특정 주제나 개념을 중심으로 동작을 구성하는 형태이다. 이 형태는 특정한 이야기나 서사를 따르지 않지만, 주제를 통해 일관된 감정과 메시지를 전달한다. 테마적 안무는 주로 현대 무용에서 사용되며, 사회적, 정치적, 철학적 주제를 탐구하는 데 적합하다.

예를 들어, 마사 그레이엄의 작품들은 종종 테마적 안무의 형태를 띠며, 간의 고통, 희망, 투쟁 등의 주제를 탐구한다. 이러한 작품은 무용수의 감정 표현과 신체적 표현력을 통해 주제를 심도 있게 전달한다.

5. 신체적 안무 (Physical Choreography)

신체적 안무는 무용수의 신체 능력과 기술적 기량을 극대화하는 동작을 강조하는 형태이다. 이 형태는 주로 테크닉과 체력, 유연성을 보여주는 동작을 통해 관객의 시각적 만족을 추구한다. 신체적 안무는 다양한 무용 스타일에서 사용될 수 있으며, 주로 테크닉적 숙련도를 강조한다.

예를 들어, 피나 바우쉬의 작품들은 신체적 안무의 예로, 무용수의 신체적 능력을 극대화한 동작들을 통해 감정과 이야기를 전달한다. 이러한 작품은 무용수의 기술적 역량을 통해 시각적 강렬함과 감동을 제공한다.

6. 즉흥적 안무 (Improvisational Choreography)

즉흥적 안무는 무용수가 즉석에서 창작하고 수행하는 동작을 중심으로 한 형태이다. 이 형태는 무용수의 창의성과 직관을 강조하며, 사전 계획 없이 동작이 자유롭게 표현된다. 즉흥적 안무는 무용수와 관객 간의 즉각적인 교감을 형성하고, 동작의 자연스러움과 자발성을 중시한다.

예를 들어, 스티브 팩스턴의 컨택트 즉흥(Contact Improvisation)은 즉흥적 안무의 대표적인 예로, 무용수들이 서로의 신체와 공간을 탐색하며 동작을 창작한다. 이러한 작품은 동작의 자발성과 신체 간의 상호작용을 통해 독특한 예술적 경험을 제공한다.

이와 같이 안무의 형태는 내러티브, 추상적, 절차적, 테마적, 신체적, 즉흥적 등 다양한 방식으로 구분될 수 있으며, 각각의 형태는 무용 작품의 성격과 표현 방법에 따라 독특한 예술적 가치를 지닌다. 각 형태는 무용수와 안무가의 창의성과 표현력을 극대화하며, 관객에게 다양한 감정적 경험과 시각적 즐거움을 제공한다.

즉흥의 개념

즉흥(Improvization)은 사전 계획이나 준비 없이 순간의 영감과 직관에 따라 창작하는 예술적 표현 방식이다. 즉흥은 다양한 예술 분야에서 사용되며, 특히 음악, 연극, 무용 등에서 두드러진다. 이 과정에서 예술가는 현재의 순간에 집중하고, 예기치 않은 상황이나 감정을 표현하는 데 중점을 둔다. 즉흥은 창의성과 자발성을 강조하며, 기존의 틀에서 벗어나 자유로운 표현을 가능하게 한다.

즉흥은 예술가의 기술과 경험을 바탕으로 하여 진행되며, 예술가는 자신의 직감과 창의성을 신뢰하고 이를 통해 새로운 표현을 탐구한다. 이는 예술가가 자신의 감정과 경험을 자유롭게 표현할 수 있는 기회를 제공하며, 관객에게도 독특하고 생동감 있는 경험을 선사한다. 즉흥은 또한 예술가들 간의 즉각적인 상호작용을 통해 협업의 새로운 가능성을 열어준다.

즉흥은 예술 작품의 예측 불가능성과 다변성을 강조하며, 이는 관객에게 신선하고 흥미로운 경험을 제공한다. 즉흥의 결과물은 매번 다르게 나타나며, 이는 예술 작품의 독창성과 독특함을 보장한다. 무용 즉흥에서는 이러한 즉흥의 개념이 더욱 강조되며, 무용수의 창의적 표현과 신체적 자유를 통해 다채로운 무용 작품을 창조할 수 있다.

무용 즉흥은 다차원적이며, 무용수와 관객 모두에게 독특하고 생생한 예술적 경험을 제공한다. 즉흥 무용의 매력은 주로 자유로움, 창의성, 그리고 순간의 감정과 에너지를 표현하는 데서 나온다.

1. 창의적 자유

무용 즉흥의 가장 큰 매력 중 하나는 창의적 자유이다. 즉흥 무용에서는 사전에 정해진 안무나 계획이 없기 때문에 무용수는 순간의 영감과 감정에 따라 자유롭게 움직일 수 있다. 이러한 자유로움은 무용수가 자신의 창의성을 최대한 발휘할 수 있는 기회를 제공하며, 독창적인 동작과 표현을 가능하게 한다. 무용수는 자신의 신체를 통해 새로운 움직임을 탐구하고, 이를 통해 독특한 무용 작품을 창조할 수 있다.

2. 즉각적 감정 표현

즉흥 무용은 무용수에게 순간의 감정과 에너지를 직접적으로 표현할 수 있는 기회를 제공한다. 무용수는 현재의 감정을 신체를 통해 즉각적으로 표현하며, 이는 관객에게도 생생하게 전달된다. 이러한 즉각적인 감정 표현은 무용 작품에 깊이와 진정성을 더하며, 관객과의 감정적 교감을 강화한다. 무용수의 즉흥적 동작은 감정의 변화와 흐름을 자연스럽게 반영하며, 이는 무용 작품의 감동을 극대화한다.

3. 예측 불가능성과 독창성

즉흥 무용의 또 다른 매력은 예측 불가능성과 독창성이다. 즉흥 무용에서는 동작과 흐름이 사전에 계획되지 않기 때문에 매번 다른 결과물이 나오며, 이는 작품의 독창성과 신선함을 보장한다. 무용수는 순간의 영감을 따라 움직이며, 이는 관객에게도 새로운 시각적 경험을 제공한다. 즉흥 무용의 예측 불가능성은 무대 위에서의 긴장감과 흥미를 높이며, 관객을 더욱 몰입하게 만든다.

4 **무용수와 관객의 상호작용**

즉흥 무용은 무용수와 관객 간의 즉각적인 상호작용을 촉진한다. 무용수는 관객의 반응과 에너지를 느끼며, 이를 동작에 반영할 수 있다. 이러한 상호작용은 무용 작품에 생동감을 더하며, 관객과의 긴밀한 교감을 형성한다. 관객은 무용수의 즉흥적 표현을 통해 더욱 깊이 감정적으로 몰입할 수 있으며, 이는 공연의 전반적인 경험을 풍부하게 만든다.

5. **무용수 간의 협업**

즉흥 무용은 무용수들 간의 즉각적인 협업을 가능하게 한다. 여러 무용수가 함께 즉흥적으로 움직일 때, 그들은 서로의 에너지와 동작에 반응하며 협력한다. 이러한 협업은 무용수들 간의 유대감을 강화하고, 작품의 다양성과 복잡성을 높인다. 무용수들은 즉흥적 협업을 통해 새로운 동작과 표현을 탐구할 수 있으며, 이는 무용 작품의 창의적 깊이를 더한다.

6. **창의적 도전과 성장**

즉흥 무용은 무용수에게 끊임없는 창의적 도전과 성장을 요구한다. 무용수는 즉흥적 상황에서 빠르게 판단하고 새로운 동작을 창조해야 하며, 이는 그의 창의성과 기술을 끊임없이 발전시키는 계기가 된다. 이러한 도전은 무용수의 예술적 성장에 중요한 역할을 하며, 그가 더 높은 수준의 표현력과 기술을 갖추게 한다.

즉흥 무용의 이러한 매력들은 무용수와 관객 모두에게 독특하고 생동감 있는 예술적 경험을 제공하며, 무용의 창의적 가능성을 무한히 확장시킨다.

무용감상의 미학적인 근거

무용 감상의 미학적인 근거는 내적 모방 작용과 환각설 두 가지 이론을 통해 설명될 수 있다. 이 이론들은 무용을 감상할 때 관객이 경험하는 심리적, 감정적 반응을 설명하는 데 도움을 준다.

1. 내적 모방 작용 (Internal Imitation)

내적 모방 작용은 관객이 무용을 감상할 때 무의식적으로 무용수의 동작을 따라하거나, 그 동작을 자신의 몸으로 느끼는 심리적 현상을 말한다. 이 개념은 신경과학에서 '거울 뉴런' 시스템과 관련이 있다. 거울 뉴런은 우리가 다른 사람의 행동을 관찰할 때 마치 우리가 그 행동을 하는 것처럼 활성화되는 신경 세포이다. 이러한 뉴런은 무용수의 동작을 보는 관객이 무의식적으로 그 동작을 따라하고, 같은 감정을 느끼게 하는 역할을 한다.

내적 모방 작용은 무용 감상에서 중요한 역할을 한다. 관객은 무용수의 동작을 시각적으로 감상하면서, 그 동작을 자신이 직접 수행하는 것처럼 느낀다. 이는 단순한 시각적 감상에서 벗어나, 감정적이고 신체적인 경험을 동반하게 한다. 예를 들어, 무용수가 빠르고 힘찬 동작을 할 때 관객도 흥분과 에너지를 느끼고, 부드럽고 유연한 동작을 할 때는 평온함과 안정감을 느끼게 된다.

이러한 내적 모방 작용은 감정 이입과 깊은 감정적 교감을 촉진한다. 관객은 무용수의 감정을 따라 느끼며, 무용 작품의 메시지와 주제를 더욱 깊이 이해하게 된다. 이는 무용 작품이 단순한 시각적 즐거움을 넘어, 관객의 내면 깊숙이 감동을 주는 예술 형태로 자리 잡게 하는 중요한 요소이며 내적 모방 작용은 또한 무용 교육과 훈련에서도 중요한 역할을 한다.

무용수들은 스승의 동작을 관찰하고, 이를 자신의 몸으로 모방함으로써 기술을 익히고 발전시킨다. 이는 무용이 단순히 동작의 연습을 넘어, 심리적이고 신경학적인 과정임을 보여준다.

2. 환각설 (Illusion Theory)

환각설은 무용 감상에서 관객이 무용수의 동작을 보면서 마치 그 동작을 자신이 하고 있는 것처럼 느끼는 심리적 현상을 설명한다. 이 이론은 관객이 무용을 감상하는 동안 시각적, 감각적 환각을 경험한다고 주장한다. 이러한 환각은 무용수의 동작이 너무나 생동감 있게 표현되기 때문에 발생하며, 관객은 자신이 무용수와 동일한 동작을 수행하고 있다는 착각에 빠지게 된다.

환각설은 무용 감상에서의 몰입 경험을 설명하는 데 중요한 역할을 한다. 관객은 무용수의 동작을 보면서 시각적 자극을 받게 되고, 이는 신체적 감각으로 전이된다. 이러한 과정에서 관객은 무용수와 자신을 동일시하게 되며, 무용의 동작과 감정을 깊이 있게 체험하게 된다. 이는 무용 작품이 단순한 시각적 예술을 넘어, 관객의 신체적 감각과 감정적 반응을 끌어내는 강력한 매체임을 보여준다.

환각설은 또한 무용 작품의 표현력과 전달력을 높이는 데 기여한다. 무용수의 동작이 생동감 있고 현실적으로 표현될수록 관객은 더 깊은 환각을 경험하게 된다. 이는 무용 작품의 감정적 강도와 메시지 전달력을 극대화하는 데 중요한 요소가 된다. 예를 들어, 무용수가 높은 점프나 복잡한 회전 동작을 수행할 때 관객은 마치 자신이 그 동작을 수행하고 있는 것처럼 느끼며, 더 큰 감동과 흥분을 경험하게 된다.

환각설은 또한 무용의 교육적 측면에서도 유용하게 적용될 수 있다. 무용수는 스승의 동작을 보면서 시각적 환각을 경험하고, 이를 통해 자신이 그 동작을 수행하고 있는 것처럼 느끼며 학습하게 된다. 이는 무용 교육에서 시각적 학습과 신체적 훈련이 결합된 효과적인 방법임을 보여준다.

내적 모방 작용과 환각설은 무용 감상의 심리적, 신경학적 기초를 설명하며, 관객이 무용 작품을 감상할 때 경험하는 깊은 감정적, 신체적 반응을 이해하는 데 도움을 준다.

이러한 이론들은 무용이 단순히 시각적 예술을 넘어, 감정적이고 체험적인 예술 형태로서의 중요성을 강조한다.

무용감상

1. 감격 (Emotional Impact)

감격은 예술 작품이 관객에게 강렬한 감정적 반응을 불러일으키는 경험이다. 무용 감상에서 감격은 관객이 무용수의 동작과 표현을 통해 깊은 감정을 느끼고, 이를 통해 작품의 메시지와 주제를 더 잘 이해하게 되는 과정을 포함한다. 감격은 무용 작품의 성공적인 표현과 관객의 감정적 몰입의 결과로 나타난다.

.무용수의 동작은 감정과 이야기를 전달하는 핵심 도구이며, 이를 통해 관객에게 강한 인상을 남길 수 있다. 예를 들어, 슬픔을 표현하는 느린 동작이나 기쁨을 나타내는 경쾌한 동작은 관객에게 동일한 감정을 전달하며, 이를 통해 깊은 감동을 느끼게 한다.

또한, 음악은 무용에서 감격을 유발하는 중요한 요소이다. 음악의 리듬과 멜로디는 무용수의 동작과 조화를 이루며, 감정적 강도를 극대화한다. 감정적으로 풍부한 음악은 무용 작품의 감동을 배가시키며, 관객을 작품의 세계로 깊이 빠져들게 한다. 음악과 무용의 조화는 관객에게 감정적 울림을 제공하는 데 필수적이다.

무대 디자인과 조명 또한 감격을 유발하는 데 중요한 역할을 한다. 무대의 시각적 요소들은 무용수의 동작을 더욱 돋보이게 하며, 작품의 분위기를 형성한다. 조명은 무대의 분위기를 변화시키고, 특정 동작이나 장면에 관객의 주의를 집중시킨다. 무대 디자인과 조명이 잘 조화될 때, 관객은 더욱 깊이 있는 감정적 경험을 하게 된다.

관객의 개인적인 경험과 배경도 감격에 큰 영향을 미친다. 관객은 자신의 경험과 감정을 바탕으로 무용 작품을 해석하고, 자신만의 감동을 느낀다. 이는 무용 작품이 보편적이면서도 개인적인 감동을 줄 수 있는 이유이다. 무용 작품은 감상자 각자의 삶의 경험과 연결되며, 이를 통해 깊은 감동을 불러일으킨다.

감격은 무용 작품의 핵심적인 목표 중 하나로, 관객에게 잊을 수 없는 예술적 경험을 제공한다. 이를 통해 관객은 무용 작품의 메시지를 깊이 이해하고, 예술적 가치를 느낄 수 있다. 무용수와 안무가는 관객에게 감격을 전달하기 위해 동작, 음악, 무대 디자인 등을 신중하게 구성하며, 이를 통해 작품의 예술적 완성도를 높인다.

2. 커뮤니케이션과 창작 (Communication and Creation)

커뮤니케이션과 창작은 무용 작품의 창작 과정과 감상 과정에서 중요한 역할을 한다. 예술가와 관객 간의 소통은 작품의 이해와 감상에 필수적이다. 무용수와 안무가는 자신의 감정과 메시지를 동작을 통해 표현하며, 관객은 이를 해석하고 자신의 감정과 연결 짓는다.

무용 창작 과정에서 커뮤니케이션은 무용수와 안무가 사이에서 이루어진다. 안무가는 무용수에게 작품의 의도와 감정을 전달하고, 무용수는 이를 자신의 동작으로 표현한다. 이 과정에서 상호작용과 피드백이 중요하며, 이를 통해 작품은 점점 완성되어 간다. 안무가는 무용수의 해석과 표현을 반영하여 작품을 조정하고 발전시킨다.

관객과의 커뮤니케이션은 공연 중에 이루어진다. 무용수는 동작을 통해 관객에게 감정과 이야기를 전달하며, 관객은 이를 자신의 경험과 감정을 통해 해석한다. 이 과정에서 관객의 반응은 무용수에게 중요한 피드백이 된다. 관객의 감정적 반응은 무용수의 동작과 표현에 영향을 미치며, 이를 통해 공연의 분위기와 감동이 형성된다.

관객은 무용 작품을 보면서 자신만의 해석을 하게 되며, 이는 작품의 이해와 감상에 큰 영향을 미친다. 무용 작품은 동작과 음악, 무대 디자인 등을 통해 다양한 메시지를 전달하며, 관객은 이를 자신만의 방식으로 해석한다. 이 과정에서 관객은 무용 작품과 깊이 있는 소통을 하게 된다.

창작 과정에서 커뮤니케이션은 무용 작품의 완성도를 높이는 중요한 요소이다. 무용수와 안무가의 협력과 상호작용을 통해 작품은 더욱 풍부하고 완성도 높은 형태로 발전한다. 또한, 관객과의 소통을 통해 무용 작품은 생동감 있고 감동적인 예술로 자리 잡는다. 커뮤니케이션과 창작은 무용 예술의 핵심 요소로, 무용 작품의 예술적 가치를 극대화하는 데 중요한 역할을 한다.

커뮤니케이션은 무용 예술의 본질적인 요소로, 예술가와 관객 간의 감정적, 지적 교감을 가능하게 한다. 이를 통해 무용 작품은 단순한 신체적 움직임을 넘어, 깊이 있는 예술적 표현과 감동을 전달할 수 있다. 예술가는 커뮤니케이션을 통해 자신의 창의적 아이디어와 감정을 관객에게 전달하고, 관객은 이를 통해 예술적 경험과 감동을 느낄 수 있다.

3. 감상의 조건 (Conditions for Appreciation)

감상의 조건은 관객이 예술 작품을 감상하고 이해하는 데 필요한 환경과 요소들을 의미한다. 무용 작품을 감상하는 과정에서 이러한 조건들이 충족될 때, 관객은 작품을 더 깊이 이해하고 감동을 받을 수 있다. 감상의 조건은 물리적, 심리적, 사회적 요소들을 포함한다.

물리적 조건은 무용 작품을 감상하는 데 필요한 적절한 환경을 의미한다. 는 공연 장소의 음향, 조명, 시야, 좌석 배치 등을 포함한다. 좋은 음향과 조명은 무용수의 동작과 음악을 더욱 돋보이게 하며, 관객이 작품에 몰입할 수 있는 환경을 제공한다. 또한, 관객의 시야와 좌석 배치는 무용 작품의 감상에 큰 영향을 미친다.

심리적 조건은 관객이 무용 작품을 감상하는 데 필요한 마음의 준비 상태를 의미한다. 이는 관객의 감정적 개방성, 집중력, 감수성 등을 포함한다. 관객이 마음을 열고 작품에 몰입할 수 있을 때, 무용 작품의 감동을 더욱 깊이 느낄 수 있다. 또한, 관객의 집중력은 작품의 세부적인 요소들을 놓치지 않고 감상하는 데 중요하다.

사회적 조건은 관객이 무용 작품을 감상하는 데 영향을 미치는 사회적 환경과 문화적 배경을 의미한다. 이는 관객의 문화적 이해, 예술적 지식, 사회적 경험 등을 포함한다. 관객이 무용 작품의 문화적 배경과 예술적 맥락을 이해할 때, 작품의 의미를 더욱 깊이 이해할 수 있다. 또한, 사회적 경험은 관객의 감상과 해석에 큰 영향을 미친다.

감상의 조건이 충족될 때, 관객은 무용 작품을 더 깊이 이해하고 감동을 받을 수 있다. 물리적 환경은 관객의 편안한 감상 경험을 제공하며, 심리적 준비 상태는 작품에 몰입할 수 있게 한다. 사회적 환경과 문화적 배경은 작품의 의미를 이해하고 감상하는 데 중요한 역할을 한다. 이러한 조건들이 충족될 때, 무용 작품은 관객에게 깊은 감동과 예술적 경험을 제공할 수 있다.

안무가와 무용수는 관객의 감상 조건을 고려하여 작품을 창작하고 공연을 준비한다. 좋은 음향과 조명, 적절한 공연 장소는 무용 작품의 감동을 극대화하는 데 기여한다. 또한, 관객의 심리적 준비 상태와 사회적 환경을 고려하여 작품을 구성하고 표현할 때, 무용 작품은 더욱 깊이 있는 감동을 전달할 수 있다.

감상의 조건을 충족시키는 것은 무용 작품의 성공적인 감상과 깊이 있는 이해를 위해 필수적이다. 이를 통해 관객은 무용 작품을 더 잘 이해하고, 감동을 받을 수 있다. 감상의 조건이 잘 마련된 환경에서 무용 작품은 예술적 가치와 감동을 최대한 전달할 수 있다.

4. 감상의 태도 (Attitude of Appreciation)

감상의 태도는 관객이 예술 작품을 접할 때 가지는 심리적, 감정적 준비 상태와 관련이 있다. 이는 작품을 어떻게 받아들이고 해석할지에 대한 관객의 접근 방식을 결정짓는 중요한 요소이다. 긍정적이고 개방적인 태도는 무용 작품의 감동과 메시지를 깊이 있게 경험할 수 있도록 도와준다.

첫째, 개방적 태도는 관객이 예술 작품을 새로운 시각과 열린 마음으로 받아들이게 한다. 이는 무용 작품이 전달하려는 다양한 감정과 메시지를 이해하고, 동작과 음악의 상호작용을 깊이 있게 느낄 수 있게 한다. 개방적인 태도를 가진 관객은 예술가의 의도와 작품의 세부 요소들을 놓치지 않고 감상할 수 있다.

둘째, 감상의 태도에는 적극적 참여가 포함된다. 관객이 단순히 수동적으로 작품을 보는 것이 아니라, 자신의 감정과 생각을 작품과 연결 지어 해석하고 경험하는 것이다. 적극적 참여는 작품의 의미를 더 깊이 이해하게 하고, 관객과 예술가 사이의 감정적 교감을 형성하는 데 도움을 준다.

셋째, 예술 작품에 대한 존중과 예술가에 대한 감사를 표현하는 태도도 중요하다. 이는 무용 작품을 감상할 때 예술가의 노력과 창의성을 인식하고, 이를 통해 작품의 가치를 더욱 높이 평가하게 한다. 존중과 감사의 태도는 예술 감상의 질을 높이고, 예술가와 관객 간의 긍정적인 상호작용을 촉진한다.

마지막으로, 비판적 사고를 통한 감상의 태도도 중요하다. 이는 작품의 장점과 단점을 객관적으로 평가하고, 이를 통해 예술적 경험을 더욱 풍부하게 만드는 데 기여한다. 비판적 사고는 관객이 작품을 다양한 관점에서 분석하고, 이를 통해 더 깊이 있는 예술적 이해를 도모하게 한다.

작품 감상을 할 때 유용한 질문들을 통해 무용 작품을 더 깊이 이해하고 감상할 수 있다.

다음은 동작, 무용수의 기량, 작품의 구성 등 다양한 측면에서 감상할 수 있는 질문 20 개입니다.

동작 관련 질문

1. 동작은 유연하고 자연스럽게 이루어졌는가?
2. 동작의 리듬과 속도는 적절하게 유지되었는가?
3. 동작의 표현력이 감정과 이야기를 잘 전달하였는가?
4. 동작의 일관성과 연속성이 유지되었는가?
5. 동작의 창의성과 독창성이 돋보였는가?

무용수의 기량 관련 질문

6. 무용수의 기술적 수준은 어떻게 평가되는가?
7. 무용수의 표현력은 감동적이었는가?
8. 무용수의 신체적 컨트롤과 균형감은 어떠한가?
9. 무용수의 에너지와 집중력은 공연 내내 유지되었는가?
10. 무용수의 표정과 몸짓은 감정 전달에 효과적이었는가?

작품 구성 관련 질문

11. 작품의 전반적인 구조는 논리적이고 일관성이 있었는가?
12. 작품의 주제와 메시지가 명확하게 전달되었는가?
13. 음악과 동작의 조화는 잘 이루어졌는가?
14. 무대 디자인과 조명은 작품의 분위기와 맞았는가?
15. 작품의 각 장면은 자연스럽게 연결되었는가?

감상자 관점에서의 질문

16. 작품이 관객에게 주는 감정적 울림은 무엇이었는가?
17. 관객의 몰입과 집중을 유지시키는 요소는 무엇이었는가?
18. 작품이 끝난 후에 남는 인상은 무엇인가?
19. 무용 작품이 관객의 개인적 경험과 어떻게 연결되었는가?
20. 작품을 다시 감상하고 싶은 이유는 무엇인가?
21.

이 질문들을 바탕으로 무용 작품을 감상할 때, 작품의 여러 측면을 더 깊이 이해하고 평가할 수 있습니다. 이러한 질문들은 무용수의 기술적 능력뿐만 아니라 작품의 예술적 완성도와 감정적 영향력을 평가하는 데 도움이 된다.

비평의 개념

비평은 예술 작품, 문학, 공연, 영화 등 다양한 문화적 산물에 대해 분석하고 평가하는 과정이다. 이는 작품의 질, 의미, 맥락을 이해하고 설명하며, 작품의 예술적 가치를 판단하는 데 중점을 둔다. 비평은 단순한 평가를 넘어, 작품에 대한 깊이 있는 이해와 해석을 통해 독자나 관객에게 새로운 시각을 제공하는 역할을 한다.

1. 분석과 평가

분석과 평가는 무용 작품을 깊이 있게 이해하고 그 예술적 가치를 판단하는 중요한 과정이다. 이 과정은 작품의 다양한 요소들을 세밀하게 살펴보고, 그 요소들이 어떻게 상호작용하며 전체 작품에 기여하는지를 평가하는 것을 포함한다. 무용 작품을 분석하고 평가하는 것은 단순히 동작의 기술적 완성도를 넘어, 작품의 주제, 표현력, 창의성 등을 다각도로 검토하는 것을 의미한다.

첫째, **무용수의 동작**은 분석의 핵심 요소 중 하나이다. 동작의 유연성, 정확성, 그리고 동작이 가진 표현력을 중심으로 평가가 이루어진다. 예를 들어, 무용수가 어떤 동작을 수행할 때 그 동작이 얼마나 자연스럽고 유연하게 이루어지는지, 그리고 동작을 통해 어떤 감정이나 이야기가 전달되는지를 분석한다. 무용수의 기술적 능력은 이러한 동작의 완성도에 큰 영향을 미친다.

둘째, **음악과의 조화**도 중요한 평가 기준이다. 무용은 음악과 밀접하게 연결되어 있으며, 음악이 무용의 동작을 어떻게 뒷받침하고 있는지를 살펴본다. 음악의 리듬, 멜로디, 그리고 무용수의 동작이 얼마나 일치하는지, 그리고 음악이 감정적 흐름을 얼마나 효과적으로 전달하는지를 평가한다. 좋은 무용 작품은 음악과 동작이 완벽한 조화를 이루어 관객에게 강렬한 감정적 울림을 준다.

셋째, **무대 디자인과 조명**은 무용 작품의 시각적 완성도를 높이는 중요한 요소이다. 무대 디자인이 무용수의 동작을 돋보이게 하고, 작품의 주제를 시각적으로 강화하는 데 어떻게 기여하는지를 분석한다. 조명은 무대의 분위기를 조성하고, 특정 동작이나 장면에 관객의 주의를 집중시키는 역할을 한다. 효과적인 조명과 무대 디자인은 무용 작품의 감동을 극대화한다.

넷째, **안무의 창의성과 독창성**도 분석과 평가의 중요한 부분이다. 안무가가 새로운 동작을 창작했는지, 기존의 형식을 어떻게 변형했는지를 살펴본다. 창의적이고 독창적인 안무는 무용 작품에 신선함과 독특함을 부여하며, 관객에게 새로운 예술적 경험을 제공한다. 안무의 구성 방식, 동작의 배열, 그리고 전체적인 움직임의 흐름을 분석하여 안무의 예술적 가치를 평가한다.

다섯째, **작품의 전반적인 구조와 흐름**을 분석한다. 이야기의 전개와 감정의 흐름이 자연스럽게 이어지는지, 작품의 각 부분이 어떻게 연결되는지를 평가한다. 작품의 서사 구조가 명확하고 일관성이 있는지, 그리고 관객이 작품의 전개를 쉽게 따라갈 수 있는지를 살펴본다. 무용 작품의 구조적 완성도는 관객의 몰입도를 높이는 중요한 요소이다.

여섯째, **작품의 메시지와 주제**를 평가한다. 무용 작품이 관객에게 어떤 메시지를 전달하는지, 그리고 그 메시지가 얼마나 효과적으로 전달되는지를 분석한다. 작품이 다루는 주제가 무엇인지, 그 주제가 얼마나 깊이 있게 탐구 되었는지, 그리고 관객에게 어떤 감정적, 지적 경험을 제공하는지를 평가한다. 무용 작품의 주제와 메시지는 그 예술적 가치를 결정짓는 중요한 요소이다.

마지막으로, **관객의 반응과 피드백**도 분석과 평가의 중요한 부분이다. 관객이 작품을 어떻게 받아들이고, 어떤 감정적 반응을 보이는지를 살펴본다. 관객의 피드백은 무용 작품의 성공을 평가하는 중요한 기준이 된다. 작품이 관객에게 깊은 인상을 남기고, 감동을 주었는지, 그리고 관객이 작품을 통해 어떤 경험을 했는지를 분석한다. 이러한 관객의 반응은 무용 작품의 예술적 성취를 평가하는 데 중요한 역할을 한다.

분석과 평가는 무용 작품의 다양한 요소들을 세밀하게 검토하고, 그 요소들이 어떻게 상호작용하여 전체 작품에 기여하는지를 이해하는 과정이다. 이를 통해 무용 작품의 예술적 가치를 깊이 있게 평가하고, 작품이 전달하는 메시지와 감정을 더 잘 이해할 수 있다. 이러한 과정은 무용 예술의 발전과 관객의 감상 경험을 풍부하게 하는 데 중요한 역할을 한다.

2. 해석과 의미

비평은 작품이 전달하는 의미와 주제를 해석하는 중요한 역할을 한다. 이는 단순히 작품의 외적인 요소를 평가하는 것이 아니라, 작품의 내면에 담긴 메시지와 주제를 파악하고 분석하는 과정이다. 무용 비평에서도 이러한 해석과 의미 파악은 필수적이다. 무용 작품은 동작, 음악, 무대 디자인 등을 통해 복합적인 의미를 전달하며, 비평가는 이를 종합적으로 분석하여 작품의 깊이와 의도를 밝혀낸다. 이러한 과정은 작품의 예술적 가치를 평가하는 데 필수적이다.

첫째, **작품의 주제를 파악하는 것**은 비평의 핵심이다. 주제는 작품의 중심 메시지나 아이디어를 나타내며, 이는 작품의 전체적인 맥락을 이해하는 데 중요한 출발점이 된다. 예를 들어, 마사 그레이엄의 "애팔래치아의 봄"은 미국의 정착 생활과 인간적 갈등을 주제로 한다. 비평가는 작품의 주제를 파악하여, 이를 통해 작품의 의도와 메시지를 명확히 한다. 주제는 작품이 전달하고자 하는 본질적인 내용을 포함하므로, 이를 이해하는 것은 작품 해석의 기본이다.

둘째, **동작의 상징성을 해석하는 과정**이 있다. 무용에서 동작은 단순한 신체적 활동을 넘어, 특정 의미와 감정을 전달하는 상징적 표현이 된다. 예를 들어, 팔을 드는 동작은 희망이나 절망을, 무릎을 꿇는 동작은 복종이나 절망을 상징할 수 있다. 이러한 동작의 상징성을 이해함으로써 작품의 감정적 깊이와 메시지를 더 잘 파악할 수 있다. 동작의 상징성은 무용의 언어로서 관객과 소통하는 중요한 수단이며, 비평가는 이를 분석하여 작품의 의도를 밝힌다.

셋째, **음악과의 관계를 해석하는 것**도 중요하다. 무용 작품에서 음악은 단순한 배경음악이 아니라, 작품의 감정적 흐름과 메시지를 강화하는 중요한 요소이다. 음악의 리듬, 멜로디, 화음 등이 동작과 어떻게 조화를 이루는지, 그리고 음악이 어떤 감정을 유발하는지를 해석하는 것은 작품의 전체적 의미를 이해하는 데 필수적이다. 음악과 동작의 조화는 작품의 감동을 배가시키는 중요한 역할을 한다.

넷째, **무대 디자인과 조명을 통해 작품의 의미를 해석한다**. 무대 디자인은 작품의 배경과 분위기를 형성하며, 조명은 특정 동작이나 장면을 강조하는 역할을 한다. 예를 들어, 어두운 조명은 긴장감과 불안을, 밝은 조명은 희망과 기쁨을 표현할 수 있다. 무대 디자인과 조명을 통해 작품의 시각적 효과와 감정적 울림을 분석하는 것은 작품의 의미를 깊이 이해하는 데 도움을 준다. 이러한 시각적 요소들은 무용의 전체적인 표현력을 높인다.

다섯째, **작품의 서사 구조를 해석한다**. 무용 작품은 종종 이야기나 서사를 통해 관객에게 메시지를 전달한다. 이러한 서사 구조를 이해하는 것은 작품의 전개와 감정적 흐름을 파악하는 데 중요하다. 서사 구조는 작품의 주제를 명확하게 전달하며, 관객이 작품의 전개를 따라가면서 감정적 반응을 유발하도록 돕는다. 예를 들어, 클라이맥스와 절정의 순간은 관객에게 강렬한 감정을 전달한다.

여섯째, **문화적, 역사적 맥락을 고려하여 작품을 해석한다**. 무용 작품은 종종 특정 문화적, 역사적 배경을 반영한다. 이러한 맥락을 이해하는 것은 작품의 의미를 더 깊이 이해하는 데 필수적이다. 예를 들어, 민속무용은 그 지역의 전통과 문화를 반영하며, 현대무용은 당시의 사회적, 정치적 이슈를 반영할 수 있다. 작품의 문화적, 역사적 배경을 이해함으로써 그 의미를 더 잘 파악할 수 있다. 이는 무용 작품을 시대적, 사회적 맥락 속에서 바라보는 통찰력을 제공한다.

마지막으로, **개인의 경험과 감정을 통해 작품을 해석한다**. 관객 각자의 경험과 감정은 작품을 해석하는 데 중요한 역할을 한다. 관객은 자신의 삶의 경험을 바탕으로 작품을 이해하고, 이를 통해 자신만의 독특한 해석을 할 수 있다. 이러한 개인적 해석은 작품의 의미를 더욱 풍부하게 만들며, 예술이 개인에게 어떤 영향을 미치는지를 보여준다. 관객의 개인적인 해석은 무용 작품이 다층적 의미를 가지게 하는 중요한 요소이다.

해석과 의미는 무용 비평에서 작품의 내면을 탐구하고, 그 메시지와 주제를 명확히 하는 과정이다. 이를 통해 비평가는 작품의 예술적 가치를 평가하고, 관객이 작품을 더 깊이 이해하고 감상할 수 있도록 돕는다. 이러한 해석 과정은 무용 예술의 깊이와 풍부함을 더해주며, 작품이 가진 다양한 층위를 탐구하는 데 필수적이다.

3. 맥락과 배경

맥락과 배경 비평은 작품이 창작된 사회적, 역사적, 문화적 배경을 고려하여 작품을 평가한다. 이는 작품이 특정 시대나 문화적 맥락에서 어떤 의미를 가지는지를 탐구하는 과정이다. 예를 들어, 미술 비평에서는 작품이 창작된 시대의 예술적 경향과 사회적 이슈를 고려하여 작품을 해석하고 평가한다. 이러한 접근은 작품을 더 깊이 이해하고, 그 예술적 가치를 더 잘 평가할 수 있게 한다

첫째, **사회적 배경**은 무용 작품을 평가하는 데 중요한 역할을 한다. 무용 작품은 종종 사회적 이슈나 변화를 반영한다. 예를 들어, 20 세기 초 현대 무용은 산업화와 도시화, 전쟁과 같은 급격한 사회 변화를 배경으로 탄생했다. 이러한 사회적 변화는 무용수와 안무가들에게 새로운 표현 방식을 탐구하게 했고, 그 결과 현대 무용이라는 새로운 장르가 탄생했다. 이러한 사회적 배경을 이해함으로써, 무용 작품이 전달하는 메시지를 더 잘 이해할 수 있다.

둘째, **역사적 배경**은 무용 작품의 해석에 중요한 영향을 미친다. 특정 역사적 사건이나 시대적 분위기는 무용 작품의 주제와 스타일에 직접적인 영향을 줄 수 있다. 예를 들어, 마사 그레이엄의 "크로니클"은 대공황 시대의 어려움을 반영한 작품이다. 이 작품은 당시의 사회적, 경제적 어려움을 표현하며, 관객에게 그 시대의 고통과 투쟁을 느끼게 한다. 이러한 역사적 배경을 고려하여 작품을 평가하면, 작품의 의미와 중요성을 더 깊이 이해할 수 있다.

셋째, **문화적 배경**은 무용 작품의 독특한 특징을 이해하는 데 필수적이다. 무용은 각기 다른 문화적 전통과 관습을 반영하며, 이러한 문화적 요소는 작품의 스타일과 내용에 큰 영향을 미친다. 예를 들어, 인도 고전 무용인 바라타나타움은 힌두교의 신화와 전통을 반영한 동작과 이야기를 포함한다. 이러한 문화적 배경을 이해함으로써, 작품의 상징성과 주제를 더 잘 파악할 수 있다.

넷째, **예술적 경향**은 무용 작품을 평가하는 데 중요한 요소이다. 작품이 창작된 시대의 예술적 트렌드와 운동을 이해하는 것은 작품의 스타일과 기술적 요소를 해석하는 데 도움을 준다. 예를 들어, 1960 년대와 70 년대의 포스트모던 무용은 기존의 무용 규범에 대한 반발로 나타났으며, 즉흥성과 독창성을 강조했다. 이러한 예술적 경향을 이해하면, 무용 작품이 왜 특정한 스타일을 채택했는지, 어떤 예술적 의도를 가지고 있는지를 더 잘 알 수 있다.

다섯째, **작품의 창작 과정**을 이해하는 것도 중요하다. 안무가의 개인적 경험과 철학, 그리고 작품이 창작된 환경은 작품의 내용과 형식에 큰 영향을 미친다. 예를 들어, 피나 바우쉬의 작품은 그녀의 개인적 경험과 인간관계에 대한 깊은 통찰을 반영한다. 이러한 창작 과정을 이해함으로써, 작품의 감정적 깊이와 메시지를 더 잘 파악할 수 있다.

여섯째, **공연 장소와 관객**도 무용 작품의 해석에 중요한 역할을 한다. 작품이 공연된 장소와 관객의 반응은 작품의 의미와 영향을 형성하는 데 큰 영향을 미친다. 예를 들어, 특정 작품이 소극장에서 공연될 때와 대형 극장에서 공연될 때의 느낌은 매우 다를 수 있다. 또한, 관객의 문화적 배경과 사회적 환경도 작품의 해석에 영향을 미친다.

마지막으로, **비평가는** 이러한 모든 요소들을 종합적으로 고려하여 무용 작품을 평가한다. 사회적, 역사적, 문화적 배경을 이해함으로써, 비평가는 작품의 의미와 가치를 더 깊이 파악할 수 있다. 이러한 접근은 작품을 단순한 예술적 표현으로만 보지 않고, 이를 통해 관객에게 작품에 대한 깊이 있는 통찰을 제공하며, 작품의 예술적 가치를 평가한다.

4. 비평의 유형

비평은 다양한 접근 방식과 이론적 틀을 통해 이루어진다. 형식주의 비평은 작품의 형식적 요소와 구조에 집중하고, 사회학적 비평은 작품의 사회적 맥락과 영향을 분석하며, 심리학적 비평은 작품이 인간 심리에 미치는 영향을 탐구한다. 이러한 다양한 비평 접근 방식은 작품을 다각도로 분석하고 이해하는 데 도움을 준다.

첫째, **형식주의 비평**은 무용 작품의 형식적 요소와 구조에 집중한다. 형식주의 비평가는 동작, 안무의 구성, 무대 디자인, 음악 등 작품의 형식적 측면을 분석한다. 예를 들어, 조지 발란신의 "세레나데"는 그의 독창적인 안무 구조와 음악적 리듬의 조화를 중심으로 분석될 수 있다. 형식주의 비평은 작품의 예술적 완성도와 기술적 숙련도를 평가하는 데 중점을 두며, 무용 작품의 구조적 아름다움을 강조한다.

둘째, **사회학적 비평**은 무용 작품의 사회적 맥락과 영향을 분석한다. 사회학적 비평가는 작품이 창작된 시대의 사회적, 정치적, 경제적 상황을 고려하여 작품을 해석한다. 예를 들어, 마사 그레이엄의 "크로니클"은 대공황 시대의 사회적 불안과 고통을 반영한 작품으로, 당시의 사회적 맥락을 이해하는 것이 중요하다. 사회학적 비평은 무용이 사회 변화와 어떻게 상호작용하는지를 탐구하며, 작품의 사회적 역할과 의의를 평가한다.

셋째, **심리학적 비평**은 무용 작품이 인간 심리에 미치는 영향을 탐구한다. 심리학적 비평가는 작품이 어떻게 감정, 무의식, 심리적 갈등을 표현하는지 분석한다. 예를 들어, 피나 바우쉬의 "카페 뮐러"는 인간의 내면적 갈등과 심리적 복잡성을 무용을 통해 표현한 작품이다. 심리학적 비평은 무용이 관객의 심리에 어떤 영향을 미치는지, 그리고 무용수가 어떻게 자신의 심리적 상태를 동작을 통해 표현하는지를 탐구한다.

넷째, **페미니즘 비평**은 무용 작품에서 성별의 표현과 젠더 역할을 분석한다. 페미니즘 비평가는 작품이 성별에 따라 어떻게 다르게 표현되는지, 그리고 성별 간의 권력 관계를 어떻게 다루는지를 분석한다. 예를 들어, 이본느 레이너의 "트리오 A"는 여성의 신체적 자율성과 젠더 규범에 대한 도전을 주제로 한다. 페미니즘 비평은 무용이 젠더 문제에 어떻게 기여하고, 이를 통해 사회적 인식을 변화시키는지 탐구한다.

다섯째, **포스트콜로니얼 비평**은 무용 작품에서 식민주의와 그 이후의 문화적 영향을 분석한다. 포스트콜로니얼 비평가는 작품이 식민지 역사와 그로 인한 문화적 혼합을 어떻게 표현하는지, 그리고 식민지적 시각을 어떻게 재해석하는지를 분석한다. 예를 들어, 시디 라르비 체르카우이의 작품은 북아프리카와 유럽의 문화적 융합을 탐구하며, 포스트콜로니얼 맥락에서 이해될 수 있다. 포스트콜로니얼 비평은 무용이 문화적 정체성과 역사적 경험을 어떻게 표현하는지에 초점을 맞춘다.

여섯째, **마르크스주의 비평**은 무용 작품에서 계급 투쟁과 경제적 구조를 분석한다. 마르크스주의 비평가는 작품이 자본주의 사회의 계급 구조와 그로 인한 갈등을 어떻게 표현하는지, 그리고 이를 통해 어떤 사회적 메시지를 전달하는지를 분석한다. 예를 들어, 브레히트의 영향을 받은 무용 작품들은 자본주의 비판과 사회적 혁신을 주제로 다룬다. 마르크스주의 비평은 무용이 사회 구조와 경제적 관계를 어떻게 반영하고 비판하는지를 탐구한다.

마지막으로, **생태 비평**은 무용 작품이 환경과 자연을 어떻게 표현하는지 분석한다. 생태 비평가는 작품이 자연과의 상호작용, 환경 보호, 생태적 문제를 어떻게 다루는지를 분석한다. 예를 들어, 안나 테레사 드 케이르스마커의 작품은 자연과 인간의 관계를 탐구하며, 생태적 시각에서 이해될 수 있다. 생태 비평은 무용이 환경 문제에 대한 인식을 어떻게 제고하고, 이를 통해 사회적 변화를 촉진하는지 탐구한다.

비평의 이러한 다양한 접근 방식은 무용 작품을 다각도로 분석하고 이해하는 데 도움을 준다. 각기 다른 비평 유형은 작품의 특정 측면을 강조하며, 이를 통해 무용의 예술적 가치를 깊이 있게 평가할 수 있게 한다. 이러한 비평적 접근은 무용 작품이 단순한 신체적 표현을 넘어서는 예술적, 사회적, 심리적 의미를 탐구하는 데 필수적이다.

5. 비평의 역할

비평은 예술 작품과 관객 또는 독자 사이의 소통을 촉진하는 중요한 역할을 한다. 비평가는 작품에 대한 깊이 있는 분석과 해석을 통해 관객이나 독자가 작품을 더 잘 이해하고 감상할 수 있도록 돕는다. 또한, 비평은 예술 작품의 사회적, 문화적 가치를 평가하고, 이를 통해 예술의 발전에 기여한다. 비평을 통해 예술가와 관객은 작품에 대한 다양한 시각을 접할 수 있으며, 이는 예술적 담론을 풍부하게 하고, 예술의 질적 향상을 도모하는 데 중요한 역할을 한다.

1. 비평은 **예술 작품의 질과 의미를 깊이 있게 탐구**하고 평가하는 과정으로, 작품에 대한 이해와 감상을 돕는 중요한 역할을 한다. 이를 통해 비평은 예술적 담론을 활성화하고, 예술의 발전에 기여한다.

2. 비평가는 무용 작품의 **형식적 요소와 구조**를 분석하여 작품의 예술적 완성도를 평가한다. 이는 무용수의 기술적 능력, 동작의 창의성, 안무의 독창성 등을 포함한다. 예를 들어, 조지 발란신의 "주얼스"는 각기 다른 스타일의 무용을 통해 다양한 감정을 표현하는데, 비평가는 이를 통해 발란신의 안무적 천재성을 분석하고 설명한다. 이러한 분석은 작품의 예술적 가치를 높이 평가하고, 관객이 이를 더 깊이 이해할 수 있도록 한다.

3. 비평은 무용 작품의 **사회적, 문화적 맥락**을 평가하는 데 중요한 역할을 한다. 작품이 창작된 시대의 사회적, 역사적, 문화적 배경을 고려하여, 비평가는 작품이 전달하는 메시지와 의미를 해석한다. 예를 들어, 마사 그레이엄의 "크로니클"은 대공황 시대의 사회적 불안을 반영한 작품으로, 비평가는 이를 통해 당시의 사회적 맥락을 설명하고, 작품의 중요성을 강조한다. 이는 관객이 작품을 더 넓은 맥락에서 이해하고, 그 가치를 인식하게 한다.

4. 비평은 **예술 작품의 사회적, 문화적 가치를 평가**하고, 이를 통해 예술의 발전에 기여한다. 무용 작품이 특정 사회적 이슈를 다루거나 문화적 정체성을 표현할 때, 비평가는 이를 분석하고 평가하여 그 중요성을 강조한다. 예를 들어, 피나 바우쉬의 작품은 인간관계와 사회적 문제를 다루며, 비평가는 이를 통해 바우쉬의 작품이 어떻게 사회적 담론에 기여하는지를 설명한다. 이러한 비평은 예술의 사회적 역할을 강조하고, 예술의 질적 향상을 도모하는 데 기여한다.

5.. 비평은 예술가와 관객 모두에게 **작품에 대한 다양한 시각**을 제공한다. 비평가는 작품을 다각도로 분석하여 다양한 해석을 제시하며, 이는 관객이 작품을 더 폭넓게 이해할 수 있게 한다. 예를 들어, 모던 댄스에서 사용되는 즉흥적 동작은

다양한 해석을 가능하게 하며, 비평가는 이를 통해 작품의 다층적 의미를 설명한다. 이러한 비평은 예술적 담론을 풍부하게 하고, 예술의 발전을 촉진한다.

6. 비평은 **예술가에게 피드백을 제공**하여 그들의 창작 활동에 중요한 영향을 미친다. 비평가의 분석과 평가를 통해 예술가는 자신의 작품을 객관적으로 볼 수 있으며, 이를 통해 자신의 예술적 표현을 발전시킬 수 있다. 예를 들어, 안무가는 비평을 통해 자신의 안무 스타일과 기술을 점검하고, 이를 바탕으로 새로운 작품을 창작하는 데 영감을 받을 수 있다. 비평은 예술가의 성장을 도모하는 중요한 도구가 된다.

7. 비평은 **예술 작품의 보존과 기록**에 기여한다. 비평가는 작품의 역사적, 문화적 중요성을 기록하고, 이를 통해 미래 세대가 작품을 이해하고 감상할 수 있도록 돕는다. 이는 무용 작품이 일회성 공연으로 끝나지 않고, 그 예술적 가치를 지속적으로 인정받을 수 있게 한다. 예를 들어, 유명한 발레 작품에 대한 비평은 그 작품의 예술적 가치를 역사 속에 기록하고, 후세에 전달하는 중요한 역할을 한다.

비평은 무용 작품의 예술적, 사회적, 문화적 가치를 평가하고, 이를 통해 예술의 발전과 소통을 촉진하는 중요한 역할을 한다. 비평가는 작품에 대한 깊이 있는 분석과 해석을 통해 관객과 예술가에게 새로운 시각을 제공하며, 예술적 담론을 풍부하게 하고, 예술의 질적 향상을 도모한다. 이를 통해 비평은 예술의 지속적 발전에 기여하며, 예술 작품의 가치를 널리 알리는 데 중요한 역할을 한다.

비평할 때의 주의점

1. **객관성 유지** 비평가는 자신의 주관적인 감정이나 편견에 휘둘리지 않고 객관성을 유지해야 한다. 작품을 평가할 때 개인적인 취향보다는 작품의 객관적인 요소와 그 예술적 가치를 중심으로 분석해야 한다. 이는 비평이 공정하고 신뢰성을 가지게 하며, 독자나 관객이 비평을 통해 작품을 객관적으로 이해할 수 있도록 돕는다.

2. **심층적 분석** 비평은 작품의 겉모습만을 평가하는 것이 아니라, 작품의 내면에 담긴 의미와 메시지를 깊이 탐구해야 한다. 동작, 음악, 무대 디자인 등 작품의 다양한 요소를 세밀하게 분석하고, 이들이 어떻게 상호작용하며 작품의 전체적 의미를 형성하는지 설명해야 한다. 심층적 분석은 비평의 깊이를 더하고, 작품에 대한 이해를 높인다.

3. **역사적 및 문화적 맥락 고려** 작품이 창작된 사회적, 역사적, 문화적 배경을 고려하는 것은 매우 중요하다. 작품이 특정 시대나 문화적 맥락에서 어떤 의미를 가지는지를 탐구함으로써, 작품의 진정한 가치를 이해할 수 있다. 예를 들어, 특정 무용 작품이 당시의 사회적 문제나 문화적 변화를 반영하고 있는지를 분석하는 것은 그 작품의 의미를 더 잘 파악하는 데 도움이 된다.

4. **명확하고 간결한 표현** 비평은 명확하고 간결하게 작성되어야 한다. 복잡한 이론이나 용어를 남용하지 않고, 독자가 쉽게 이해할 수 있도록 하는 것이 중요하다. 비평가는 작품의 복잡성을 설명할 수 있는 능력을 가져야 하지만, 이를 독자가 쉽게 이해할 수 있는 언어로 전달해야 한다.

5. 다양한 관점 수용 비평가는 자신의 견해를 강요하지 않고, 다양한 관점을 수용하는 자세를 가져야 한다. 작품에 대한 다양한 해석과 의견을 존중하고, 이를 비평에 반영하는 것이 중요하다. 이는 비평이 더 풍부하고 다각적인 시각을 제공하게 하며, 독자나 관객이 작품을 더 넓은 시야로 볼 수 있게 한다.

6. 근거와 예시 제공 비평에서는 자신의 주장과 분석을 뒷받침하는 근거와 예시를 제공해야 한다. 이는 비평의 신뢰성을 높이고, 독자가 비평가의 논리를 이해하고 수긍할 수 있도록 돕는다. 예를 들어, 특정 동작이나 장면이 작품의 주제를 어떻게 표현하는지를 구체적인 예시를 통해 설명하는 것이 중요하다.

7. 존중과 예의 작품과 그 창작자에 대한 존중을 잃지 않는 것이 중요하다. 비평은 단순한 비난이 아니라, 건설적인 피드백과 깊이 있는 분석을 통해 작품의 예술적 가치를 평가하고, 창작자의 노력을 인정하는 과정이어야 한다. 예술가의 창작 활동을 존중하는 태도는 비평의 품격을 높이고, 예술적 담론을 건강하게 유지하는 데 기여한다.
비평은 예술 작품을 깊이 있게 이해하고 평가하는 중요한 과정이다. 비평가는 객관성을 유지하고, 심층적 분석과 역사적, 문화적 맥락을 고려하며, 명확하고 간결한 표현을 통해 독자나 관객이 작품을 더 잘 이해할 수 있도록 돕는다. 또한, 다양한 관점을 수용하고, 근거와 예시를 제공하며, 존중과 예의를 바탕으로 비평을 작성함으로써 예술적 담론을 풍부하게 하고, 예술의 발전에 기여할 수 있다.

춤 미디어, 그리고 과학기술

춤과 과학기술: 현대 무용의 새로운 지평

춤과 과학기술의 융합은 현대 무용에 혁신을 가져오며, 과거에는 상상조차 할 수 없었던 방식으로 무용 예술을 변모시키고 있다. 이 장에서는 춤과 과학기술의 관계, 최신 기술의 적용 사례, 그리고 이러한 융합이 무용 예술에 미친 영향을 다룬다.

무용과 신기술: VR 과 AR

가상 현실(VR)과 증강 현실(AR)은 무용 공연의 형태를 혁신적으로 변화시키고 있다. VR 기술은 관객이 가상의 무대에서 무용수와 상호작용할 수 있도록 하여 몰입감을 극대화한다. 예를 들어, "VRDancer" 프로젝트는 관객이 VR 헤드셋을 통해 무용수의 무대를 360 도 시점으로 감상할 수 있게 한다. 이는 전통적인 무대 공연에서는 경험할 수 없는 새로운 차원의 감상 경험을 제공한다. VR 기술을 통해 관객은 무용수의 동작을 다양한 각도에서 관찰하고, 깊은 이해를 얻을 수 있다.

AR 기술은 실제 무대에 가상 요소를 덧붙여 공연의 시각적 효과를 극대화한다. 무용수의 동작과 가상 이미지가 실시간으로 상호작용하여, 더욱 다채롭고 생동감 있는 공연을 만들어낸다. 예를 들어, "ARDance" 프로젝트는 무용수의 움직임에 반응하는 가상 그래픽을 사용하여 관객에게 시각적 충격을 준다. AR 기술은 무대 디자인의 창의성을 확장하며, 무용 공연의 예술적 가치를 높인다.

모션 캡처 기술과 춤

모션 캡처 기술은 무용수의 동작을 정밀하게 기록하고 분석하는 데 사용된다. 이 기술은 무용수의 움직임을 3D 로 캡처하여 애니메이션, 영화, 비디오 게임 등 다양한 분야에서 활용된다. 예를 들어, "MotionDance" 프로젝트는 모션 캡처 기술을 사용하여 무용수의 동작을 분석하고, 이를 통해 더 나은 기술적 훈련을 제공한다.

무용수의 동작을 3D 로 시각화하고 분석함으로써, 세부적인 움직임을 개선하고 기술적 완성도를 높일 수 있다.
모션 캡처 기술은 또한 무용 작품의 창작 과정에서도 중요한 역할을 한다. 안무가는 이 기술을 통해 무용수의 동작을 시각화하고, 이를 바탕으로 새로운 안무를 개발할 수 있다. 또한, 모션 캡처 데이터는 무용 작품의 시뮬레이션과 리허설에 활용되어, 무용수와 안무가가 더욱 효율적으로 작업할 수 있도록 돕는다.

무대 디자인과 첨단 조명 기술

첨단 조명 기술과 무대 디자인은 무용 공연의 시각적 효과를 극대화하는 중요한 요소이다. LED 조명, 프로젝션 매핑, 레이저 기술 등은 무대에서 새로운 시각적 경험을 창출한다. 예를 들어, "Light Dance" 프로젝트는 LED 조명과 무대 디자인을 결합하여 무용수의 동작을 시각적으로 강조하고, 관객에게 강렬한 시각적 인상을 남긴다.
프로젝션 매핑 기술은 무대 배경과 소품에 다양한 영상과 이미지를 투사하여 무대의 분위기와 스토리텔링을 강화한다. 이러한 기술은 무대 공간을 유연하게 활용할 수 있게 하며, 무용수의 동작과 상호작용하는 시각적 요소를 추가함으로써 공연의 몰입감을 높인다. 레이저 기술도 무대 디자인에 활용되어 독특한 시각적 효과를 더하고, 무용 공연에 다이내믹한 시각적 연출을 가능하게 한다.

생체역학과 무용: 인간 움직임의 과학적 분석

생체역학은 무용수의 동작을 과학적으로 분석하여, 무용수의 기술적 완성도와 효율성을 높이는 데 도움을 준다. 예를 들어, "Bio Dance" 프로젝트는 무용수의 동작을 생체역학적으로 분석하여 최적의 움직임 패턴을 제시한다. 이를 통해 무용수는 자신의 신체적 한계를 이해하고, 보다 안전하고 효과적으로 춤을 출 수 있다.

부상 예방과 퍼포먼스 향상도 생체역학적 분석의 중요한 목표이다. 무용수의 동작에서 부상을 유발할 수 있는 잘못된 자세나 과도한 스트레스를 식별하고, 이를 교정함으로써 부상을 예방할 수 있다. 또한, 무용수의 동작을 분석하여 효율성을 극대화하는 전략을 개발함으로써, 무용수의 퍼포먼스를 향상시킬 수 있다.

웨어러블 기술과 무용수의 퍼포먼스 개선

웨어러블 기술은 무용수의 퍼포먼스를 모니터링하고 개선하는 데 중요한 역할을 한다. 스마트 의류, 피트니스 트래커, 바이오센서 등 다양한 웨어러블 장치는 무용수의 신체 상태와 움직임을 실시간으로 모니터링하여 데이터 기반의 피드백을 제공한다. 예를 들어, "Wearable Dance" 프로젝트는 무용수의 심박수, 근육 활동, 체온 등을 모니터링하여 퍼포먼스를 최적화한다.

실시간 데이터는 무용수의 훈련 효과를 극대화하고, 맞춤형 훈련 프로그램을 설계하는 데 사용된다. 이러한 데이터 기반 접근은 무용수가 자신의 신체 상태를 지속적으로 관리하고, 최상의 컨디션을 유지할 수 있도록 돕는다. 또한, 무용수의 개인적인 신체 데이터를 바탕으로 맞춤형 훈련 계획을 세우고, 이를 통해 무용수의 개별적인 요구에 맞춘 훈련을 제공할 수 있다.

춤과 과학기술의 융합은 무용 예술의 새로운 가능성을 열어주고 있다. VR 과 AR, 모션 캡처, 첨단 조명 기술, 생체역학, 웨어러블 기술 등은 무용의 표현 방식을 혁신적으로 변화시키고 있다. 이러한 기술들은 무용수의 퍼포먼스를 향상시키고, 관객에게 새로운 감상 경험을 제공하며, 무용 예술의 발전에 크게 기여하고 있다. 앞으로도 춤과 과학기술의 융합은 더욱 다양한 형태로 발전할 것이며, 무용 예술의 경계를 넓혀갈 것이다.

사회속의 춤, 춤 속의 사회

춤은 인간의 본질적인 표현 형태 중 하나로, 역사적으로 사회와 밀접하게 연관되어 왔다. 이 장에서는 춤이 사회 속에서 어떤 역할을 해왔는지, 그리고 사회가 춤에 어떻게 영향을 미쳐왔는지를 탐구한다. 춤은 단순한 신체적 움직임을 넘어서, 사회적, 문화적, 정치적 맥락에서 다양한 의미를 지닌다. 춤을 통해 우리는 사회의 변화와 발전을 이해할 수 있으며, 이는 개인의 정체성과 공동체 형성에도 중요한 역할을 한다. 춤의 사회적 역할을 이해하기 위해서는 춤이 어떤 방식으로 사람들을 연결하고, 사회적 메시지를 전달하며, 문화적 전통을 유지하는지 살펴보아야 한다. 또한, 춤의 역사적 변화를 통해 우리는 사회가 어떻게 변해왔는지, 그리고 그 변화가 춤에 어떤 영향을 미쳤는지 알 수 있다. 춤은 시대와 장소에 따라 다양한 형태와 의미를 가지며, 이는 사회적, 정치적, 경제적 변화와 밀접하게 연관되어 있다. 따라서 춤의 역사를 탐구하는 것은 사회의 역사를 이해하는 데 중요한 단서를 제공한다. 춤과 정체성의 관계를 살펴보는 것도 중요하다. 춤은 개인의 정체성을 표현하고 형성하는 데 중요한 역할을 하며, 이는 성별, 인종, 계층 등의 사회적 범주와 밀접하게 연관되어 있다. 마지막으로, 춤이 사회적 이슈와 어떻게 연결되는지를 살펴본다. 춤은 사회적 불평등, 인권, 정치적 저항 등 다양한 사회적 이슈를 반영하고 표현하는 중요한 수단이다. 춤을 통해 우리는 사회적 문제에 대한 인식을 높이고, 변화를 촉진할 수 있다.

1. 춤의 사회적 역할

춤은 인간의 사회적 활동 중에서도 독특한 역할을 한다. 이는 주로 사람들 간의 소통과 관계 형성에 기여하는 방식에서 두드러진다. 전통 사회에서 춤은 공동체의 일체감을 형성하고 유지하는 중요한 수단이었다. 의식과 축제에서 춤은 사람들을 모으고, 사회적 규범과 가치를 재확인하는 기회가 된다. 현대 사회에서도 춤은 여전히 중요한 사회적 역할을 하고 있다. 클럽과 같은 장소에서 춤은 사람들을 연결하고, 사회적 상호작용을 촉진하는 수단으로 사용된다. 춤은 스트레스를 해소하고, 신체적, 정신적 건강을 증진하는 데 기여한다. 춤은 또한 사회적 메시지를 전달하는 강력한 도구가 될 수 있다. 예를 들어, 현대 무용은 종종 사회적, 정치적 메시지를 전달하는 매체로 사용된다. 춤은 교육적인 역할도 한다. 춤을 통해 사람들은 다른 문화와의 접촉을 경험하고, 이를 통해 문화적 다양성을 이해하고 존중하게 된다. 춤은 치유와 치료의 역할을 한다. 춤 치료는 정신적, 감정적 문제를 해결하는 데 효과적인 방법으로 사용된다. 춤을 통해 사람들은 자신의 감정을 표현하고, 스트레스를 해소하며, 자기 인식을 높일 수 있다. 마지막으로, 춤은 사회적 변화를 촉진하는 역할을 한다. 춤을 통해 사회적 불평등과 차별에 대한 인식을 높이고, 이를 변화시키기 위한 노력을 촉진할 수 있다.

2. 문화와 춤

춤은 특정 문화의 중요한 표현 형태 중 하나로, 그 사회의 가치, 규범, 전통을 반영한다. 각 문화는 고유한 춤의 형식과 스타일을 가지고 있으며, 이를 통해 문화적 정체성을 나타낸다. 예를 들어, 아프리카의 전통 춤은 그 지역의 음악, 의례, 공동체 생활과 밀접하게 연관되어 있으며, 이러한 춤은 공동체의 일체감과 정체성을 강화하는 역할을 한다. 문화적 맥락에서 춤은 종종 의식과 축제의 중심에 있다. 결혼식, 장례식, 수확제 등 중요한 사회적 행사에서 춤은 필수적인 요소로 자리 잡고 있으며, 이를 통해 사회 구성원들은 공동체의 전통과 가치를 재확인한다. 이러한 의식적 춤은 문화적 연속성을 유지하고, 세대 간의 연결을 강화하는 데 중요한 역할을 한다. 춤은 또한 문화 간 교류의 중요한 수단이 된다. 세계화 시대에 각국의 전통 춤은 다른 문화와의 접촉을 통해 새로운 형태로 변형되거나 융합된다. 현대 사회에서 춤은 문화적 표현의 다양성을 반영한다. 인터넷과 소셜 미디어의 발달로 인해 다양한 문화적 배경을 가진 춤이 전 세계적으로 공유되고 있다. 마지막으로, 춤은 문화적 정체성의 중요한 요소로 작용한다. 사람들은 춤을 통해 자신의 문화적 뿌리와 전통을 표현하며, 이를 통해 자신들의 정체성을 재확인한다.

3. 춤과 정체성

춤은 개인과 집단의 정체성을 표현하고 강화하는 중요한 수단이다. 이는 주로 춤이 사람들에게 자신을 표현할 수 있는 자유로운 공간을 제공하기 때문이다. 무용수는 춤을 통해 자신의 감정, 생각, 경험을 표현하고, 이를 통해 자신의 정체성을 드러낸다. 이는 특히 성별, 인종, 계층 등의 사회적 범주와 밀접하게 연관되어 있다. 성별과 관련하여, 춤은 종종 전통적인 성 역할을 강화하거나 도전하는 수단이 된다. 예를 들어, 발레는 오랜 시간 동안 여성적인 우아함과 남성적인 힘을 강조하는 춤으로 자리 잡아왔다. 그러나 현대 무용에서는 성별의 고정관념을 깨고, 모든 성이 자유롭게 표현될 수 있는 공간을 제공한다. 이러한 변화는 무용수가 자신의 성 정체성을 더 자유롭게 표현할 수 있도록 한다. 인종과 관련하여, 춤은 인종적 정체성을 표현하고 강화하는 중요한 수단이다. 흑인 공동체는 힙합과 같은 춤을 통해 자신들의 역사와 문화를 표현하고, 이를 통해 인종적 자부심을 강화한다. 계층과 관련하여, 춤은 사회적 계층을 표현하고 도전하는 수단이 된다. 이는 특히 사회적, 경제적 불평등이 심각한 사회에서 두드러진다. 춤은 사람들에게 자신의 목소리를 낼 수 있는 기회를 제공하고, 이를 통해 사회적 변화를 촉진할 수 있다. 예를 들어, 거리 춤은 종종 사회적, 경제적 소외 계층의 목소리를 대변하는 수단으로 사용된다. 마지막으로, 춤은 집단의 정체성을 표현하고 강화하는 데 중요한 역할을 한다. 춤을 통해 집단 구성원들은 자신의 정체성을 재확인하고, 이를 통해 집단의 결속을 강화할 수 있다. 이는 특히 전통 춤에서 두드러지며, 이를 통해 공동체의 일체감과 정체성을 유지할 수 있다.

4. 춤의 역사적 변화

춤의 역사는 인간의 역사와 함께 발전해왔다. 고대 사회에서는 춤이 주로 의식과 종교적 목적으로 사용되었다. 예를 들어, 고대 이집트에서는 신을 숭배하고 종교적 의식을 수행하는 데 춤이 사용되었으며, 이는 사회적, 종교적 역할을 했음을 보여준다. 춤은 단순한 예술적 표현을 넘어서 공동체의 결속을 다지는 중요한 수단이었다.

중세 시대에는 춤이 귀족과 상류층의 오락으로 자리 잡았다. 이 시기의 춤은 궁정에서 주로 행해졌으며, 사회적 지위와 권력을 과시하는 수단으로 사용되었다. 이러한 춤은 복잡한 규칙과 형식을 가지며, 이는 당시의 사회적 계층 구조를 반영했다. 예를 들어, 유럽의 궁정 춤은 엄격한 에티켓과 상류층 문화를 반영하며 발전하였다.

르네상스 시대에는 춤이 보다 대중화되었다. 이 시기의 춤은 사회적 사교 활동의 일환으로 사용되었으며, 이는 사회적 상호작용을 촉진하는 중요한 수단이 되었다. 또한, 이 시기에는 춤의 예술적 표현이 다양해지며, 춤의 발전에 중요한 역할을 했다. 발레의 기원도 이 시기에 찾아볼 수 있으며, 이는 이탈리아와 프랑스 궁정에서 시작되었다.

근대에 이르러, 춤은 다양한 형태로 발전하였다. 산업화와 도시화는 새로운 춤 스타일을 탄생시켰다. 20 세기 초반의 재즈 시대는 사회적 변화를 반영하며, 춤이 대중문화의 중요한 부분이 되었다. 이는 사회적 메시지를 전달하는 중요한 수단으로 사용되며, 종종 사회적, 정치적 이슈를 반영하였다.

현대 무용은 전통적인 형식에서 벗어나 보다 자유롭고 창의적인 표현을 추구하며, 이는 사회적 메시지를 전달하는 중요한 수단으로 사용된다. 현대 무용은 20 세기 중반에 크게 발전하였으며, 무용수와 안무가들은 자유로운 표현을 통해 사회적 메시지를 전달하고자 하였다. 이는 무용이 예술적, 정치적 도구로서의 역할을 강화하였다.

현대에는 기술의 발전과 함께 춤의 표현 방식도 변화하고 있다. 디지털 기술과 멀티미디어의 발달로, 춤은 다양한 예술 형태와 결합하여 새로운 형태로 발전하고 있다. 예를 들어, 멀티미디어 공연에서는 춤과 영상, 음악이 결합하여 새로운 예술적 표현을 창출하고 있다. 이러한 변화는 춤의 예술적 범위를 확장하고, 현대 사회에서 춤의 역할을 더욱 다양화하고 있다.

5. 춤과 정치

춤은 종종 정치적 메시지를 전달하는 강력한 도구로 사용되어 왔다. 춤은 감정과 이야기를 전달하는 데 탁월한 매체로, 정치적 저항과 사회적 변화를 촉진하는 수단으로 사용되었다. 예를 들어, 남아프리카 공화국의 아파르트헤이트 시기에는 춤이 정치적 저항의 상징으로 사용되었으며, 인종 차별에 대한 저항을 표현하는 중요한 방법이 되었다.

정치적 집회나 시위에서도 춤은 중요한 역할을 한다. 춤은 집회 참가자들의 결속을 다지고, 메시지를 전달하는 강력한 수단이 된다. 이러한 정치적 춤은 종종 감정적 호소력을 강화하며, 메시지를 더 효과적으로 전달하는 데 기여한다. 예를 들어, 여성 인권 운동에서 춤은 여성들의 결속과 연대를 표현하는 중요한 수단으로 사용되었다.

춤은 또한 국가적 정체성을 표현하는 데 사용된다. 예를 들어, 국가적인 행사나 축제에서 전통 춤은 그 나라의 문화와 역사를 기념하고, 국민적 자부심을 고취하는 역할을 한다. 이러한 전통 춤은 국가적 정체성을 강화하고, 국민들 간의 일체감을 형성하는 데 기여한다. 이는 춤이 단순한 예술적 표현을 넘어서, 정치적 역할을 할 수 있음을 보여준다.

춤은 정치적 선전에 사용되기도 한다. 독재 정권이나 권위주의 정부는 춤을 이용하여 자신의 정치적 이데올로기를 선전하고, 대중을 통제하려 한다. 예를 들어, 나치 독일에서는 춤이 국가주의와 군국주의를 홍보하는 도구로 사용되었다. 이러한 선전용 춤은 정치적 목적을 위해 예술을 왜곡하는 사례를 보여준다.

현대에는 춤이 사회적, 정치적 메시지를 전달하는 중요한 수단으로 사용되고 있다. 예를 들어, 현대 무용과 힙합은 종종 사회적 불평등, 인권, 정치적 저항을 주제로 다루며, 춤을 통해 강력한 메시지를 전달한다. 이는 춤이 예술적 표현을 넘어서, 사회적 변화를 촉진하는 중요한 역할을 할 수 있음을 보여준다.

마지막으로, 춤은 국제 정치에서도 중요한 역할을 한다. 국가 간의 문화 교류 프로그램에서 춤은 문화적 외교의 중요한 수단이 된다. 예를 들어, 한국의 K-pop 댄스는 전 세계적으로 인기를 얻으며, 한국 문화의 국제적 확산에 중요한 역할을 하고 있다. 이러한 문화 외교는 국가 간의 관계를 강화하고, 국제적 이해와 협력을 증진하는 데 기여한다.

6. 춤과 경제

춤은 경제적으로도 중요한 역할을 한다. 춤 공연과 관련 산업은 경제적 가치를 창출하며, 많은 사람들에게 일자리를 제공한다. 예를 들어, 대형 뮤지컬이나 발레 공연은 티켓 판매, 관광, 관련 상품 판매 등을 통해 상당한 경제적 수익을 창출한다. 이러한 공연 예술은 지역 경제를 활성화하고, 문화 산업의 발전에 기여한다.

춤 교육 산업도 중요한 경제적 역할을 한다. 무용 학원, 대학의 무용학과, 전문 무용 학교 등은 많은 학생들에게 교육을 제공하며, 이를 통해 경제적 활동을 촉진한다. 무용 교육을 받은 학생들은 이후 전문 무용수, 안무가, 무용 교사 등으로 활동하며, 경제적 가치를 창출한다. 이러한 교육 산업은 무용 예술의 지속적인 발전을 지원하는 중요한 역할을 한다.

춤과 관련된 패션 산업도 중요한 경제적 역할을 한다. 무용수들이 공연에서 착용하는 의상, 신발, 액세서리 등은 패션 산업과 밀접하게 연관되어 있다. 이러한 패션 아이템은 무용수들의 퍼포먼스를 돋보이게 하고, 경제적 가치를 창출한다. 특히, 발레 의상이나 힙합 댄스 의상 등은 패션 트렌드에 영향을 미치며, 이를 통해 경제적 활동을 촉진한다.

춤과 관련된 미디어 산업도 중요한 역할을 한다. 텔레비전, 영화, 유튜브 등 다양한 미디어를 통해 춤이 방송되고, 이를 통해 광고 수익과 콘텐츠 판매 수익을 창출한다. 예를 들어, 댄스 리얼리티 쇼는 많은 시청자들에게 인기를 끌며, 광고 수익을 창출한다. 이러한 미디어 산업은 춤의 대중화를 촉진하고, 경제적 가치를 창출하는 중요한 역할을 한다.

춤과 관련된 관광 산업도 중요한 경제적 역할을 한다. 특정 지역의 전통 춤 공연이나 축제는 많은 관광객들을 끌어들여 경제적 수익을 창출한다. 예를 들어, 스페인의 플라멩코 춤 공연은 많은 관광객들에게 인기를 끌며, 지역 경제를 활성화하는 중요한 역할을 한다. 이러한 관광 산업은 지역 문화의 보존과 발전에 기여하며, 경제적 가치를 창출한다.

마지막으로, 춤과 관련된 기술 산업도 중요한 경제적 역할을 한다. 모션 캡처 기술, VR, AR 등 첨단 기술을 이용한 춤 공연은 새로운 형태의 경제적 가치를 창출한다. 이러한 기술 산업은 춤의 표현 방식을 혁신적으로 변화시키며, 경제적 가치를 창출하는 중요한 역할을 한다. 예를 들어, VR 댄스 공연은 새로운 형태의 감상 경험을 제공하며, 이를 통해 경제적 가치를 창출한다.

7. 춤과 교육

첫째, **신체적 발달** 측면에서 춤은 유연성, 균형감각, 근력 등을 향상시키는 데 도움을 준다. 학생들은 춤을 통해 다양한 신체적 기술을 배우며, 이를 통해 건강한 신체를 유지할 수 있다. 예를 들어, 발레는 고도의 유연성과 균형을 요구하며, 이를 통해 학생들은 자신의 신체 능력을 극대화할 수 있다. 춤은 신체의 다양한 근육을 사용하게 하여 전반적인 신체 발달에 기여한다.

둘째, **창의성 측면**에서 춤은 학생들이 자신의 감정과 생각을 표현하는 방법을 배우는 데 도움을 준다. 춤을 통해 학생들은 자신의 감정을 자유롭게 표현할 수 있으며, 이는 정서적 발달에 긍정적인 영향을 미친다. 창의적인 춤 동작을 고안하고 이를 통해 자신의 이야기를 전달하는 과정은 학생들의 창의성을 자극한다. 예를 들어, 현대 무용은 전통적인 춤 형식을 벗어나 자유로운 표현을 추구하며, 이는 학생들의 창의적 사고를 촉진한다.

셋째, 춤은 **협동심과 사회성**을 기르는 데 중요한 역할을 한다. 단체로 춤을 추는 과정에서 학생들은 협동과 팀워크를 배운다. 서로의 동작을 맞추고, 조화를 이루는 과정은 학생들이 사회적 기술을 배우는 기회를 제공한다. 예를 들어, 단체 안무를 연습하고 공연하는 과정에서 학생들은 서로 협력하고, 상호 의존하는 법을 배운다.

넷째, 춤은 **문화적 이해와 다양성 존중을 촉진**한다. 춤은 특정 문화의 전통과 가치를 반영하며, 이를 통해 학생들은 다양한 문화를 이해하고 존중하는 법을 배운다. 이는 학생들이 글로벌 시민으로 성장하는 데 중요한 역할을 한다.

다섯째, 춤은 **정서적 및 정신적 건강을 증진**하는 데 기여한다. 춤을 통해 스트레스를 해소하고, 긍정적인 감정을 경험할 수 있다. 이는 학생들의 전반적인 정신 건강에 긍정적인 영향을 미친다. 춤은 신체 활동을 통해 엔도르핀을 분비시키며, 이는 스트레스와 불안을 줄이는 데 도움을 준다.

여섯째, 춤은 **예술적 감수성과 미적 감각**을 기르는 데 도움을 준다. 춤을 통해 학생들은 음악, 미술, 무대 디자인 등 다양한 예술적 요소를 경험하게 된다. 이는 학생들의 예술적 감수성을 자극하고, 미적 감각을 발전시키는 데 기여한다. 예를 들어, 발레 공연에서는 무대 디자인, 의상, 음악 등이 조화를 이루며, 이는 학생들이 종합적인 예술 경험을 할 수 있도록 돕는다.

8. 춤과 사회적 이슈

춤은 사회적 이슈를 반영하고, 이에 대한 인식을 높이는 데 중요한 역할을 한다.

첫째, 춤은 **사회적 불평등과 차별에 대한 저항을 표현**하는 수단으로 사용된다. 예를 들어, 힙합 춤은 인종 차별과 사회적 불평등에 대한 저항을 표현하는 중요한 수단으로 발전해왔다. 힙합 춤은 도시의 젊은이들 사이에서 시작되었으며, 이를 통해 그들의 목소리를 낼 수 있는 기회를 제공하였다.

둘째, 춤은 **인권 문제**를 다루는 데 중요한 역할을 한다. 현대 무용 작품 중 많은 것들이 여성 인권, 성소수자 인권 등 다양한 인권 문제를 다룬다. 예를 들어, 피나 바우쉬의 작품은 종종 여성의 권리와 성차별 문제를 다루며, 이를 통해 관객들에게 강력한 메시지를 전달한다. 이러한 춤 작품은 사회적 인식을 높이고, 변화를 촉진하는 역할을 한다.

셋째, 춤은 **환경 문제**를 다루는 데도 사용된다. 예술가들은 춤을 통해 환경 보호와 지속 가능성에 대한 메시지를 전달한다. 예를 들어, 일부 현대 무용 작품은 자연과의 상호작용을 주제로 하여 환경 보호의 중요성을 강조한다. 이는 관객들에게 환경 문제에 대한 인식을 높이고, 행동 변화를 촉진하는 데 기여한다.

넷째, 춤은 **정신 건강 문제**를 다루는 데 중요한 역할을 한다. 춤 치료는 정신 건강 문제를 해결하는 데 효과적인 방법으로 사용된다. 춤을 통해 사람들은 자신의 감정을 표현하고, 스트레스를 해소하며, 정신적 안정을 찾을 수 있다. 이는 정신 건강 문제를 겪고 있는 사람들에게 큰 도움을 줄 수 있다.

다섯째, 춤은 **젠더 문제**를 다루는 데 중요한 역할을 한다. 춤을 통해 성별의 고정관념을 깨고, 성 평등을 촉진할 수 있다. 예를 들어, 일부 현대 무용 작품은 전통적인 성 역할을 도전하며, 성 평등의 중요성을 강조한다. 이는 관객들에게 성 평등에 대한 인식을 높이고, 변화를 촉진하는 데 기여한다.

여섯째, 춤은 **정치적 메시지를 전달하는 중요한 수단**으로 사용된다. 춤을 통해 사회적, 정치적 메시지를 전달하고, 관객들에게 강력한 인상을 남길 수 있다. 예를 들어, 현대 무용 작품 중 많은 것들이 정치적 저항과 사회적 변화를 주제로 다루며, 이를 통해 관객들에게 강력한 메시지를 전달한다. 이러한 춤 작품은 사회적 변화를 촉진하고, 정치적 인식을 높이는 데 중요한 역할을 한다.

9. 춤과 공동체 형성

춤은 공동체를 형성하고 강화하는 중요한 수단이다.

첫째, 춤은 **공동체의 결속**을 다지는 데 중요한 역할을 한다. 전통적으로 춤은 공동체의 일체감을 형성하고 유지하는 중요한 수단이었다. 의식과 축제에서 춤은 사람들을 모으고, 공동체의 전통과 가치를 재확인하는 기회를 제공한다. 예를 들어, 아프리카의 전통 춤은 공동체의 일체감을 강화하는 중요한 역할을 한다.

둘째, 춤은 **사회적 상호작용을 촉진**하는 중요한 수단이다. 춤은 사람들 간의 관계를 형성하고, 소통을 촉진하는 데 도움을 준다. 예를 들어, 클럽에서 춤을 추는 것은 사람들 간의 사회적 상호작용을 촉진하는 중요한 방법이다. 춤은 사람들을 연결하고, 사회적 관계를 형성하는 데 기여한다.

셋째, 춤은 **문화적 정체성을 표현하고 강화**하는 중요한 수단이다. 춤은 특정 문화의 전통과 가치를 반영하며, 이를 통해 공동체의 문화적 정체성을 유지하고 강화한다. 예를 들어, 플라멩코 춤은 스페인의 문화적 정체성을 표현하는 중요한 수단이다. 이러한 춤은 공동체의 문화적 유산을 보존하고, 전통을 유지하는 데 기여한다.

넷째, 춤은 **세대 간의 연결을 강화**하는 데 중요한 역할을 한다. 전통 춤은 세대 간의 지식을 전수하고, 세대 간의 결속을 강화하는 중요한 수단이다. 예를 들어, 전통 춤을 통해 부모와 자녀는 공동체의 전통과 가치를 배우고, 이를 통해 세대 간의 연결을 강화할 수 있다. 이는 공동체의 지속성을 유지하는 데 중요한 역할을 한다.

다섯째, 춤은 **사회적 포용을 촉진**하는 중요한 수단이다. 춤은 사람들의 다양성을 존중하고, 포용적인 사회를 형성하는 데 기여한다. 예를 들어, 다양한 배경을 가진 사람들이 함께 춤을 추는 것은 사회적 포용을 촉진하고, 사람들 간의 이해와 존중을 증진하는 데 도움을 준다. 이는 포용적인 공동체를 형성하는 데 중요한 역할을 한다.

여섯째, 춤은 **공동체의 건강과 복지를 증진**하는 데 기여한다. 춤을 통해 사람들은 신체적, 정신적 건강을 유지하고, 이를 통해 공동체의 전반적인 복지를 증진할 수 있다. 예를 들어, 춤은 스트레스를 해소하고, 긍정적인 감정을 경험할 수 있는 기회를 제공한다. 이는 공동체의 건강과 복지를 증진하는 데 중요한 역할을 한다.

무용의 현대 트렌드와 특징

1. 융합과 하이브리드화

현대 무용의 가장 두드러진 특징 중 하나는 다양한 장르와 스타일의 융합이다. 현대 무용가들은 발레, 현대무용, 힙합, 재즈, 전통 무용 등 다양한 춤 스타일을 결합하여 새로운 형태의 춤을 창조하고 있다. 이러한 융합은 경계 없는 예술적 표현을 가능하게 하며, 관객에게 새로운 시각적 경험을 제공한다. 예를 들어, 윌리엄 포사이스의 작품은 발레와 현대무용을 결합한 독특한 스타일로 잘 알려져 있다.

2. 테크놀로지의 통합

테크놀로지의 발전은 현대 무용에 새로운 가능성을 열어주고 있다. VR(가상 현실), AR(증강 현실), 모션 캡처, 인터랙티브 미디어 등의 기술이 무대 예술에 도입되면서 무용의 표현 방식이 혁신적으로 변화하고 있다. 무용수의 움직임에 실시간으로 반응하는 디지털 아트, 가상 공간에서의 공연 등은 무용의 새로운 지평을 열고 있다. 대표적인 예로, 랜덤 인터내셔널(Random International) 그룹의 'Rain Room' 설치작품은 관객과 무용수가 상호작용하는 예술 공간을 제공한다.

3. 사회적 메시지와 정치적 주제

현대 무용은 종종 사회적, 정치적 메시지를 담고 있다. 무용가들은 자신의 작품을 통해 인권, 환경 문제, 사회적 불평등 등 다양한 사회적 이슈를 다루고 있다. 이는 단순히 예술적 표현을 넘어 관객들에게 중요한 사회적 메시지를 전달하는 수단이 된다. 피나 바우쉬(Pina Bausch)와 같은 무용가는 그의 작품을 통해 여성의 권리와 사회적 이슈를 강하게 반영해왔다.

4. 즉흥과 즉각성

즉흥 무용은 현대 무용의 중요한 요소 중 하나로 자리잡고 있다. 즉흥 무용은 사전에 계획된 동작이 아닌, 순간의 영감에 따라 자유롭게 움직이는 춤을 의미한다. 이는 무용수들에게 창의성과 표현의 자유를 극대화할 수 있는 기회를 제공한다. 즉흥 무용은 관객과의 즉각적인 상호작용을 강조하며, 무대 위에서 무용수들이 실시간으로 창작하는 과정을 보여준다. 대표적인 즉흥 무용가로는 스티브 팩스턴(Steve Paxton)이 있다.

5. 개인의 서사와 자전적 요소

현대 무용에서는 무용수 개인의 이야기와 경험이 중요한 소재가 된다. 무용수들은 자신의 삶, 경험, 감정을 춤을 통해 표현하며, 이를 통해 보다 개인적이고 깊이 있는 작품을 만들어낸다. 이러한 자전적 요소는 관객에게 공감을 불러일으키고, 무용의 감동을 극대화한다. 예를 들어, 오하드 나하린(Ohad Naharin)의 작품은 종종 그의 개인적인 경험과 감정을 반영한다.

6. 공동 창작과 협업

현대 무용에서는 다양한 예술가들과의 협업이 중요한 역할을 한다. 무용가들은 음악가, 시각 예술가, 디자이너 등과 협력하여 다채롭고 복합적인 예술 작품을 만들어낸다. 이러한 협업은 무용의 표현 범위를 넓히고, 보다 풍부한 예술적 경험을 제공한다. 예를 들어, 메르스 커닝햄(Merce Cunningham)은 음악가 존 케이지(John Cage)와의 협업을 통해 무용과 음악의 새로운 가능성을 탐구했다.

현대 무용은 융합과 하이브리드화, 테크놀로지의 통합, 사회적 메시지와 정치적 주제, 즉흥과 즉각성, 개인의 서사와 자전적 요소, 공동 창작과 협업이라는 특징을 통해 끊임없이 진화하고 있다. 이러한 다양한 트렌드는 현대 무용을 더욱 다채롭고 풍부하게 만들며, 관객들에게 새로운 예술적 경험을 제공한다. 현대 무용은 그 자체로 끊임없이 변화하고 발전하는 예술 형태로, 앞으로도 새로운 가능성을 탐구하며 예술의 경계를 확장해 나갈 것이다.

무용의 지속적 가치: 다각적 접근

1. **문화적 유산의 보존과 전승** 무용은 특정 문화의 역사와 전통을 담고 있는 중요한 예술 형식으로, 세대를 넘어 문화적 유산을 보존하고 전승하는 데 큰 역할을 한다. 전통 무용은 그 사회의 가치관, 의식, 관습 등을 반영하며, 이를 통해 공동체의 정체성을 유지하고 강화한다. 예를 들어, 한국의 전통 무용인 "부채춤"이나 "탈춤"은 한국의 역사와 문화를 표현하며, 이러한 전통 춤을 통해 문화적 유산이 후손들에게 전해진다.

2. **신체적 건강 증진** 무용은 신체 활동을 통해 건강을 증진하는 데 중요한 역할을 한다. 규칙적인 무용 활동은 유연성, 근력, 균형 감각, 심폐 기능 등을 향상시켜 전반적인 신체 건강을 개선한다. 예를 들어, 발레는 강한 근육과 유연성을 요구하며, 현대 무용은 다양한 신체 부위를 사용하는 동작을 통해 신체 전반의 건강을 촉진한다. 이러한 신체 활동은 건강한 생활 습관을 형성하는 데 기여한다.

3. **정신적 건강과 정서적 표현** 무용은 정신적 건강을 증진하고 정서적 표현을 가능하게 하는 중요한 예술 형식이다. 춤을 통해 스트레스를 해소하고, 자신의 감정을 표현하며, 심리적 안정을 찾을 수 있다. 무용 치료는 우울증, 불안, 스트레스 등 정신 건강 문제를 해결하는 데 효과적인 방법으로 사용되며, 무용은 이를 통해 심리적 안정을 제공한다. 이는 개인의 정신적 웰빙을 높이는 데 큰 기여를 한다.

4. 창의적 사고와 문제 해결 능력 향상 무용은 창의적 사고와 문제 해결 능력을 향상시키는 데 중요한 역할을 한다. 안무와 즉흥 춤은 무용수들이 창의성과 상상력을 발휘할 수 있는 기회를 제공한다. 무용수들은 새로운 동작을 창조하고, 이를 통해 창의적인 표현을 실현하며, 이를 통해 문제 해결 능력을 키울 수 있다. 무용은 이러한 창의적 과정을 통해 개인의 사고력을 확장하고, 창의적 능력을 개발하는 데 기여한다.

5. 사회적 유대감 형성 무용은 사람들 간의 관계를 강화하고, 사회적 유대감을 형성하는 데 중요한 역할을 한다. 단체 춤은 협동과 커뮤니케이션을 요구하며, 이를 통해 공동체 의식을 높인다. 무용은 사람들을 연결하고, 사회적 상호작용을 촉진하는 중요한 수단이 된다. 예를 들어, 플래시몹이나 커뮤니티 댄스 프로그램은 사람들 간의 유대감을 강화하고, 공동체의 결속을 다지는 데 큰 기여를 한다.

6. 문화 간 이해와 존중 촉진 무용은 다양한 문화적 배경을 이해하고 존중하는 데 중요한 역할을 한다. 무용을 통해 사람들은 다른 문화의 춤을 배우고 경험하며, 이를 통해 문화적 다양성을 이해하고 존중하게 된다. 예를 들어, 다양한 전통 춤을 배우는 것은 그 문화의 역사와 가치를 이해하는 데 도움을 주며, 글로벌 시민으로 성장하는 데 기여한다. 이는 문화 간의 상호 이해와 존중을 촉진한다.

7. 교육적 가치와 전인적 발달 무용 교육은 예술적 감수성을 키우고, 전인적 발달을 촉진하는 데 중요한 역할을 한다. 무용을 통해 학생들은 예술적 표현을 배우고, 이를 통해 창의성과 상상력을 개발한다. 무용 교육은 신체적 발달 뿐만 아니라, 정서적, 사회적 발달에도 긍정적인 영향을 미친다. 이는 학생들이 균형 잡힌 인격을 형성하는 데 도움을 주며, 전인적 발달을 촉진한다.

8. 경제적 가치 창출 무용은 경제적 가치를 창출하는 중요한 예술 산업이다. 무용 공연과 관련 산업은 많은 일자리를 제공하고, 경제적 활력을 불어넣는다. 예를 들어, 대형 뮤지컬이나 발레 공연은 티켓 판매, 관광, 관련 상품 판매 등을 통해 상당한 경제적 수익을 창출한다. 무용 교육 기관, 공연장, 무용 관련 제품 판매 등은 모두 경제적 가치를 창출하며, 지역 경제를 활성화하는 데 기여한다.

9. 예술적 혁신과 융합 무용은 다양한 예술 형태와의 융합을 통해 새로운 예술적 표현을 창출하는 데 중요한 역할을 한다. 무대 디자인, 음악, 시각 예술 등과의 협업을 통해 무용은 더욱 풍부한 예술적 경험을 제공한다. 예를 들어, 첨단 기술을 활용한 무용 공연은 새로운 시각적 경험을 창출하며, 무용의 예술적 범위를 확장한다. 이러한 예술적 혁신은 무용을 더욱 다채롭고 풍부하게 만든다.

10. 사회적 변화 촉진 무용은 사회적 변화를 촉진하는 중요한 도구로서의 역할을 한다. 무용을 통해 인권, 평등, 환경 문제 등 다양한 사회적 이슈를 다루며, 이를 통해 사회적 인식을 높인다. 무용가는 자신의 작품을 통해 사회적 메시지를 전달하고, 변화를 촉진하는 역할을 한다. 예를 들어, 현대 무용 작품은 종종 정치적, 사회적 메시지를 담고 있으며, 이를 통해 관객에게 강력한 인상을 남기고, 사회적 변화를 촉진한다.

무용개론

발 행 | 2024 년 06 월 19일

저 자 | 신숙경

펴낸이 | 한건희

펴낸곳 | 주식회사 부크크

출판사등록 | 2014.07.15.(제 2014-16 호)

주 소 | 서울특별시 금천구 가산디지털 1 로 119 SK 트윈타워 A 동 305 호

전 화 | 1670-8316

이메일 | info@bookk.co.kr

ISBN | 979-11-410-9028-9

www.bookk.co.kr